HEYNE
BÜCHER

Das Buch

Paris 1312: Einige Ritter des Templerordens, unter ihnen der Großmeister Jacques de Molay, werden der Ketzerei beschuldigt und öffentlich gehängt. Nur der britische Ordensritter Sir Baldwin Furnshill kann der Verhaftung entgehen. Er wird Zeuge der Demütigung und Hinrichtung seiner Ordensbrüder und schwört bittere Rache.

In Devon wird 1314 der junge Simon Puttock zum neuen Verwalter von Lydford Castle ernannt. Mit dem Amt übernimmt er auch die polizeiliche und richterliche Gewalt in dem umliegenden Gebiet, das zum Schloss gehört, und schon bald muss er als Untersuchungsrichter tätig werden. Mehrere Morde und Überfälle beunruhigen die Bevölkerung: In einem Dorf verbrennt ein unbeliebter Bauer in seinem Haus, der französische Abt de Penne wird auf grausame Weise getötet, und eine Gruppe von Kaufleuten wird von Räubern ausgeraubt, einige von ihnen ermordet. Gibt es zwischen den Todesfällen einen Zusammenhang? Zusammen mit Sir Baldwin Furnshill, seinem Nachbarn, macht sich Simon auf eine gefährliche Suche.

Der Autor

Michael Jecks hat seine Karriere in der Computerindustrie aufgegeben, um sich ganz dem Studium der mittelalterlichen Geschichte und dem Schreiben widmen zu können. Er lebt in Surrey und Devon.

Michael Jecks im Heyne Taschenbuch:

Sir Baldwin und die Hexe von Wefford (01/13382)

MICHAEL JECKS

DER LETZTE TEMPELRITTER

Roman

Aus dem Englischen
von Thomas Hag

WILHELM HEYNE VERLAG
MÜNCHEN

HEYNE ALLGEMEINE REIHE
Nr. 01/13381

Die Originalausgabe
THE LAST TEMPLAR
erschien 1995 bei Headline Book Publishing

Umwelthinweis:
Das Buch wurde auf
chlor- und säurefreiem Papier gedruckt.

Redaktion: Birgit Groll

Deutsche Erstausgabe 06/2001

Printed in Norway 2001
Umschlaggestaltung: Nele Schütz Design, München,
unter Verwendung des Gemäldes
DIE GERECHTEN RICHTER UND DIE STREITER CHRISTI
von Hubert und Jan van Eyck, 1432
Satz: Pinkuin Satz und Datentechnik, Berlin
Druck und Bindung: AIT Trondheim

ISBN 3-453-18951-5

http://www.heyne.de

Für meine Eltern
und für Jane, meine Frau,
für ihre Geduld und Unterstützung

Prolog

Die Menge, die an diesem Morgen vor der großen Kathedrale Notre Dame stand, harrte geduldig aus. Man konnte die gespannte Erwartung förmlich spüren. Die Menschen ahnten, dass es hier um mehr ging als um die öffentliche Erniedrigung von Verbrechern. Es handelte sich sogar um etwas Wichtigeres als eine Hinrichtung, und es schien, als wüssten die Pariser, dass man sich noch in Jahrhunderten an dieses Ereignis erinnern würde, denn sie waren zu tausenden gekommen. Sie warteten wie die Menschen, die vor den Bärengruben standen, um der Fütterung zuzusehen.

Wenn es sich um gewöhnliche Diebe oder Räuber gehandelt hätte, wäre der Andrang nicht so groß gewesen. Die Pariser – wie die meisten Bewohner der nördlichen Städte – hatten ihr Vergnügen daran, wenn den Tunichtguten ihre Strafe zuteil wurde, sie genossen die Karnevalsatmosphäre, und das laute, geschäftige Treiben an den Marktständen. Heute jedoch war es anders, die ganze Stadt versammelte sich, um dem Ende eines einst so ruhmreichen Ordens beizuwohnen.

Die Menge wartete unter einem dunklen, bleiernen Himmel mit schweren, dichten Wolken, durch die sich nur dann und wann ein Sonnenstrahl hervorwagte. Diese zwischenzeitlich hereinbrechende Helligkeit verstärkte aber letztlich nur die Atmosphäre von Düsterkeit und Unheil, die über dem Platz schwebte. Schließlich aber tauchte die Sonne aus ihrem Versteck auf und hüllte die Menschen, die auf die Ankunft der Verurteilten warteten, in ihr Licht. Sie ließ die Farben der Kleider und der Flaggen aufleuchten, machte für kurze Zeit die Kühle des Märztages vergessen und tauchte alles in eine fast sommerliche Heiterkeit, als seien die Menschen zum Feiern gekommen und nicht zu einer öffentlichen Schmähung.

Kurze Zeit später verbarg sich die Sonne abermals und hüllte sich nach einem schnellen, vorsichtigen Blick wieder in den Schutz der Wolken. Für den großen, dunklen Mann, der allein an einer Mauer der Kathedrale lehnte, verstärkte der graue Himmel nach dem plötzlich hereinbrechende Licht nur das Gefühl von Irrealität und Täuschung.

Er war groß und schlank und gab sich Mühe, unter diesen gewöhnlichen Männern und Frauen nicht allzu sehr aufzufallen. Für die meisten sah er aus wie einer der umherwandernden Ritter, die damals so zahlreich waren und die nach dem Verlust ihrer Lehnsherren weder ein Einkommen noch eine Aufgabe hatten. Er trug weder Kampfrüstung, noch das Kleid seines Herren mit den stolz zur Schau gestellten Insignien, sondern hatte sich in ein abgewetztes Wams und einen schmutzigen grauen Wollumhang gehüllt. Er machte den Eindruck, als habe er zu viele Tage und Nächte im Sattel oder im Freien schlafend verbracht. Seine Hand blieb stets in der Nähe des Schwertgriffs, als sei er ständig auf der Hut, auch wenn er kaum einen Blick für die Menschen in seiner Nähe übrig hatte. Er starrte nur auf die improvisierte Bühne neben der Mauer, als symbolisiere die Holzkonstruktion sein Dilemma.

Der Anfang des ganzen Unheils lag schon lange zurück, aber er konnte sich noch gut an den Tag erinnern, an dem das Unvorstellbare geschehen war: Freitag, der dreizehnte Oktober im Jahre dreizehnhundertsieben. Dieses Datum würde er nie mehr vergessen, es war ein Tag, den der Teufel höchst persönlich gestaltet hatte. Er hatte Glück gehabt, er hatte den Tempel zusammen mit drei Begleitern verlassen, um an der Küste ein Schiff zu begrüßen. Dadurch war er der Verhaftungswelle entgangen, die so viele andere Mitglieder seines Ordens überrollt hatte. Erst auf dem Rückweg nach Paris erfuhr er von den Ereignissen, als man ihn in einem Weiler davor warnte weiterzureisen. Bei seiner Rückkehr würde auch er sofort verhaftet und von der Inquisition verhört werden.

Eine Frau berichtete ihm von dem Verbrechen, das man an seinem Orden begangen hatte. Er, seine Freunde und die Dienerschaft hatten sich am Straßenrand niedergelassen, um etwas zu essen. Die Frau war in einer Gruppe, die einem Ochsenkarren folgte, an ihnen vorbeigegangen, eine kleine Gestalt mit aschgrauem Gesicht, deren Kleidung auf noble Herkunft schließen ließ. Sie schien völlig verzweifelt und stolperte mit gesenktem Haupt dahin, von Kummer und Gram gebeugt, doch als sie aufblickte und die Ritter durch ihre tränenverschleierten Augen ansah, war sie auf die bärtigen Männer, die ihre Helme abgenommen hatten, zugegangen. Zunächst schien sie von unbändiger Hoffnung gepackt, aber nachdem ihr Blick hastig über die Gesichter der schweigend essenden Ritter gewandert war, zeichnete sich Enttäuschung in ihren Gesichtszügen ab und sie begann laut zu weinen und ignorierte die Rufe ihrer Begleiter.

Sie redete mit mühsamen Worten und zitternder Stimme auf die Männer ein, die verblüfft ihre Mahlzeit unterbrachen und sich fragten, ob sie es mit einer Wahnsinnigen zu tun hatten, die nur sinnloses Zeug stammelte. Doch was sie schließlich ihren Worten entnahmen, traf sie wie ein Schlag. Auch ihr Sohn sei ein Templer, sagte sie, und sie wolle sie warnen. Sie sollten auf keinen Fall nach Paris gehen, sondern sich in Sicherheit bringen, in Deutschland oder England, egal wo. In Paris seien sie nicht mehr sicher und wahrscheinlich auch in ganz Frankreich nicht. Entgeistert hörten die Ritter ihr zu, während ihr schmächtiger Leib immer wieder von Schluchzern geschüttelt wurde, aus Angst um den Sohn, von dem sie annahm, dass er gefoltert wurde und den sie vielleicht erst auf dem Scheiterhaufen wiedersehen würde.

Zunächst konnten die Ritter es kaum glauben. Alle Brüder des Tempels verhaftet? Aus welchem Grund? Die Frau wusste keine Antwort. Sie wusste nur, dass alle ergriffen worden waren und von der Inquisition verhört wurden. Fassungslos sahen die Ritter ihr nach, als sie von den anderen davongezogen wurde und sich wieder unter die Gruppe um den Karren mischte. Noch einmal rief sie ihnen zu, sie sollten sich retten und warnte sie vor Paris, während der geduldige Ochse den Karren zog und die Menschen ihm langsam und schweigend folgten – wie bei einer Prozession. Angesichts dieser bestürzenden Nachrichten setzten die Männer ihren Weg zutiefst besorgt fort, jedoch nicht mehr nach Paris, sondern nach Westen, zum Herzogtum Guyenne. Dort schlugen sie mit einer anderen Gruppe von Templern, die sie auf der Straße getroffen hatten, ein kleines Lager auf, und nun hörten sie die ersten Berichte.

Es schien unvorstellbar, dass Papst Clemens den gegen sie gestreuten Verleumdungen Glauben geschenkt hatte, aber offenbar unterstützte er den französischen König Philip bei seiner Kampagne und unternahm nichts, um den Orden zu retten, der nur zu dem Zweck existiert hatte, ihm und dem Christentum zu dienen. Die absurden Vorwürfe hatten sich wie eine Springflut fortgepflanzt, und es war kein Raum für Argumente und Verteidigung geblieben. Denn die Vorwürfe zu leugnen, hätte zur Folge gehabt, dass sich die ganze Wucht der Inquisition auf den Beklagten entladen hätte, und das hieß Vernichtung. Gegen die Inquisition konnte man sich nicht verteidigen.

Zunächst wirkte das alles vollkommen lächerlich. Die Ritter wurden der Ketzerei beschuldigt, aber wie konnten gerade sie Ketzer sein, wo doch so viel von ihnen ihr Leben für die Verteidigung des Christentums gegeben hatten? Der Orden war gegründet worden, um den Kreuzritterstaat Outremer in Palästina zu verteidigen, und über Jahrhunderte hatte er für dieses Ziel gekämpft und zahlreiche Opfer gebracht. Wenn sie in die Gefangenschaft der Sarazenen gerieten und sie vor die Wahl gestellt wurden, Gott zu leugnen oder zu sterben, wählten sie den Tod. Wie konnte auch nur ein Mensch glauben, sie seien Ketzer?

Es ging das Gerücht, dass selbst die einfachen Leute dies kaum für möglich hielten. Über zwei Jahrhunderte hinweg hatte man sie gelehrt, dass der Orden in seiner Gottesfürchtigkeit unübertroffen sei, seitdem der Heilige Bernhard ihn während der Kreuzzüge unterstützt hatte. Wie hatten die

Templer so tief sinken können? Als die Befehle zur Verhaftung und Einkerkerung der Ritter hinausgegangen waren, hatte der König rechtfertigen müssen, warum er solche Maßnahmen ergriff. Offenbar befürchtete er, man würde seine Befehle sonst vielleicht nicht ausführen. Schließlich klangen die Beschuldigungen fast zu schockierend, um glaubwürdig zu sein. Der König hatte jedem der Offiziere, die für die Verhaftung der Ritter verantwortlich waren, ein Schreiben übergeben, in dem der Orden unmenschlicher, ja teuflischer Verbrechen bezichtigt wurde. Es wurde angeordnet, dass sämtliche Besitztümer eingezogen und die Ritter und deren Diener eingesperrt und verhört werden sollten. Am Ende jenes besagten Freitags lagen alle Männer, die sich in den Tempeln aufgehalten hatten, in Ketten und die dominikanischen Mönche der Inquisition begannen mit ihren Verhören.

Konnten sie solcher Verbrechen schuldig sein? Die Zweifel verwandelte sich in Bestürzung, als die ersten Geständnisse an die Öffentlichkeit drangen. Nach den unvorstellbaren Foltern, nachdem hunderte der Ritter Wochen endloser Qualen durchgemacht hatten und viele bereits gestorben waren, flossen die Geständnisse in die Ohren der Bevölkerung wie Unflat, der aus einem Graben fließt und das Brunnenwasser vergiftet. Und wie es Schmutz dieser Sorte an sich hat, besudelten die Gerüchte die Seelen aller, die sie hörten. Die Schuld der Templer galt als bestätigt.

Aber wer hätte bezweifelt, dass jeder, der mit ansehen musste, wie seinen Glaubensbrüdern von den Folterknechten Hände und Füße abgetrennt wurden, alles gestehen würde, um den Schmerzen und dem Schrecken ein Ende zu bereiten?

Die Folterungen wurden wochenlang ohne Unterlass durchgeführt, zum Teil sogar in den Gebäuden der Templer selbst, weil es in den Gefängnissen nicht genug Platz für so viele gab.

Schließlich gestanden sie alles, was ihnen die Dominikaner in den Mund legten. Sie gestanden, Christus zu leugnen. Sie gestanden, den Teufel anzubeten. Sie gestanden, auf das Kreuz zu spucken, sie gestanden Sodomie, alles, was ihnen die Schmerzen ersparen würde. Aber es war nie genug, es bedeutete lediglich, dass die Mönche zur nächsten Ebene ihrer Fragen übergingen. Es gab so viele Anklagen, für die man Geständnisse haben wollte, dass die Folter ewig zu währen schien. Viele gaben die unglaublichsten Verbrechen zu, doch es war noch immer nicht genug. Der König wollte den gesamten Orden vernichten. Die Qualen gingen weiter.

Mit der Zeit, und unter den langsamen, geduldigen Verhören der Mönche begann sich das Wesen der Geständnisse zu ändern. Die Aussagen bezogen nun den Orden selbst mit ein. Ja, man hätte die Ritter satanischen Initiationsriten unterzogen, man hätte sie aufgefordert, Götzen zu huldigen und Christus zu leugnen. Nun endlich hatte Philipp seinen Beweis: Der gesamte Orden war schuldig und musste aufgelöst werden.

Die Augen des Mannes auf dem Platz brannten heiß, als er an seine Freunde dachte, die Männer, die er ausgebildet und mit denen er gekämpft hatte – Männer, deren einziges Verbrechen darin bestanden hatte, zu loyal gewesen zu sein. So viele waren gestorben, so viele hatte der Schmerz zerstört, der so viel schlimmer war als alles, was ihnen die Sarazenen zugefügt hatten.

Bei ihrem Eintritt in den Orden hatten sie drei Gelübde abgelegt: Armut, Keuschheit und Gehorsam, wie in allen anderen Mönchsorden auch. Denn sie waren Mönche, Mönchsritter, die sich dem Schutz der Pilger im Heiligen Land verschrieben hatten. Aber seit dem Verlust von Acre und dem Fall des Königreichs Outremer in Palästina vor zwanzig Jahren hatten die Leute das vergessen. Sie hatten die selbstlose Hingabe und die Opferbereitschaft vergessen, die riesigen Verluste und die Qualen, die die Ritter in ihren Kämpfen gegen die Horden der Sarazenen erlitten hatten. Jetzt kannten sie nur noch die Geschichten über die angeblichen Verbrechen des größten aller Orden, die ein neidischer König verbreitet hatte, der dessen Besitz wollte. Und nun würde die Menge Zeuge der letzten Erniedrigung werden, der letzten Unwürdigkeit. Sie waren gekommen, um zu hören wie der letzte Großmeister des Ordens seine Schuld zugab und seine und die Verbrechen des Ordens gestand.

Langsam lief eine Träne über die Wange des Mannes, wie der erste Regentropfen, der den Sturm ankündigt, und mit einer schnellen, wütenden Bewegung wischte er sie weg. Dies war nicht der Augenblick für Tränen. Er war nicht gekommen, um die Vernichtung des Ordens zu betrauern, das konnte er später noch tun. Er war hier, um das Geständnis des Großmeisters zu hören, als Zeuge, ob er und seine Freunde wirklich alle betrogen worden waren.

Nachdem sie erfahren hatten, dass diese öffentliche Zurschaustellung stattfinden würde, hatten die Ritter sich vor drei Tagen getroffen und stundenlang debattiert. Die sieben Männer stammten aus verschiedenen Ländern. Sie gehörten zu den wenigen, die nicht ins Kloster gegangen waren oder sich einem anderen Ritterorden angeschlossen hatten, und sie waren verwirrt und verzweifelten an dieser Hölle auf Erden. Hatte es wirklich solche Verbrechen, solche Perversionen gegeben? Wenn der Großmeister gestand, hieß das, dass alles wofür sie standen, falsch war? War es möglich, dass sich der Orden ohne ihr Wissen so hatte korrumpieren lassen? Es schien unvorstellbar, aber genauso unvorstellbar schien das Gegenteil zu sein, denn das würde bedeuten, dass der König und der Papst gemeinsame Sache machten, um den Orden zu vernichten. Konnte der Orden von seinen beiden größten Schirmherren verraten worden sein? Ihre einzige Hoffnung bestand darin, dass alles widerrufen würde, man einen Irrtum zugäbe, dass die Unschuld des Ordens festgestellt und er wieder in den Stand des ehrenvollen Dienstes für den Papst erhoben würde.

Die Ritter hatten ihre Möglichkeiten besprochen und sie alle stimmten mit dem großen Deutschen aus Metz überein, dass einer von ihnen dem Geschehen beiwohnen sollte, um danach zu berichten. Auf die Aussagen anderer wollten sie sich nicht verlassen, jemand von ihnen musste dabei sein, der ihnen das Geschehen so wiedergab, dass sie sich selbst ein Urteil bilden konnten. Die Wahl war auf den Mann, der jetzt an der Mauer der Kathedrale stand, gefallen.

Aber er war noch immer so erschüttert, dass er kaum begriff, was um ihn herum geschah. Es fiel ihm schwer, die Ruhe zu bewahren. Es schien unglaublich, ja unmöglich, dass die Templer sich diesen Perversionen hingegeben hatten. Sie alle hatten sich dem Orden angeschlossen, weil sie Gott als Ritter besser dienen konnten denn als Mönche. Entschloss sich ein Templer, den Orden zu verlassen, konnte er nur einer noch strengeren Bruderschaft beitreten, den Benediktinern, den Franziskanern oder einer anderen Gruppe von Mönchen, die in der gleichen selbst auferlegten Armut lebten, verborgen vor der Welt. Wie hatte der Orden so schändlich betrogen werden können?

Er wischte eine weitere Träne fort und ging unruhig durch die Menge, mit vor Furcht und Besorgnis starrem Blick. Er betrachtete die Marktstände, ohne wirklich wahrzunehmen, welche Waren dort angeboten wurden, bis er merkte, dass er wieder an der Bühne angelangt war, und dieses Mal stellte er sich direkt davor, als wolle er sagen, macht nur weiter mit eurer Charade, lasst zu, dass der Orden vernichtet wird.

Wie ein Galgenplatz ragte das Podest vor ihm auf, eine große Holzkonstruktion, deren frisch zurechtgeschnittene Balken glänzten, wenn das Sonnenlicht auf sie fiel. An der Seite führte eine Treppe hinauf. Plötzlich lief es ihm kalt den Rücken hinab. Er spürte eine böse Macht, die von dieser widerwärtigen Bühne ausging, auf der er und seine Freunde verleumdet werden sollten. Es gab keine Versöhnung und auch kein Zurück zu den früheren Glanzzeiten. Das Gefühl überwältigte ihn, als mache er sich erst jetzt klar, wie tief der Orden gefallen war, als habe er über das ganze vergangene Jahr noch die kleine Flamme der Hoffnung genährt, der Orden könne doch noch gerettet werden. Doch nun verlöschte selbst dieser winzige Funke, und er spürte die Verzweiflung wie einen Schwertstich in der Brust.

Wie vor den Kopf geschlagen starrte er zur Bühne hinauf. Sie kam ihm vor wie das Symbol für das Scheitern des Tempels. Kalt und ausdruckslos stand sie vor ihm, eine karge Holzkonstruktion, auf der das Ende des Ordens besiegelt werden sollte. Dies war kein Ort für Geständnisse, es war ein Hinrichtungsplatz. Es war der Ort, an dem sein Orden sterben würde. Alles, wofür er und tausende von Rittern eingetreten waren, würde sterben – hier und heute.

Gegen diese Flut der Beschuldigungen, die sie verschlingen würde, gab es keine Verteidigung, keinen Schutz.

Aber selbst in diesem Augenblick, in dem er sich des Scheiterns bewusst wurde, spürte er noch eine Regung in seiner Brust, den letzten Funken Hoffnung.

In Gedanken versunken bekam er kaum mit, dass die Menge lauter wurde. Rufe und Pfiffe erklangen, als die Verurteilten nach vorne gebracht wurden, aber schon bald lag ein gedämpftes Murmeln über der Menge, als seien sich alle der Bedeutsamkeit des Ereignisses bewusst. Immer leiser wurde es, bis fast alle schwiegen und auf die Männer warteten, die auf die Bühne kommen sollten, die Hauptdarsteller in diesem traurigen Drama. Noch konnte der Zeuge sie nicht sehen, denn sie hatten die Treppe noch nicht erreicht, er bemerkte jedoch wie sich die Menschen vor der Bühne drängten und um die besten Plätze stritten. Immer mehr Schaulustige eilten nach vorne, alle schienen gemerkt zu haben, dass bald etwas geschehen würde. Er spürte, wie sehr er seinen Zorn im Zaum halten musste, die Wut darüber, dass diese gemeinen Männer und Frauen, sich an ihm, einem Ritter, vorbeidrängen wollten, aber bald ließ ihn das Bild auf der Bühne die Menschen um sich herum vergessen.

Über die Köpfe der Menge hinweg konnte er vier Männer sehen, die nun die Treppe zur Bühne hinaufgestoßen wurden. Plötzlich ging ein Raunen durch die Menge, und das, was er sah, ließ sein Herz hoffnungsvoll höher schlagen. Sie trugen ihre Gewänder! Es war das erste Mal in den langen Jahren seit dem dreizehnten Oktober 1307, dass er Templer in ihren Uniformen gesehen hatte. Bedeutete das, ihre Ehre war wieder hergestellt? Er hob den Kopf und öffnete den Mund, als er sich bemühte, ihre Gesichter zu erkennen. Der verzweifelte Wunsch, seinen Orden wiederauferstehen zu sehen, spiegelte sich als schmerzliche Wehmut auf seinen Zügen.

Aber dann wurde auch dieser letzte Traum zerstört und zurück blieb nur eine einsame Leere. Sein Mut sank, sobald er über die Menschen in den ersten Reihen hinwegsehen konnte, und fast wäre seiner Kehle ein Schrei entschlüpft. Die vier trugen ihre Gewänder offensichtlich nur aus dramaturgischen Gründen. Als sie an den Rand der Bühne gestoßen wurden und dort stehen blieben, um mit leeren Augen in die Menge zu starren, sah er die schweren Ketten und Handfesseln, mit denen sie gebunden waren. Es würde keine Wiedergutmachung geben.

Unwillkürlich trat er zurück und ließ zu, dass die hinter ihm Stehenden vortraten. Er wischte sich mit der Hand über die Augen, als wolle er verhindern, dass ihm Tränen des Zorns und der Verzweiflung aus den Augen strömten. Dann senkte er den Kopf, um nicht die Blicke der Templer auf sich zu ziehen und so als einer der ihren erkannt und ergriffen zu werden. Er wollte auch nicht die Verzweiflung in ihren Augen sehen, die Angst und den Selbstekel. Als starke Männer hatte er sie gekannt, als Krieger, und so wollte er sie auch in Erinnerung behalten, nicht so, wie sie jetzt dort standen.

Als gedemütigte Männer blickten sie furchtsam auf die Menschenmenge, die gekommen war, um ihrer Vernichtung beizuwohnen. Der Ruhm ihrer vergangenen Tage war dahin. Jacques de Molay, der Großmeister, wirkte schmächtig und unbedeutend in der großen weißen Robe, die ihm wie ein Leichentuch über den Schultern hing. Er war über siebzig, und man sah ihm das Alter an. Sein Gesicht war aschfahl, er stand gebeugt und wankte unter dem Gewicht der Ketten. Stumm glitt sein Blick über die Menge, der Blick eines ängstlichen, gebrochenen Mannes.

Als der Ritter de Molay das letzte Mal getroffen hatte, war er ein kräftiger, optimistischer Mann gewesen, der sich seiner Macht sicher war und seiner Autorität als Führer einer der stärksten Armeen der Christenheit, keinem Menschen zur Rechenschaft verpflichtet außer dem Papst. In monatelanger Arbeit hatte er einen Bericht für ihn verfasst, in dem er seine Überzeugung kundtat, dass man mit einem weiteren Kreuzzug das Heilige Land wiedergewinnen könne. Er hatte dargelegt, wie man es zurückerobern und auf Dauer verteidigen könne. So sicher war er sich gewesen, den Pontifex überzeugen zu können, dass er seine Soldaten bereits aufgerufen hatte, sich bereit zu halten. Er hatte sie organisiert und noch einmal unterwiesen, die strengen Regeln des Ordens zu befolgen und sich nach den ursprünglichen Werten zu richten. Jetzt war er ein gebrochener Mann.

Dort oben stand ein müder Greis, den der Schmerz, bei der Zerschlagung des eigenen Ordens ohnmächtig zusehen zu müssen, gezeichnet hatte. 1307 war er der oberste Herr des ältesten und größten Militärordens gewesen, mit dem Kommando über tausende von Rittern und Fußsoldaten und keinem Lehnsherren oder König untertan; nur dem Papst. Jetzt, da man ihm Rang und Macht genommen hatte, sah er alt und müde aus, als habe er zu viel in seinem Leben gesehen und warte nur noch auf den Tod. Er hatte sich aufgegeben. Für ihn gab es nichts mehr, wofür es sich zu leben oder zu sterben lohnte.

Der schweigende Beobachter in der Menge zog sich die Kapuze noch tiefer ins Gesicht. Nun wusste er, dass alles vorbei war. Wenn sie Jacques de Molay so etwas antun konnten, bedeutete es das Ende des Ordens. Er hüllte sich noch tiefer in seinen Umhang. Die Trauer, die ihn erfasste, war so groß, dass er nicht mehr hörte, was auf der Bühne verkündet wurde. Der letzten Erniedrigung seines Ordens – und seines Lebens – wollte er nicht mehr beiwohnen.

Ohne dem Geschehen auf der Plattform weitere Beachtung zu schenken, drehte er sich um und versuchte, sich seinen Weg durch die Menge zu bahnen. Er konnte es nicht mehr ertragen. Er wollte nur noch fort, fort von diesem Ort des Grauens, und er wollte seine Verzweiflung und seine Trauer auf diesem verfluchten Platz zurücklassen.

Er kam kaum voran. Die Menschen standen zu dicht gedrängt, von hinten kamen immer mehr und versuchten nach vorne zu gelangen, um einen Blick auf die Männer auf der Bühne zu erhaschen. Es war, als kämpfe er gegen eine Flutwelle an, und er brauchte endlos lange, um nur wenige Meter voranzukommen. Verzweifelt versuchte er sich an den Männern und Frauen vorbeizuschieben, die sich vor ihm aufbauten, bis er schließlich vor einem hünenhaften Kerl stand, der nicht zur Seite trat, um ihn vorbeizulassen, sondern ihn nur mit düsterem Blick fixierte. Als er sich bemühte, irgendwie an dem Mann vorbeizukommen, hörte er plötzlich de Molays Stimme. Verwundert nahm er wahr, dass sie durchaus nicht schwach und zitternd klang, sondern kraftvoll und laut, als habe der Großmeister einen versteckten Quell innerer Stärke angezapft. Verwundert drehte er sich um und sah zur Bühne hinauf.

»... vor Gott im Himmel, vor Jesus seinem Sohn und vor der ganzen Erde gestehe ich, dass ich schuldig bin. Ich gestehe, dass ich den größten Verrat begangen habe und mit diesem Verrat die Ehre und das Vertrauen meiner Ritter und meines Ordens in den Schmutz gezogen habe. Ich habe Verbrechen gestanden, von denen ich wusste, dass sie niemals begangen worden waren – und das nur aus Feigheit. Ich gestand aus Angst vor der Folter, um mein Leben zu retten. Mein Verbrechen heißt Schwäche und damit habe ich die Meinen verraten. Ich erkläre hiermit, dass die dem Orden zur Last gelegten Verbrechen nie stattgefunden haben. Ich schwöre auf die Ehrlichkeit, die Reinheit und die Heiligkeit der Männer des Tempels. Ich leugne jedes Verbrechen, dessen der Tempel beschuldigt wird.

Dafür werde ich sterben. Dafür, dass ich die Unschuld der bereits toten Männer beschwöre, der Männer, die von der Inquisition ermordet wurden. Aber nun kann ich wenigstens ehrenvoll sterben, mit ...«

Jacques de Molay schien über sich hinauszuwachsen. Mit geraden Schultern stand er an dem Geländer, das die Bühne umgab und erklärte stolz und mit hoch erhobenem Kopf, dass seine Ankläger logen und dass er und sein Orden unschuldig seien. Seine kräftige Stimme drang bis in die hintersten Reihen, und die Menge wurde still. Doch bald erhob sich zorniges Gemurmel, das der Ritter wie ein Rauschen aus weiter Ferne wahrnahm. Deswegen waren die Leute nicht gekommen; man hatte ihnen gesagt, die Templer würden ein öffentliches Geständnis ablegen, würden die Verbrechen zugeben, derer sie verurteilt worden waren. Wenn dieser Mann sie allesamt leugnete, warum waren sie dann auf so grausame Weise bestraft worden? Ein Soldat packte de Molay und drängte ihn nach hinten, doch sogleich trat ein weiterer Templer vor und auch er, zur offensichtlichen Verwirrung der Soldaten und Mönche um ihn herum, wies die Anschuldigungen gegen den Orden mit stolzer, kräftiger Stimme von sich.

Der Mann in der Menge hörte die Zornesrufe um sich herum und seine Augen strahlten vor Stolz über den Widerruf seiner Führer. Nach all den Jahren des Leids wurde seine Ehre, die Ehre des Ordens, bestätigt. Die widerlichen Gerüchte waren falsch, das wusste er nun. Wer aber hatte die Anschuldigungen in die Welt gesetzt? Nach und nach erfasste ihn kalte Wut. Er stellte sich die Männer vor, die so etwas getan hatten, die so viel Leid und Angst über den Orden gebracht hatten, und mit neuer Entschlossenheit richtete er sich auf.

Die Menge war empört – man hatte ihnen eingetrichtert, die Templer seien böse, teuflische Männer, die große Sünden gegen die Christenheit begangen hatten, und doch waren zwei der größten Templer vorgetreten und hatten jede Schuld bestritten. Dabei handelte es sich um Aussagen, die sie mit dem Tode bezahlen würden, also konnte man ihnen glauben. Aber wenn sie die Wahrheit sagten, dann hatte man an ihnen Verbrechen von unglaublichem Ausmaß begangen. In ihrem Zorn drängten die Menschen nach vorne, sie beschimpften die Mönche, und die Soldaten führten die vier Männer hastig von der Bühne. Der Ritter stand in der Menge wie ein Stein, den die Flut an Land gespült hatte.

Seine Augen brannten, doch er weinte nicht. In seinen

Schmerz mischten sich Stolz und Zorn. Es gab keinen Zweifel mehr. Ganz egal, was über den Orden gesagt worden war, er wusste nun, dass es alles Lügen waren. Und wenn es Lügen waren, hatte sie jemand zu verantworten. Sein Leben hatte einen neuen Sinn: Er musste die Schuldigen finden und Rache üben. Langsam drehte er sich um und ging zu dem Wirtshaus zurück, wo er sein Pferd angebunden hatte.

Kapitel 1

Simon Puttock empfand Stolz, aber auch ein gewisses Unbehagen, während er den Windungen der Straße folgte, die von Tiverton nach Crediton führte. Er ließ sein Pferd gemächlich vor sich hin traben und dachte über seine neue Stellung nach.

Er arbeitete nun schon viele Jahre für die de Courtenays, so wie sein Vater vor ihm, und von Zeit zu Zeit hatte er auch daran gedacht, wie es wäre, einen besseren Posten zu haben. Als er jedoch erfuhr, er solle der neue Vogt von Lydford Castle werden, hatte es ihn wie ein Blitz aus heiterem Himmel getroffen. Natürlich hatte er gehofft, dass seine Lehnsherren mit seiner Arbeit zufrieden waren, aber er hätte nicht davon zu träumen gewagt, dass man ihm eine eigene Burg geben würde, schon gar nicht eine solch wichtige wie Lydford. Immer wieder huschte ein freudiges Lächeln über sein Gesicht, dem man ansonsten die nervöse Anspannung deutlich ansah.

Die de Courtenays, die Lehnsherren von Devon und Cornwall, konnten sich schon seit Jahrzehnten auf Simons Familie verlassen. Peter, sein Vater, war bis zu seinem Tod vor zwei Jahren zwanzig Jahre lang Seneschall ihrer Burg in Oakhampton gewesen. Er hatte ihre Ländereien gewissenhaft verwaltet und auch für den Frieden gesorgt, wenn sich die de Courtenays, wie so häufig, auf ihren Besitztümern im Norden aufhielten. Vor dieser Zeit war Peters Vater der Kämmerer der Familie gewesen und hatte in den Zeiten, bevor König Edward auf den Thron kam, treu für seinen Lehnsherrn gekämpft. Simon war außerordentlich stolz auf die Verbindung seiner Familie zu diesem alten Adelsgeschlecht.

Doch obwohl sie den de Courtenays schon so lange treu

gedient hatten, bedeutete die Ehre, die Verwaltung von Lydford Castle übertragen zu bekommen, doch etwas ganz Besonderes. Diese große Ehre war auch ein Risiko. Wenn er erfolgreich arbeitete und das Land Gewinn brachte, konnte er ein reicher Mann werden, mächtig und einflussreich. Allerdings würde er als Vogt auch für jedes Missgeschick geradestehen müssen; für niedrigere Steuereinnahmen, für geringere Ernteerträge – für alles. Jetzt, da er sich auf dem Heimweg zu seiner Frau befand, ordnete er seine Gedanken und überlegte, wie er die Möglichkeiten, die seine neue Rolle bot, am besten nutzen konnte.

Seit die Schotten vor zwei Jahren bei Bannockburn die englische Armee geschlagen hatten, war die Lage ständig schlechter geworden. Dabei blieb er nicht nur bei den Attacken der Schotten gegen die nördlichen Grafschaften oder ihre Invasion Irlands, es schien, als sei Gott auf das gesamte Europa zornig und strafe es. Seit zwei Jahren wurde England von schweren Sturmfluten heimgesucht. Im letzten Jahr, dreizehnhundertfünfzehn, war es hier im äußersten Westen nicht ganz so schlimm gewesen. Den Leuten hatte es nie an den wichtigsten Dingen gefehlt. Aber in diesem Jahr schien der Herbstregen nicht mehr aufzuhören, und die Ernte war teilweise vernichtet. In anderen Counties hatten die Menschen aus lauter Verzweiflung begonnen, ihre Pferde und Hunde zu essen, weil sie keine andere Nahrung fanden. Hier in Devon war es noch nicht so schlimm. Aber es bedeutete, dass vieles gut geplant werden musste. Als Vogt von Lydford Castle wollte er alles tun, um den Menschen, für die er verantwortlich war, zu helfen.

Gedankenverloren ritt er weiter. Er war groß und kräftig, vom Reiten und Jagen muskulös, und mit fast dreißig in der Blüte seiner Jahre. Sein Haar war dicht, keine einzige graue Strähne zog sich durch die dunkelbraunen Locken, und er sah jünger aus als er war. Da er sich häufig an der frischen Luft aufhielt, hatte sein Teint eine gesunde Farbe. Zum Glück besaß er bislang noch nichts von der Korpulenz seines Vaters, dessen Backen heruntergehangen hatten wie die seiner Mastiffs, aber er merkte, wie er langsam um die Hüften herum etwas zunahm, sicher eine Folge des selbst gebrauten, starken Bieres, auf das seine Familie so stolz war.

Seine dunkelgrauen Augen blickten zuversichtlich aus dem wind- und sonnengegerbten Gesicht. Er hatte das Glück gehabt, in der Nähe Creditons aufgewachsen zu sein, wo ihm die Mönche in der Kirche das Lesen und Schreiben beigebracht hatten – er wusste, dass ihn diese Fähigkeiten unter den anderen Verwaltern einzigartig machten –, und er war zuversichtlich, dass er die Aufgaben, die vor ihm lagen, bewältigen konnte.

Er schaute zum Himmel hinauf, der sich verdunkelte, während die Sonne im Westen langsam unterging, und drehte sich zu seinem Knecht um, der auf seinem alten Zuggaul hinter ihm her trabte. »Hugh«, sagte er, »wir sollten auf Bickleigh übernachten, sonst müssen wir im Dunkeln nach Sandford reiten.«

Sein Knecht, ein hagerer, düsterer, dunkelhaariger Mann, der die schmalen, scharfen Züge eines Frettchens hatte, schaute auf. Er saß auf seinem Pferd wie ein Gefangener, den man zum Galgen bringt und der über Wichtigeres sinniert – er schien fast ungehalten, dass er aus seinen Gedanken gerissen worden war.

Nachdem er sich beruhigt hatte, raunzte er zustimmend, während er auf seinem Sattel schwankte. Er war keineswegs erpicht darauf, heute Abend noch weiterzureiten, und Bickleigh war für seine reichen Vorräte an Wein und Bier bekannt – was ihn betraf, ein guter Ort zur Rast.

Der Vogt lächelte in sich hinein. Obwohl Hugh in den fünf Jahren, in denen er nun sein Knecht war, oft und lange mit seinem Herrn unterwegs gewesen war, hatte er die Reitkunst nie gänzlich gemeistert. Er stammte aus einer Bauernfamilie nahe Drewsteignton und hatte sein Leben lang nur Schafe gehütet. Bevor er in Simons Dienste trat, hatte er noch nie auf einem Pferd gesessen. Selbst jetzt, nach vielen Stunden der Übung, saß er noch immer zu steif im Sattel, und noch immer merkte man ihm an, dass er sich nur ungern von einem Pferd tragen ließ.

Einmal hatte Simon ihn gefragt, warum er eine solche Abneigung gegen das Reiten habe, nicht zuletzt, weil er sich jedes Mal ärgerte, wenn ihn die langsame Gangart seines Knechts aufhielt.

Hugh hatte zuerst nur düster auf den Boden gestarrt. Es dauerte einige Zeit, bis er antwortete, und er tat es leise und verschluckte die Silben. »Es ist die Entfernung. Das gefällt mir nicht.«

»Was meinst du damit, die Entfernung?«, hatte Simon ob der obskuren Antwort verstimmt gefragt. »Wenn es darum geht, dann brauchst du nur schneller reiten und wir kommen eher ans Ziel.«

»Diese Entfernung meine ich nicht. Ich meine die Entfernung nach unten«, hatte Hugh mit einem trotzigen Blick auf den Boden geantwortet, und nachdem Simon begriffen hatte, prustete er vor Lachen.

Simon musste auch jetzt grinsen, als er sich an die Geschichte erinnerte. Er drehte sich wieder um. Die Straße folgte den Windungen des forsch dahinströmenden Exe, und während sie den angrenzenden Waldrand entlang ritten, ertappte er sich dabei, wie er die dunklen Baumreihen zu seiner Rechten aufmerksam beobachtete.

Seit die Regenfälle im vorigen Jahr hatte die Knappheit an Lebensmitteln eine Reihe der ganz Armen dazu verleitet, sich mit Raub und Diebstahl das zu besorgen, was ihnen fehlte. Um diese Gegend machte er sich keine großen Sorgen, aber er war sich des Problems nur allzu bewusst. Wie immer, wenn die Nahrung knapp wurde, stiegen die Preise, und auch gesetzestreue Bürger sahen sich gezwungen, rauere Methoden anzuwenden, um das Notwendigste aufzutreiben. Nach der schlechten Ernte hatten sich kleinere Räuberbanden zusammengetan. Diese mit Knüppeln und Messern bewaffneten Männer überfielen arglose Reisende, raubten sie bis aufs Hemd aus, und manchmal töteten sie ihre Opfer auch. Noch hatte Simon nichts davon gehört, dass diese Banden in sein Gebiet eingedrungen waren, aber man hatte ihm berichtet, eine kleinere Gruppe habe sich etwas weiter nördlich etabliert, im Wald des Königs bei North Petherton. Tiefer nach Süden waren sie bis jetzt nicht vorgedrungen, aber er hielt die Augen lieber offen, falls irgendwo Diebe lauerten.

Es überraschte ihn schließlich doch, welche Erleichterung er spürte, als sie den Hügel erreicht hatten, von dem aus sie Bickleigh sehen konnte. Er hatte seine Nervosität gar nicht richtig wahrgenommen und schalt sich nun, Angst vor nicht vorhandene Wegelagererern gehabt zu haben, während er auf den Weg bog, der zur Burg führte.

Dieses kleine Bollwerk war eines von vielen, die man im Laufe der Jahre errichtet hatte, um die Grafschaft vor den Männern aus Cornwall zu schützen. Es gehörte den de Courtenays. Das Ganze war ein nicht allzu großes, befestigtes Gebäude, eigentlich nur ein rechteckiger Steinturm, den eine einfache Schutzmauer umgab. Wie bei vielen Burgen aus dieser Zeit befand sich der Eingang im ersten Stock und konnte nur über eine äußere Treppe erreicht werden. Bickleigh Castle wurde mehr als Jagdhaus denn als Festung genutzt, und Lord de Courtenay besuchte es auch nur ein oder zwei Mal im Jahr. Es wurde ebenfalls von einem Vogt verwaltet, der für das Eintreiben der Steuern und die Instandhaltung der die Burg umgebenden Bauernhöfe verantwortlich war. Es war ein ruhiger Flecken Erde, das sich am Hügel tief in die Wälder kuschelte und über eine Meile von der Straße nach Tiverton entfernt lag. Ursprünglich hatte es als Fort gedient und war zum Schutz gegen Angriffe ständig bemannt gewesen, aber nun war es fast vergessen, ein verlassener Außenposten auf dem Lande, den selbst der Lehnsherr ignorierte, der sich größeren und imposanteren Burgen zugewandt hatte, die strategisch wichtiger waren – und wo man besser jagen konnte.

Bickleigh war nicht mehr wichtig. Simon wusste schon, dass es einmal anders gewesen war, damals in der Zeit nach der Invasion, als es für die Normannen von größter Bedeutung war, das Land, das sie erobert hatten, mit gut verteilten Außenposten zu besetzen. Damals hatte Bickleigh vor allem als Station zwischen Exeter und Tiverton seine Bedeutung gehabt, eine von hunderten von Festungen, die die Invasoren gebaut hatten, um die Bevölkerung in Schach zu halten, die stets bereit war, gegen ihren neuen König zu revoltieren – besonders die Wessexmen von Devon. Aber heute wurde die Festung nicht mehr gebraucht.

Simon und Hugh ritten bis an die alte Mauer und stiegen am Tor ab. Sie führten ihre Pferde in den Innenhof. Durch das laute Geklapper der Hufe auf dem Pflaster herbeigelockt, trat ein Knecht auf sie zu und nahm ihnen das Zaumzeug aus der Hand, woraufhin er auf die große Eichentür am Ende der Treppe deutete, die zu den Wohnräumen führte. Simon nickte, bevor er die Stufen hinaufging und durch die Haupttür trat, wo er von John, dem Verwalter der de Courtenays auf Bickleigh Castle, begrüßt wurde.

»Simon, alter Freund«, sagte er und streckte die Hand aus. Sein Lächeln ließ die Falten in seinem Gesicht noch tiefer erscheinen. »Komm herein, komm herein. Schön, dich wiederzusehen! Wie wär's mit Speis und Trank?«

Simon lächelte und schüttelte John die Hand. »Danke. Ja, ein Becher Wein, etwas zu essen und ein Platz zum Übernachten käme uns sehr gelegen. Ich bin auf dem Heimweg und kann mich kaum länger im Sattel halten. Oder hast du was dagegen?«

»Dagegen?« Lachend legte John seinen Arm um Simons Schulter und führte ihn durch einen Flur in die große Halle. »Komm, jetzt isst du dich erst einmal satt.«

Johns Stimme hallte durch das leere Schloss, während er voranging. Simon fiel zum wiederholten Male auf, wie einsam eine solche Burg wirkte, wenn der Lehnsherr nicht anwesend war und die Stimmen der Köche, der Diener und der Gäste verstummt waren. Es schien, als sei das ganze Gebäude in den Winterschlaf gefallen und warte darauf, dass der Herr zurückkehrte. Der Klang ihrer Stiefel schien bis in den Turm hinauf zu tönen, als sie über den Steinboden gingen. Sie betraten die Halle, in der ein loderndes Kaminfeuer brannte. Bald darauf brachten Diener kalten Braten und Wein. Sie stellten alles auf einem Tisch vor Simon ab, der sich gütlich tat. Nach einigen Minuten erschien auch Hugh – er hatte sich um die Pferde gekümmert – und setzte sich zu seinem Herren. Bei dem Blick auf die dargebotenen Speisen hellte sich sogar seine gewohnt finstere Miene auf und er langte beherzt zu.

John hatte ihnen schweigend zugesehen. Nachdem sie sich satt gegessen hatten, setzten sie sich zu ihm an den Kamin. Er beugte sich vor und schenkte ihnen Wein nach.

Simon lächelte seinem älteren Freund zu, der vor ihm auf seiner Bank saß, die Wangen von der Wärme gerötet. Dann wandte er sich ab und ließ den Blick durch die Halle schweifen.

Sie kam ihm wie eine große Höhle vor, diese fast quadratische dunkle Behausung, die von flackernden Kerzen und dem Kaminfeuer erleuchtet wurde. Die Felle, die vor den Fenstern hingen, boten keinen wirklichen Schutz, wenn draußen Stürme tobten. Der Boden war mit alten Binsen bedeckt, und über allem lag ein durchdringender, süßlich stechender Geruch, der vom Urin der Hunde stammte und von den Überresten alter Mahlzeiten, Fleisch und Knochenteile, die zwischen die Ritzen im Boden gerutscht waren; der typische Geruch einer alten Halle. Simon hätte es lieber gesehen, wenn die Binsen öfter gewechselt worden wären, aber John vertrat die traditionelle Ansicht, es sei besser, sie länger liegen zu lassen – auf diese Weise kämen keine Krankheiten in die Burg.

Als er John näher betrachtete, wurde Simons Miene besorgt. Seit ihrem letzten Treffen war sein Freund sichtbar gealtert. Er war nur zehn Jahre älter als Simon, aber er wirkte knochig und greisenhaft und seine Schultern hingen unter dem Umhang herab. Er bewegte sich zu wenig, saß zu oft in der kalten Halle und las bei Kerzenlicht. Sein schmales Gesicht sah bleich und unnatürlich wächsern aus, und die Falten auf der Stirn und an den Mundwinkeln hatten sich tief eingegraben, sodass sie im Licht des Feuers ihre eigenen Schatten warfen. Beim letzten Mal war Johns Haar dicht und grau gewesen, nun aber war es schlohweiß, als habe er einen plötzlichen Schock erlitten. Simon fragte sich, ob es die Belastungen des Amtes waren, die seinen Freund so zusetzten.

»Und, was geschieht so in der Welt?«, fragte John.

»Abgesehen davon, dass ich Vogt werde, meinst du? Das einzige Gesprächsthema in Taunton waren die Nahrungspreise.« Sie unterhielten sich eine Weile über die Auswirkungen des Regens auf ihre Ernten und über den rasanten Anstieg der Preise, der nach der letzten Missernte eingesetzt hatte. Plötzlich öffnete sich die Tür und sie verstummten. Ein Diener kam herein und sprach leise mit John, woraufhin dieser sich erhob und sagte:

»Entschuldige mich, Simon. Ein Reisender ist gekommen, der mich zu sprechen wünscht.« Er ging hinaus.

Simon sah Hugh fragend an. »Ein Reisender? Um diese Zeit? Es muss schon länger als drei Stunden dunkel sein.« Hugh zuckte gleichgültig mit den Schultern und schenkte sich Wein nach.

Nach einigen Minuten kam John mit einem großen, kräftigen Mann zurück, offensichtlich ein Ritter, der einen schweren Umhang trug, darunter einen Kettenpanzer. Den Kratzern und Narben nach, die dieser aufwies, schien er seinen Besitzer schon in so mancher Schlacht geschützt zu haben. Hinter ihm stand ein Knappe, ein kleiner, drahtiger Mann, dessen Augen durch den Raum glitten, als suche er nach irgendwelchen Gefahrenquellen. Beim Hereinkommen ging er neben dem Ritter, sodass er den dunklen Raum überblicken konnte, danach hielt er sich hinter ihm.

»Simon«, sagte John lächelnd. »Das ist Sir Baldwin Furnshill, der neue Herr von Furnshill Manor.«

Simon erhob sich und ergriff die Hand des Fremden. Der Mann wirkte ruhig, aber in seinen Augen glaubte Simon eine leichte Nervosität zu erkennen, ein leichtes Zögern, als sie einander die Hände schüttelten. Dann trat der Ritter einen Schritt zurück und warf John einen fragenden Blick zu. Beflissen stellte der ältere Mann Simon vor, der inzwischen die Fremden musterte.

Der Ritter war etwas größer als Simon, und seine Haltung war die eines Lehnsherren. Breit und stämmig stand er vor ihm, ein stolzer, fast überheblich wirkender Mann, der sich wahrscheinlich in einigen Schlachten ausgezeichnet hatte. Simon hatte Mühe, im Halbdunkel sein Gesicht zu erkennen. Über die Wange des Mannes lief eine nicht allzu tiefe Narbe, so als habe ihn dort eine Klinge gestreift, kein ungewöhnliches Merkmal für einen Krieger. Was Simon jedoch besonders auffiel, war das fast schmerzlich verzogene Gesicht und die Falten, die sich darin eingegraben hatten. Es schien, als habe er schon vieles gesehen und vieles erlitten, und das, obwohl er nicht allzu alt wirkte.

Simon schätzte ihn auf etwa fünfunddreißig. Sein dunkles Haar und der ordentlich gestutzte, tiefschwarze Bart, der in einer schmalen Linie am Kinn entlang lief, deuteten darauf hin. Als der Ritter ihm freundlich zulächelte, nachdem John das Loblied auf seinen jüngeren Freund gesungen hatte, sah Simon diesen Schmerz auch in seinen Augen. Er schien aus alten Zeiten zu stammen, so als hätte er schon vor langer Zeit verblasst sein sollen. Simon fühlte eine Melancholie, die nie mehr weichen würde, eine Traurigkeit, die tief aus dem Innersten zu kommen schien, und plötzlich tat ihm der Mann Leid.

»Bitte, kommt und setzt Euch. Ihr wart sehr spät unterwegs, Sir. Macht es Euch bequem«, sagte er und schob Hugh zur Seite, um mehr Platz auf der Bank zu schaffen.

Der Ritter verneigte sich leicht, und sein Mund verzog sich zu einem spöttischen Lächeln, als er sah, mit welch missmutiger Miene Hugh vom Feuer wegrutschte.

»Danke. Aber hier ist auch Platz für mich«, sagte er, deutete auf Johns Sitzbank und ließ sich langsam und mit einem entspannten Seufzer darauf nieder. Dankbar griff er nach dem Becher Wein, den John ihm reichte, und nahm einen tiefen, zufriedenen Schluck. »Ah, das tut gut.« Sein Knappe stand hinter ihm, als warte er auf einen Befehl – oder als stünde er bereit, seinen Herrn zu verteidigen. »Edgar, du kannst dich auch setzen.«

Simon beobachtete den Knappen, und der Ausdruck des Misstrauens, das auf dessen dunklen Zügen lag, irritierte ihn. Es schien, als wäge der Knappe ab, welch potenzielle Gefahr in Simon stecken könne. Als Edgar sich offensichtlich davon überzeugt hatte, dass Simon keine Bedrohung darstellte, sondern eher harmlos wirkte, setzte er sich. Sein Blick wanderte jedoch im Raum umher und blieb immer wieder für Sekunden auf den anderen hängen. Er schien niemandem zu trauen; selbst jetzt machte er sich offenbar noch Sorgen um die Sicherheit seines Herrn – und um seine eigene.

Der Vogt zuckte mit den Schultern und wandte sich dem Ritter zu, der sich dankend von John Wein nachschenken ließ. »Warum reist ihr noch im Dunkeln, Sir?«, fragte er den Ritter, der die Beine ausgestreckt hatte und sie langsam rieb, nachdem er den Panzer zur Seite geschoben hatte. Baldwin sah ihn mit einem leicht verlegenen Lächeln an, als habe der Vogt ihn an etwas Peinliches erinnert.

»Es ist eine Weile her, seit ich diese Straßen bereist habe. Ich bin der neue Herr von Furnshill Manor, wie John schon sagte, und ich befinde mich auf dem Weg dorthin, aber Stolz und Narretei haben mich aufgehalten. Ich verspürte den Wunsch, einige der alten Orte zu sehen, aber ich bin so viele Jahre nicht mehr auf diesen Straßen geritten, dass ich häufig die falschen Wege einschlug … um es kurz zu sagen, ich habe mich verirrt. Es dauerte viel länger, als ich dachte, die richtigen Straßen zu finden.« Er hob den Kopf und sah Simon mit einem spöttischen Lächeln an. »Habe ich das Gesetz gebrochen, weil ich so spät noch unterwegs war, Vogt?«

Lachend ließ sich Simon von John nachschenken. »Nein, nein, ich bin nur von Natur aus neugierig. Ihr seid also auf dem Weg nach Furnshill?«

»Ja. Mein Bruder ist vor einiger Zeit gestorben, und Furnshill Manor wurde mein. Ich kam, sobald ich von seinem Tod erfuhr. Ich wollte eigentlich weiterreiten, aber wenn ich mich schon bei Tag verirre, wie kann ich dann den Weg im Dunkeln finden? Also, wenn John nichts dagegen hat …?« Er beendete den Satz mit fragend hochgezogenen Augenbrauen und sah den älteren Mann neben ihm an.

»Aber ja, aber ja, Sir Baldwin. Ihr müsst Euch heute Nacht hier ausruhen.«

Simon betrachtete den Ritter aufmerksam. Jetzt, da die

Flammen und die Kerzen sein Gesicht erhellten, sah er die Familienähnlichkeit. Sir Reynald hatte als gütiger Herr gegolten, und Simon hoffte, dass sein Bruder Baldwin sich als ebenso gütig erweisen würde. Ein habgieriger Mann auf einer wichtigen Burg konnte viel Schaden anrichten. »Euer Bruder war ein edler Herr, stets bereit, anderen in der Not zu helfen, und er war bekanntermaßen ein guter Herr für seine Leute«, tastete er sich vor.

»Ich danke Euch. Ja, er war ein gütiger Mensch, ich weiß, auch wenn es viele Jahre her ist, dass ich ihn zum letzten Mal sah. Es ist traurig, dass ich nicht Abschied von ihm nehmen konnte. Oh, danke, John.« Er hielt seinen Becher hoch, damit John ihm nachschenken konnte, und für einen kurzen Augenblick sah er Simon eindringlich an. Simon spürte eine gewisse Arroganz, die aus den langen Erfahrungen seines Lebens stammen mochte, und den aus vielen Kämpfen, bei denen er sich immer wieder hatte beweisen müssen. Aber er sah auch Bescheidenheit und Freundlichkeit, und eine Sehnsucht nach Ruhe, als habe er auf der Welt so viel Leid gesehen, dass er sich nur noch irgendwo niederlassen und seinen Frieden finden wollte.

Der junge Vogt war fasziniert. »Es muss lange her sein, dass Ihr hier wart, wenn Ihr den Weg nicht mehr gefunden habt.«

»Ich war siebzehn. Das war im Jahre zwölfhundertneunzig«, antwortete der Ritter. Als er merkte, dass Simon nachrechnete, musste er lächeln. »Ja, ja, Vogt, ich bin dreiundvierzig.«

Simon sah ihn ungläubig an. Es schien absurd, dass er schon so alt sein sollte. Der Schein des Feuers spiegelte sich in seinen Augen, während er Simon amüsiert ansah. Er wirkte so vital und temperamentvoll wie ein viel jüngerer Mann, und Simon musste sich Mühe geben, nicht vor Staunen den Mund offen stehen zu lassen.

»Eure Überraschung ehrt mich«, sagte der Ritter schmunzelnd. »Ja, ich ging zwölfhundertneunzig fort, vor über sechsundzwanzig Jahren. Mein Bruder war der Ältere, also erbte er alles. Ich beschloss, mein Glück woanders zu suchen.« Er streckte sich. »Aber nun ist es Zeit, nach Hause zu kommen. Endlich werde ich wieder über die Hügel und die Moore reiten.« Plötzlich wurde sein Lächeln breiter. »Und es wird Zeit, Nachkommen in die Welt zu setzen. Ich beabsichtige, mir eine Frau zu nehmen und eine Familie zu gründen.«

»Nun, ich wünsche Euch alles Gute bei Eurer Suche nach Frieden und Eheglück«, erwiderte Simon ebenfalls lächelnd.

Der Ritter beugte sich vor und fragte: »Warum sprecht Ihr von Frieden?«

Zu seinem Missfallen bemerkte Simon, wie sich der Knappe des Ritters aufrichtete. »Ihr sagtet, Ihr seid viele Jahre fort gewesen und wollt Euch nun auf Eurem Schloss niederlassen.« Er trank seinen Becher aus und stellte ihn neben sich auf der Bank ab. »Ich hoffe, das bedeutet, Ihr sucht Frieden und nicht den Kampf.«

»Hmm. Ja, ich habe genug vom Krieg gesehen. Ich brauche in der Tat Ruhe und, wie Ihr sagt, Frieden.« Er starrte in das Kaminfeuer und für einen Augenblick sah Simon erneut den Schmerz in seinen Augen, als schaue er in die Vergangenheit, doch dann lächelte Baldwin wieder, als habe er sich gerade daran erinnert, dass er nicht allein war und habe beschlossen, den Schmerz für eine Weile wegzuschließen.

»Wenn Ihr mögt, reitet doch morgen mit uns. Wir kommen auf unserem Heimweg dicht an Furnshill Manor vorbei.«

Baldwin sah ihn erfreut an. »Danke. Eure Gesellschaft ist mir sehr willkommen.«

Am nächsten Morgen schien die Sonne von einem wunderbar klaren, blauen Himmel, und nachdem sie zum Frühstück kalten Braten und Brot gegessen hatten, verließen Simon und der neue Besitzer von Furnshill zusammen mit Knappe und Knecht die kleine Burg und kehrten zu der Straße zurück, die nach Cadbury führte, wo das Anwesen des Ritters lag.

Simon ertappte sich dabei, wie er heimlich den Ritter und seinen Knappen beobachtete. Die beiden Männer bewegten sich als seien sie eine Einheit. Der Vogt sah nie, dass sie untereinander Zeichen austauschten, aber jedes Mal, wenn Baldwin seine Richtung änderte, sei es, um die Aussicht zu genießen oder eine Pflanze am Wegesrand zu betrachten, schien sein Knappe den Gedanken des Ritters bereits vorausgeahnt zu haben und tat es ihm gleich. Baldwin ritt voran, der Knappe hielt sich stets rechts hinter ihm, das kleine Packpferd an der langen Leine führend. Simon wünschte sich, er könne Hugh ebenso gut ausbilden. Er warf einen Blick nach hinten, und als er sah, wie Hugh mit herabhängenden Schultern hinter ihnen her trabte, gab er den Gedanken mit einem bedauernden Lächeln sofort wieder auf.

Sir Baldwin übernahm an dem steilen Hügel von Bickley die Führung. Er schien überrascht, wie langsam Hugh vorankam.

»Hugh sitzt noch nicht allzu lange auf einem Pferd«, erklärte Simon mit einem gequälten Lächeln. »Er hat Angst, dass ihn sein Gaul abwirft und ihm davonläuft. Aus Rücksicht auf ihn reite ich nie zu schnell.«

Nachdenklich schaute der Ritter nach vorne, während sein Knappe Hugh einen unverhohlen hämischen Blick zuwarf. »Ich erinnere mich an diese Straße«, sagte Baldwin. »Hier bin ich entlang geritten, als ich noch sehr jung war. Das scheint sehr lange her zu sein ...« Seine Stimme verlor sich.

Simon sah in an. In Gedanken versunken ritt Baldwin weiter, bis sie den Kamm eines Hügels passierten, von dem aus sie einen Blick übers Land hatten. Sie hielten an und warteten auf Hugh. Von hier aus konnte man bis weit in den Süden und Westen sehen, über die Moore und Wälder Devons, bis hin nach Dartmoor.

Zunächst schien es, als seien sie an diesem nebligen Morgen allein auf der Welt. Dann entdeckten sie Anzeichen von Leben. Etwa vier Meilen entfernt stieg zwischen den Bäumen Rauch aus einem Kamin auf. Dahinter lag ein Weiler, der sich neben einer Reihe von Feldern, die sich bis ins Tal hinabzogen, an einen Hügel schmiegte. In der Ferne sah man weitere Häuser und Felder im bläulichen Licht, und die Rauchsäulen zeigten, wo man Feuer für die Zubereitung eines Mahls entfacht hatte. Beim Anblick des Landstrichs, für den er bald die Verantwortung übernehmen würde, spürte Simon fast so etwas wie Besitzerstolz. Als er zum Ritter hinüberblickte, stellte er fest, dass dieser sich vorgebeugt hatte und lächelnd den Ausblick genoss.

»Es ist ein gutes Land, nicht wahr?«, sagte Simon leise.

»Das beste«, murmelte Baldwin, der noch immer in die Ferne schaute. Dann riss er sich aus seinen Gedanken, richtete sich auf und sagte: »Ich kann nicht länger auf Euren Mann warten. Auf dieser Straße muss man auf einem schnellen Pferd vorwärts preschen und sich den Erinnerungen hingeben. Aber ich freue mich schon darauf, Euch auf meinem Anwesen begrüßen zu dürfen, mein Freund. Als Weggefährte wird es mir ein Vergnügen sein, Euch eine Erfrischung anzubieten, bevor Ihr Euren Heimweg fortsetzt.«

Ohne eine Antwort abzuwarten, gab er seinem Pferd die Sporen und galoppierte den Hügel hinunter. Sein Umhang blähte sich hinter ihm auf und flatterte im Wind. Der Knappe hielt sich auch jetzt rechts hinter ihm. Mit leichtem Neid beobachtete Simon ihren Galopp, bis Hugh an seiner Seite auftauchte.

»Er hat es recht eilig, auf sein Gut zu kommen«, sagte Hugh. Sein Herr nickte.

»Ja, ich glaube, er hat sich seit vielen Jahren nicht mehr so wohl gefühlt.« Langsam trabte er den Hügel hinab, auf das zwei Meilen entfernt liegende Gut zu.

»Dennoch, ein merkwürdiger Mann«, meinte Hugh ein paar Minuten später bedächtig.

»Warum sagst du das?«

»Manchmal wirkt er ganz verloren, wie jemand, der niemanden mehr auf der Welt hat, und dann scheint ihm wieder einzufallen, wer er ist, und sein Lächeln kehrt zurück.«

Für den Rest des Weges dachte Simon über diese Bemerkung nach. Sie passte zu seinen Beobachtungen vom vorigen Abend. Es schien fast so, als sei der Ritter zurückgekommen, um etwas zu vergessen, das in seiner Vergangenheit geschehen war, als könne er durch die Rückkehr in sein altes Zuhause die Jahre in der Ferne vergessen. Aber als Simon ihn gefragt hatte, was er all die Jahre getan habe, hatte er nur kurz und mit einer für ihn untypischen Schroffheit geantwortet: »Ich habe gekämpft.« Dem fügte er auch nichts mehr hinzu.

Das war in der Tat ungewöhnlich. Die meisten Ritter erzählten nur allzu gerne von ihren Heldentaten, sie prahlten gerne und berichteten von ihrem Mut und ihrer Entschlossenheit auf dem Schlachtfeld. Kämpfer waren von Natur aus stolz und unbescheiden, sie beschrieben ihre Schlachten haargenau und lobten sich selbst über den grünen Klee. Einen Mann kennen zu lernen, der offenbar nicht von seiner Vergangenheit sprechen wollte, das geschah nicht oft, aber Simon wusste, dass es Ritter gab, die ihren Lehnsherren und damit all ihre Güter und ihren Reichtum verloren hatten. Dann mussten diese Ritter sehen, wie sie zurechtkamen – auf welche Weise auch immer – bis sie einen neuen Lehnsherren fanden, der ihnen Rüstung und Brot stellte. Vielleicht hatte dieser Ritter einen tiefen Fall hinter sich und wollte nur noch vergessen. Er zuckte mit den Schultern. Was auch seine Gründe sein mochten, wenn Baldwin seine Vergangenheit für sich behalten wollte, würde er das respektieren.

Selbst bei Hughs langsamem Trott dauerte es nicht lange, bis sie die Straße zum Anwesen erreicht hatten. Für den Augenblick war es Simon nicht unrecht, den Windungen des Weges so gemächlich zu folgen – es erlaubte ihm, über seine neue Verantwortung nachzudenken, und er fand sich schon bald dabei, die unvermeidlichen Antrittsbesuche zu planen. Zunächst einmal gab es noch andere Vogte – er würde seine neuen Standesgenossen allesamt aufsuchen müssen und sich ein Bild darüber verschaffen, in welchem Zustand sich die Ländereien um Lydford herum befanden. Er wollte mit den Verwaltern in den Hundertschaften, den

Teilen der Grafschaft, sprechen, um sicher sein zu können, dass sie und ihre Männer gerüstet waren, falls sie zu den Waffen greifen mussten. Das schien nicht sehr wahrscheinlich, aber ein Vogt musste stets bereit stehen, wenn sein Lehnsherr ihn und seine Männer brauchte. Außerdem musste er in der Lage sein, genügend Männer zusammenzurufen und einen Suchtrupp zu bilden, wenn es galt, einen Straftäter zu fassen.

In einer Gesellschaft, in der die meisten Menschen in Armut lebten, geschah es häufig, dass sich jemand nahm, was er brauchte. Einbrecher, Schlossknacker, Diebe, Taschendiebe und Wilderer stellten ein ständiges Problem dar. Aber die Männer in Simons Verwaltungsgebiet waren abgehärtete Bauern, die auf der Jagd gelernt hatten, geschickt mit ihren Waffen umzugehen. Wehe dem Mann, der ein Verbrechen begangen hatte. Die besten Jäger im Königreich würden ihn jagen wie einen Wolf, bis sie ihn gestellt hätten. Und allzu schwer wäre das nicht: Es gab nur wenige Menschen, die umherreisten, jeder Fremde, der irgendwo auftauchte, fiel den Einheimischen auf, und die Nachricht von Reisenden würde stets Simons Freund Peter Clifford erreichen, den Priester von Crediton. Tauchte ein Steckbrief auf, kurz nachdem ein Fremder gesehen worden war, wusste man meistens, mit wem man es zu tun hatte.

Simon wurde aus seinen Gedanken gerissen, als er eine kleine Gruppe von Mönchen erblickte, die etwas abseits der Straße nach Furnshill gingen, offenbar auf dem Weg von Cadbury nach Crediton. Er fragte sich, wer sie waren und was sie hierher geführt hatte, trieb sein Pferd zu einem leichten Trab an und ließ Hugh hinter sich. Während seiner Schulzeit in Crediton, war er vielen Mönchen begegnet, die auf dem Weg nach Buckland Abbey waren oder noch weiter wollten, nach Cornwall. Er hatte diese guten Menschen stets gemocht, die das weltliche, sündige Leben gegen eines in Armut eingetauscht hatten, die den Armen halfen und ihr Leben Gott widmeten.

Die Gruppe bestand aus fünf Männern. Einer führte einen Packesel, ein anderer saß auf einem Pferd. Ihrer Ordenstracht nach handelte es sich um Zisterzienser, wie die Mönche von Buckland es waren.

Als er näher kam, ritt er langsamer und begrüßte die Gruppe. »Guten Morgen, Brüder, wohin reist ihr?« Beim Klang seiner Stimme fuhr der Mann auf dem Pferd herum und sah Simon vollkommen erschrocken an.

Der Mann war groß und korpulent und das Fleisch an seinen groben Wangen und am Kinn hing schlaff herab. Dennoch saß er auf dem Pferd wie ein Ritter, sicher und fest, wenn auch leicht gebeugt. Er sah aus wie ein Mann, der früher einmal kräftig und stark gewesen war, in den letzten Jahren jedoch zunehmend Gefallen an gutem Essen und Trinken gefunden hatte.

»Wer seid Ihr, Sir?«, fragte er mit fast beleidigend verdrießlichem Ton. Er sprach mit starkem französischen Akzent, aber das war für einen Kleriker nicht ungewöhnlich, jetzt, da der Papst in Avignon lebte.

»Simon Puttock, Sir. Ich bin der Vogt von Lydford«, antwortete Simon freundlich, um den Mann zu beruhigen, aber es schien nicht viel zu nützen. Der Mann fürchtete sich offenbar enorm vor jedem Fremden und sein Blick wanderte unruhig hin und her. Simon betrachtete die anderen. Der älteste Mönch, ein jovial aussehender Mann mit fast schneeweißem Haar und einem verschmitzten Gesichtsausdruck, grinste ihm zu, als wolle er sich für die rüde Begrüßung entschuldigen. Dann wandte er den Blick wieder der Straße zu. Die Übrigen gingen einfach weiter und beachteten ihn nicht, was ihn überraschte, denn wie alle anderen Reisenden war auch Mönchen eine Abwechslung auf dem Wege eigentlich stets willkommen.

»Ihr seid ein gutes Stück von Lydford entfernt, Vogt.«

Simon lachte auf. »Ich bin erst seit kurzem Vogt, Sir. Jetzt kehre ich zu meinem Haus in Sandford zurück, um meiner Frau die Neuigkeit zu überbringen. Danach werden wir nach Lydford ziehen, wo ich meine neuen Pflichten wahrnehmen werde. Und wohin führt euer Weg? Nach Buckland?«

»Ja.« Der Mann schien zu zögern. »Ja, nach Buckland.

Ich bin der neue Abt des Klosters.« Er wandte den Kopf und sah nervös zu Hugh hinüber, der langsam herantrabte.

Simon bemerkte seinen Blick und lächelte. »Das ist mein Knecht, Abt. In dieser Gegend braucht Ihr Euch nicht zu ängstigen. Hier hat man noch nichts von den Wegelagerern gehört, sie scheinen sich alle bei Taunton und Bristol herumzutreiben. Eure Reise sollte nicht gefährlich werden.«

»Gut, gut«, meinte der Abt zerstreut. Er runzelte die Stirn und sah den Vogt nachdenklich an. »Sagt mir, wie kommt man am besten nach Buckland?«

Simon überlegte. »Es gibt zwei Routen, eine westlich nach Oakhampton und dann südlich über Lydford. Ich kenne den Weg – die Straßen sind gut und es gibt genug Möglichkeiten zum Übernachten. Die andere führt östlich am Moor vorbei. So weit bin ich allerdings noch nie gekommen, nur bis Exeter. Ich würde über Oakhampton reisen.«

»Gut. Dann nehmen wir diesen Weg.« Er starrte auf die Straße und wandte sich wieder Simon zu. »Könntet Ihr uns nicht begleiten? Für den Schutz des Vogts wäre ich sehr dankbar.«

Leicht überrascht blickte Simon ihn an. »Aber ich sagte Euch doch schon, vor Räubern braucht Ihr Euch hier nicht zu fürchten. Hier ist alles ruhig.«

»Mag sein, mag sein, aber Eure Gesellschaft böte zusätzlichen Schutz und wäre auch ansonsten wünschenswert.« Der Abt versuchte ein Lächeln, aber er konnte die Furcht nicht aus seinem Gesicht verbannen und starrte den jungen Vogt fast flehend an. Simon fragte sich, was diese Angst erzeugt haben mochte. Fast hätte er gefragt, entschied sich jedoch dagegen – er wollte den Abt nicht in Verlegenheit bringen.

»Es tut mir Leid, aber ich will einen Freund ganz in der Nähe besuchen, Sir Baldwin Furnshill von Furnshill Manor. Warum begleitet Ihr mich nicht? Wir können die Reise später fortsetzen«, sagte er und glaubte gesehen zu haben, wie der ältere Mönch ihm bei der Erwähnung des Namens einen scharfen Blick zugeworfen hatte.

»Nein, nein. Wir müssen so schnell wie möglich nach Buckland. Ich bitte Euch, kommt mit uns.«

Simon spürte eine heftige Abneigung gegen diesen Mann, der so grundlos ängstlich schien. Es war lächerlich, sich in diesem ruhigen Teil des Landes so zu fürchten. Natürlich war Reisen niemals ganz ungefährlich ... aber derartig panisch zu reagieren ... er überlegte kurz. »Nein, ich muss zum Manor, ich habe mein Wort gegeben. Aber lange werde ich nicht bleiben, wahrscheinlich werde ich euch auf der Straße wieder einholen. Zumindest bis Crediton kann ich euch begleiten.«

»Aber warum könnt Ihr uns nicht nach Buckland bringen?«

»Wie ich schon sagte, ich will zu meiner Frau, um mit ihr nach Lydford umzusiedeln.«

»Könnt Ihr sie nicht abholen, nachdem Ihr uns nach Buckland gebracht habt?« Er quengelte wie ein kleines Kind.

Fast hätte Simon gelacht, aber als er sah, wie ernst es dem Abt war, hielt er sich zurück. »Das würde eine Verzögerung von sieben oder acht Tagen bedeuten, Abt. Nein, ich kann nicht.«

»Nun gut, dann nicht«, erwiderte der Abt, als habe Simon ihn persönlich beleidigt.

Schweigend ritten sie einige Minuten nebeneinander, bis Simon versöhnlich vorschlug: »Wollt Ihr mich nicht doch auf das Manor begleiten? Ihr könntet eine kleine Rast einlegen, und Eure Begleiter hätten sicher nichts gegen eine Erfrischung.« Aus den Augenwinkeln sah Simon, wie einer der Mönche den Abt hoffnungsvoll ansah. Aber er schien schon zu wissen, wie die Antwort ausfallen würde.

»Nein, wir brauchen nichts. Uns geht es gut.«

»In diesem Fall wünsche ich euch eine gute und sichere Reise«, sagte Simon seufzend. »Ich muss jetzt zum Manor. Ich hoffe, ich sehe Euch bald wieder, Abt. Auf Wiedersehen.«

Der Abt brummte vor sich hin und Simon wurde es langsam zu bunt. Er wendete sein Pferd, um zurück zu der

Straße zu reiten, die zum Anwesen führte. Im letzten Moment sah er, wie der alte Mönch ihm zum Abschied zunickte. Simon erwiderte seinen Gruß und trieb sein Pferd zum Galopp an.

An der Straße wartete Hugh mit düsterem Gesicht auf ihn.

»Ich dachte schon, Ihr hättet mich vergessen, so wie Ihr davongestürmt seid.«

»Ach, halt einfach den Mund«, fuhr Simon ihn an, der für heute genug Gejammer gehört hatte, und ritt voran, auf das Manor zu.

Kapitel 2

Es ging auf Mittag zu, als sie schließlich das alte Haus erreichten.

Das Manor war vor über hundert Jahren von den Furnshills erbaut worden, als sie nach Devon kamen, um ihren Lehnsherren, den de Courtenays, zu dienen. Es lag am Rande eines Hügels auf einer Anhöhe, fast versteckt zwischen dichten Wäldern, ein langer, weiß getünchter Wellerbau, dessen Wände von schwarzen Holzbalken verstärkt wurden. Es ähnelte den Bauernhöfen der Gegend und schien über die Straße zu wachen, die zu seiner Tür führte. Die kleinen Fenster lagen dicht unter dem Dach und die Tür war genau in der Mitte des Hauses, was diesem eine freundliche, angenehme Ausstrahlung verlieh. Dies war kein befestigtes Anwesen, in Angst gebaut, ein Ort zur Verteidigung, sondern ein Familienhaus, ein starkes und einladendes Heim.

Die Stallungen lagen rechts dahinter. Es handelte sich um mehrere größere Gebäude, dem Haupthaus nicht unähnlich, die sich um den fest gestampften Lehm des Innenhofes reihten. Hier standen die Pferde und die Ochsen und es gab einen Geräteschuppen. Simon und Hugh ritten am Eingang zum Hof vorbei auf das Haus zu, wo sie von ihren Pferden stiegen. Sofort eilten wie aus dem Nichts zwei Stallburschen herbei. Der Vogt musste lächeln. Offenbar bemühte sich die Dienerschaft, bei dem neuen Herren einen guten Eindruck zu hinterlassen.

Nachdem Simon sein Pferd in die Obhut des wartenden Knechts gegeben hatte, blieb er einen Augenblick stehen und schaute ins Land. Von hier oben konnte er viele Meilen weit sehen, über die bewaldeten Hügelspitzen hinweg bis hin zu den Mooren, die in bedrohlichem Blaugrau in weiter Ferne lauerten. Er streifte sich die Handschuhe ab, und als er sich umdrehte, kam Baldwin aus dem Haus und begrüßte sie.

»Ich habe mich wohl richtig entschieden, vorauszureiten«, sagte er und schüttelte dem Vogt die Hand. »Ihr habt Ewigkeiten gebraucht, Simon. Könnt Ihr Eurem Knecht nicht beibringen, wenigstens ein bisschen schneller zu reiten?«

Simon spürte Hughs beleidigten Blick im Rücken und erwiderte: »Es war meine Schuld, Sir. Ich hielt an, um mit den Mönchen zu sprechen.«

»Was für Mönche?«, fragte der Ritter abwesend, während er sie durch die schwere Holztür ins Haus führte.

»Habt Ihr sie nicht gesehen? Wir trafen sie am Ende Eurer Straße. Vier Mönche und ein Abt, auf dem Weg zu ihrem Kloster in Buckland.«

Baldwin runzelte die Stirn. »Nein, die habe ich nicht gesehen«, erwiderte er scheinbar gelangweilt und zuckte mit den Schultern. »Wollt Ihr Wein? Oder wie wäre es mit Bier?«, fragte er.

In Baldwins Anwesen kannte man den Hunger, der so große Teile des Landes aufgrund der Regenfälle überzogen hatte, offenbar nicht. Ihr Gastgeber ließ Simon und Hugh ein herzhaftes Mahl auftischen, Hammelragout mit frisch gebackenem Brot, und während sie aßen, überhäufte er sie mit Fragen. Er wollte alles über seine neuen Ländereien wissen, was sich während seiner Abwesenheit verändert hatte, und wie es den Menschen ergangen war. Als sie vom Tisch rückten und sich näher ans Feuer setzten, lächelte er entschuldigend.

»Es tut mir Leid, dass Ihr für Euer Mahl so teuer bezahlen musstet, aber ich möchte meinen Leuten hier ein guter Herr sein. Ich habe zu viele Lehnsherren gesehen, die ihre Leute schlecht behandelten und ihnen viel zu hohe Steuern aufbürdeten. Daher muss ich so viel wie möglich wissen.«

»Ich glaube, dass Eure Ländereien gut und stark sind, Sir –«, begann Simon, doch der Ritter unterbrach ihn.

»Von Vogt zu Ritter – ich glaube, wir können uns wie Gleichgestellte unterhalten.«

Simon war sich der Ehre bewusst und neigte den Kopf. Es war keine Einbildung; er spürte, dass zwischen ihm und diesem ernsten Ritter bereits ein Band geknüpft schien. Der Mann schien seine Freundschaft zu suchen, und Simon fühlte sich geschmeichelt, auch wenn es sich nur um das Interesse eines einsamen Neuankömmlings handeln mochte, der sich mit einem wichtigen Nachbarn bekannt machen will. »Danke«, fuhr er fort, »es ist in der Tat so, Baldwin, deine Ländereien sind nicht so stark betroffen wie andere. Dieses Jahr ist der Regen besonders schlimm gewesen, aber Furnshill ist so groß, dass es den Schaden einigermaßen gut überstanden hat. Die tiefer gelegenen Gebiete sind überflutet worden, aber deine Ernte ist nicht so stark in Mitleidenschaft gezogen worden wie manch andere. In anderen Grafschaften hungern die Menschen, aber deinen Leuten geht es recht gut.«

»Nachdem, was ich gesehen und gehört habe, leiden auch die Menschen in manchen Gegenden Frankreichs Hunger. Und als ich durch Kent kam, sah ich auch dort, wie sehr die Bevölkerung litt.« Er schien dem Gedanken nachzuhängen.

»Wann war das?«

»Was?«

»Wann bist du durch Kent gekommen? Vor kurzem? Ich frage mich nämlich, ob sich die Lage dort verbessert hat oder ob es den Leuten noch immer so schlecht geht.«

»Oh. Nun, das wird ungefähr neun Monate her sein, schätze ich. Aber seitdem habe ich mit vielen Reisenden gesprochen, und es scheint sich nichts geändert zu haben.« Er seufzte. »Manchmal scheint es ungerecht, wie viel Leid die Menschen ertragen müssen, nur um zu überleben.«

»In der Tat«, erwiderte Simon nachdenklich. »Aber so ist die Welt beschaffen. Wir alle müssen dienen, sei es Gott oder unseren Herren. Die Bauern müssen uns dienen, auch wenn es manche härter trifft als andere.«

»Inwiefern?«

»Wie du schon sagtest, manchmal erscheint es mir ungerecht, wenn ich sehe, dass die Menschen mit zu hohen Steuern belastet werden, oder dass Sheriffs Teile der Steuereinnahmen in die eigene Tasche stecken, oder wenn ein Bauer ausgeraubt wird und nicht mehr weiß, wie er seine Kinder ernähren soll. Es ist nicht nur das Wetter, das einem Bauern Sorgen machen kann.«

»Nein, sicher nicht«, stimmte der Ritter zu. »Aber warum erwähnst du die Sheriffs? Gibt es mit dem Mann in Exeter Probleme?«

»Nein, wir haben Glück, er scheint ein verlässlicher, ehrlicher Sheriff zu sein. Aber du hast vielleicht von den anderen gehört. Vor etwa zwei Jahren wurden fast alle ihres Amtes enthoben und ersetzt, im ganzen Land, weil sie so korrupt waren.«

»Davon wusste ich nichts. Ich hielt mich zu dieser Zeit ja im Ausland auf.«

»Nun, wie gesagt, die meisten wurden ersetzt. Und es gab eine Menge falscher Anschuldigungen. Du kannst dir denken, wer daraus Nutzen gezogen hat. Die Ärmsten hat es wieder am härtesten getroffen.«

»Das scheint dir sehr nahe zu gehen, Simon.«

»Aber ja. Ich möchte den Leuten in meinem Gebiet ein gerechter Vogt sein und sie beschützen. Ich will sie nicht mit überhöhten Steuern belasten, um mir selbst die Taschen zu füllen. Und ich will dafür sorgen, dass die Menschen sicher durch dieses Land reisen können. Gott sei Dank werden wir hier nicht von Räuberbanden heimgesucht.«

»Ja, wir haben Glück.«

»Leider scheinen sie aber näher zu kommen. Bei Bristol soll es welche geben, und eine andere Gruppe in der Nähe North Pethertons. Wir können nur hoffen, dass sie bald gestoppt werden.«

Baldwin betrachtete die Flammen im Kamin. »Ich frage mich, warum sich diese Männer den Räubertrupps anschließen. Sie müssen doch wissen, dass sie nie mehr zur Ruhe kommen werden. Auf dem Weg hierher hörte ich, dass eine Reihe von Bauern und Händlern überfallen worden sind. Sogar einen Ritter sollen sie angegriffen haben. Es sieht aus, als verzweifelten sie langsam.«

»Wieso?«

»Sie können gar nicht so viel stehlen, wie sie zum Überleben brauchen, die Banden sind einfach zu groß geworden.« Er sah Simon mit sorgenvoller Miene an.

»Umso besser. Es kann keine Entschuldigung für sie geben. Umso schneller wird man sie verhaften oder töten.«

Baldwin strich sich über den Schnurrbart. »Ich weiß, wir dürfen es nicht zulassen, dass einige wenige den Frieden im Land stören, und die Reisewege müssen sicher bleiben. Aber was sollen die Leute denn tun? Es gibt keine Nahrung, und die wenige, die es gibt, ist zu teuer für sie. Arbeit bekommen sie auch keine – einige Lehnsherren haben bereits ihre engsten Gefolgsleute auf die Straße gesetzt. Man munkelt, dass es sogar schon Ritter geben soll, die sich dem Raub verschrieben haben, weil sie Hunger leiden. Wie sollen da die Dörfler überleben?«

»Nicht, indem sie andere berauben. Das Leben mag mühsam sein, aber die Gesetzlosigkeit ist kein Ausweg. Nein, wir müssen an denen, die wir fangen, ein Exempel statuieren«, meinte Simon entschlossen. »Wir müssen zeigen, dass sie ihrer Strafe nicht entkommen können. Egal, wohin sie gehen, sie werden gefasst und sie werden bezahlen. Dabei geht es nicht nur um die Reisenden, denen sie übel mitspielen, einige verbergen sich in den königlichen Wäldern und brechen die Waldgesetze. Man muss ihnen beibringen, dass sie nicht ungestraft rauben und morden können. Wo kämen wir hin, wenn wir diese Männer verschonen würden? Arm zu sein ist keine Entschuldigung – wenn dem so wäre, würden bald alle Dörfler zu den Räuberbanden überlaufen. Nein, wenn ein Mann zum Gesetzlosen geworden ist, muss er gefangen und bestraft werden. Nur so können wir verhindern, dass andere in seine Fußstapfen treten.«

»Aber was, wenn das eigentliche Verbrechen eher harmlos war? Was, wenn der Schuldige seinem Lehnsherren noch nützlich sein könnte?«

Simon lachte leise auf. »Wenn er seinem Lehnsherren nützlich sein kann, wird man ihn erst gar nicht anklagen.« Baldwin nickte, aber es sah nicht so aus, als sei er vollkommen überzeugt. Der Vogt wusste, dass er Recht hatte. Das Gesetz musste geschützt werden – wenn er daran nicht glaubte, hätte er sein neues Amt gar nicht annehmen können – aber Baldwins nachdenkliches Schweigen machte ihn unsicher. Er fragte sich, wie er selbst wohl reagieren würde, wenn er vor dem Nichts stünde, wenn ihm alles, was er und seine Familie zum Leben brauchte, genommen wäre. Wenn Margret und Edith hungern würden, gäbe es etwas, das er nicht für sie tun würde? Wenn sie nicht den kleinen Hof und genügend Nahrung hätten, was würde er tun, um zu überleben? So unangenehm der Gedanke war, aber vielleicht würde auch er sich einer Bande von Wegelagerern anschließen, wenn dies das Überleben bedeutete.

Er versuchte, die Vorstellung abzuschütteln, aber ein dunkler Schatten hatte sich auf seinen Optimismus gelegt. Armut schaffte Angst und Verzweiflung, so viel war ihm klar geworden.

Erst jetzt schien Baldwin seinen Gast wieder zu bemerken. Er erhob sich und sagte ernst: »Meine Leute sollen niemals brutal oder ungerecht behandelt werden. Ich werde gerecht sein, zu allen. Ich bin viel in der Welt herumgekommen und habe gesehen, was es an Frevel gibt. Ich möchte ein guter Herr werden.«

Simon trank sein Glas aus und stand ebenfalls auf. »Das wirst du«, entgegnete er, »aber nun müssen wir uns auf den Heimweg machen. Entschuldige uns.« Er verbeugte sich und ging vor dem Ritter hinaus.

Auf dem Hof schüttelten sie einander kurz die Hände. Hugh ging zu den Ställen und holte ihre Pferde.

»Danke für das Essen, Baldwin. Ich hoffe, wir sehen uns bald wieder.«

»Es war mir ein Vergnügen. Für den Vogt von Lydford wird es in diesem Hause Wein und Bier geben, solange ich hier lebe. Auf Wiedersehen und gute Reise, mein Freund.« Hugh brachte die Pferde und sie stiegen auf. Baldwin sah ihnen nach, als sie über den Pfad zur Straße zurückritten, die nach Cadbury und weiter nach Sandford führte. Als Simon sich umdrehte, stand der Ritter noch immer da, mit einem nachdenklichen Stirnrunzeln, das seine Züge verdunkelte.

Simon entschied sich dafür, die Straße zu verlassen und über die Feldwege zu reiten. So ging es schneller; es war bereits Nachmittag, und er sehnte sich danach, zu seiner Frau zurückzukehren. Auch wenn Hugh schweigend neben ihm ritt, so wusste er doch, dass sein Knecht sich ebenfalls auf sein Zuhause freute.

Dass sie die Mönche nun nicht mehr treffen würden, erleichterte Simon eher. Die Angst des Abtes hatte ihn zutiefst verunsichert. Natürlich fürchtete sich fast jeder, der eine weite Reise machte, aber der Abt schien fast so etwas wie Todesangst zu verspüren. Es schien, als wisse der Mann bereits, dass man ihn angreifen würde, und die Gesellschaft eines derartig Aufgebrachten war alles andere als entspannend. Wahrscheinlich hätte er Simon wieder angefleht, sie nach Buckland zu begleiten. Nein, es galt, diesen Mönchen aus dem Weg zu gehen.

Nachdem sie East Village hinter sich gelassen hatten, führte sie ihr Heimweg die sich endlos windenden Wege entlang, die nach Süden und Westen führten, und über die sanften, grünen Hügel der Grafschaft. Simon dachte nicht mehr an den Abt. Als er die vertrauten Felder sah, fühlte er sich wie jemand, der nach langer Reise zu alten Freunden zurückkehrt. Der Wind wehte angenehm kühl, sodass sie nicht ins Schwitzen kamen, und Simon hielt immer wieder auf einem der Hügel an, um die Aussicht zu genießen.

Er liebte dieses Land. Selbst von den niedrigeren Gipfeln aus hatte man einen weiten Blick auf die sachte dahinfließende Landschaft und die Weiler, die am Fuß der Hügel lagen. Von den höheren Gipfeln sah er im Südwesten bis Dartmoor, im Norden bis Exmoor. Er ließ den Blick von einer Richtung in die andere schweifen, von den sanften

Konturen der Hügelwelt des Südens zu den graublauen Umrissen der Moore. Dann endlich ritten sie den Pfad zu seinem Haus entlang und Simon dachte nur noch daran, wie sehr sich seine Frau über die Nachricht von seinem neuen Amt freuen würde.

Erleichtert stieg er ab, streckte sich und half Hugh mit den Satteltaschen. In diesem Augenblick flog die Haustür auf und seine Tochter Edith kam jauchzend herausgelaufen, um ihn zu begrüßen. Er ließ die Taschen fallen, hob sie hoch und gab ihr einen Kuss. Ihre überschwängliche Begrüßung weckte den Vaterstolz in ihm. Er hatte die Sechsjährige gerade auf seine Schultern gesetzt, als seine Frau Margret in der Tür erschien.

Sie lächelte ihn wortlos an, als er auf sie zuging. Margret war eine große, gut aussehende Frau, schlank, aber kräftig, und als er sie an sich zog und küsste, spürte er das Gefühl von Wärme und Geborgenheit, das er in ihrer Nähe stets empfand.

Sie war fast fünf Jahre jünger als er. Er hatte sie vor acht Jahren kennen gelernt, als er ihren Vater besuchte, und vom ersten Augenblick an hatte er gewusst, dass sie die richtige Frau für ihn war, ohne erklären zu können, wie ihm dieser Gedanke gekommen war. Zuerst hatte ihn ihr ernsthaftes Lächeln angezogen, ihr heller Teint und ihr langes, goldblondes Haar, ein seltener Anblick in der Gegend um Crediton. Jetzt, da er die Arme um sie schlang, verwunderte es ihn wieder einmal, dass sie ihn genommen hatte. Als sie versuchte, sich aus seiner Umarmung zu lösen, drückte er sie umso fester an sich und sah lächelnd in ihre blauen Augen.

»Willkommen daheim, Simon«, sagte sie und erwiderte sein Lächeln.

»Hallo, meine Liebe, wie geht es dir?«

»Gut, jetzt, da du wieder bei uns bist. Wie war die Reise?«

Er lachte. »Die Reise war gut, aber das Gespräch war noch besser. Du hältst den neuen Vogt von Lydford im Arm.« Als sie ihn überrascht ansah, prustete er vor Freude los und schaukelte sie hin und her, während sich seine Tochter an ihm festhielt.

»Simon, lass los«, sagte seine Frau schließlich. Sie trat einen Schritt zurück, stemmte die Hände in die Hüfte und ermahnte ihn in gespieltem Ernst: »Hast du vergessen, dass deine Tochter auf deinen Schultern sitzt, du Dummkopf? So, du bist jetzt also Vogt. Und was bedeutet das für uns? Müssen wir dieses Haus aufgeben? Was machen wir mit dem Land?«

Grinsend ließ Simon seine Tochter vorsichtig an sich herabgleiten und stellte sie wie eine kostbare und zerbrechliche Vase auf den Boden. Sie stand zwischen den beiden Erwachsenen und sah zu ihnen hinauf. »Wir könnten es natürlich verkaufen, aber vielleicht sollten wir es lieber verpachten, solange wir im Schloss wohnen.«

»Dann müssen wir also all unsere Sachen nach Lydford schaffen«, sagte sie mit einem konzentrierten Stirnrunzeln, drehte sich um und ging ins Haus. Simon folgte ihr. Drinnen setzte sie sich auf einen Schemel vor dem Kamin, stützte das Kinn auf die Hand und schaute in die Flammen. Simon nahm eine kleine Bank, setzte sich zu ihr und beobachtete sie.

Margret dachte nach. Sie dachte an Lydford und überlegte, ob ihr die neuen Pflichten, die auf ihren Mann unweigerlich zukamen, gefallen würden. Als sie aufblickte, sah sie, dass auch er ins Feuer schaute, und sie sah sein stolzes Lächeln. Sie seufzte. Sie würde ihm natürlich nicht im Weg stehen. Wenn er sich über seinen neuen Posten so sehr freute, freute sie sich mit ihm. Aber es würde ihr nicht leicht fallen, dieses Heim zu verlassen, in dem sie seit ihrer Heirat gewohnt hatten, wo ihre Tochter geboren worden war und wo sie so viele glückliche Stunden erlebt hatten.

Ihr Blick wanderte durch das Haus, ihr Haus, als nehme sie es erst jetzt zum ersten Mal bewusst wahr.

In der Mitte war die Feuerstelle, die in einem Lehmbett in der fest gepressten Erde ruhte. Binsen, die jeden Monat frisch gesammelt wurden, bedeckte an vielen Stellen den Boden. Durch die hohen Fenster strömten Luft und Sonnenlicht herein. Nachts wurden sie mit Fellen zugehängt, die kalten Nachtwinde von der Küste am Eindringen zu hindern. An den Wänden standen zwei lange, schwere Tische, die Bänke waren darunter geschoben. Der Tisch, an dem sie jeden Tag aßen und der außer der Familie noch ihren vier Bediensteten Platz bot, stand in der Nähe des Kamins.

Sie fragte sich, ob sie das Haus wirklich so sehr vermissen würde? Schließlich war es nur ein Haus, und die Burg stellte sicherlich eine Verbesserung dar. Sie dachte an den durch ein Fell abgetrennten Teil des Inneren, wo sie und ihr Mann unbeobachtet von den Dienern schliefen. Wie überall im Haus war es dort zugig und meistens kalt. In der Burg würde es hoffentlich zumindest wärmer sein.

Aber welche neuen Pflichten kamen auf sie zu? Darin bestand das eigentliche Problem. Als sie aufsah, bemerkte sie Simons nachdenkliche Miene. Sicherlich dachte er auch darüber nach. Der Vogt und seine Frau mussten Tag und Nacht für die Leute in der Nachbarschaft erreichbar sein, für den Fall, dass sie Hilfe brauchten. Es würde wenig Privatsphäre geben und kaum Zeit, um auszuruhen. Wie gut würde die kleine Familie mit diesen Belastungen fertigwerden? Und dann gab es da noch die Stadt. Lydford lag im Zinngrubengebiet, ein wichtiger Umschlagplatz für den Zinnhandel. Zinn bedeutete Geld, und wo es Geld gab, gab es Streit.

Sie seufzte. Wahrscheinlich ahnte selbst ihr Mann nicht, wie schwer seine Aufgabe werden würde. Nachdem ihr Vater vor zwei Jahren bei der Verfolgung einer Rauberbande getötet worden war, hatte sie ständig ein Schreckensbild vor Augen – dass man eines Tages auch ihren Mann bei der Verteidigung des Gesetzes töten könnte. Es geschah häufig – allzu häufig – denn viele Gesetzlose bildeten regelrechte kleine Heere, die wie Regimenter auf dem Vormarsch alles plünderten, was Land und Leute hergaben. Jetzt, da er die Erfolgsleiter hinaufgestiegen war, bot Simon ein noch besseres Ziel für jeden Straßenräuber mit Pfeil und Bogen. Wollte sie, dass er dieses Risiko einging?

Schließlich musste sie sich eingestehen, dass es keinen Sinn hatte, sich das alles auszumalen. Vielleicht würde Simon nach einiger Zeit als Vogt noch einmal befördert werden und brauchte sich den Gefahren, die bestanden, wenn man Recht und Ordnung aufrechterhalten wollte, nicht mehr zu stellen. Nachdenklich schaute sie sich um und begann bereits, die Kosten für den Umzug einzuschätzen und zu überlegen, was zurückgelassen werden konnte.

Simon folgte ihrem Blick mit leichter Besorgnis. Er würde nichts tun, was sie unglücklich machte – selbst wenn er den Posten in Lydford ablehnen musste. Wenn sie das Gefühl hatte, in der Burg nicht glücklich werden zu können, würden sie hier bleiben, in ihrem Haus. Das könnte das Ende seiner Karriere sein, aber als er Margret zur Frau nahm, hatte er sich geschworen, dass sie stets das Wichtigste in seinem Leben bleiben sollte. Und es gab keinen Posten, der so wichtig war, dass sie dafür leiden musste.

Umso erfreuter nahm er zur Kenntnis, dass sie ihn schließlich mit ruhigem, gelassenem Blick ansah. Ohne fragen zu müssen, wusste er, dass sie sich für den neuen Weg entschieden hatte.

Die nächsten beiden Tage verliefen voller Hektik. Margret organisierte den Umzug und lieh einen Karren aus, mit dem ihr Hab und Gut transportiert werden sollte. Simon musste sich um den nicht abreißenden Strom der Gratulanten kümmern, die kamen, um ihnen alles Gute zu wünschen. Offenbar hatte sich die Neuigkeit rasch herumgesprochen und jeder Bauer und Landbesitzer schien sich auf den Weg zu dem neuen Vogt gemacht zu haben.

Es überraschte Simon immer wieder, wie schnell sich Nachrichten auch in so dünn besiedelten Regionen verbreiteten. In Devonshire lebten nicht mehr als ein paar tausend Seelen, aber es schien, als wüsste bereits die ganze Region Bescheid. Er erhielt sogar eine Botschaft von Walter Stapleton, dem Bischof von Exeter, der Simon zu seinem neuen Posten gratulierte.

Aber schon bald behagte es ihm nicht mehr, wegen der

vielen Besucher ans Haus gebunden zu sein. Er hatte das Gefühl, als gehöre sein Leben nicht mehr ihm selbst. Drei Mal schon hatte er seiner Tochter versprochen, mit ihr zu spielen, doch immer wieder musste er sie vertrösten, weil ein neuer Besucher über die Türschwelle trat, um seine Glückwünsche zu überbringen. Nach der letzten Absage hatte er ihr schwören müssen, demnächst einen ganzen Tag nur mit ihr allein zu verbringen.

Er hatte nicht einmal Zeit für einen Ausritt gehabt, und am dritten Tag, nachdem sein neues Amt bekannt geworden war, dem Tag, an dem er alle Besucher ignorieren und sich nur Edith widmen wollte, sattelte er in der Frühe, noch bevor sie aufwachte, sein Pferd und ritt los. Er brauchte Bewegung und das Gefühl der Freiheit.

Es war fast noch dunkel, als er sich aufmachte. Um sich und sein Pferd aufzuwärmen, ritt er in einem gemächlichen Trab den Hügel hinter dem Haus hinauf und folgte in der morgendlichen Kühle den alten Pfaden zwischen den Feldern. In der Nacht hatte es geregnet, und die Hufe seines Pferdes ließen die Pfützen auf den schmalen Wegen aufspritzen. Oben auf dem Hügel angekommen, wandte er sich nach Westen und ritt ein paar Meilen in leichtem Galopp auf dem Hügelkamm entlang, bis er schließlich auf dem hohen Grat stand, von wo aus er auf die Moore in der Ferne blickte. Simons Gesicht war leicht gerötet. Plötzlich grinste er wie ein unartiger Schuljunge, schaute sich um, ob ihn niemand beobachtete, und gab seinem Pferd die Sporen.

Er galoppierte die Straße hinab, das schwere Pferd preschte durch die schlammigen Pfützen und schon nach Sekunden waren Ross und Reiter über und über mit Schlamm bedeckt. Beide genossen es, so schnell dahinzueilen wie es der schlammige Untergrund zuließ, während der Wind über sie hinwegfuhr und an Simons Umhang zerrte. Wie ein Ritter, der auf seinem Schlachtross angreift, stürmte er hinab, und alle Gedanken verschwanden aus seinem Kopf, bis nur noch die reine Freude am Reiten übrig blieb.

Am Ende der Straße drosselte er das Tempo. Simon zog sanft die Zügel an, um das große Pferd nicht zu sehr anzustrengen, und ließ es sachte in einen gemächlichen Trab wechseln. Als sie nach Copplestone kamen, einem kleinen Dorf, das sich an den Rand der Moor- und Waldlandschaft von Dartmoor schmiegte, strahlte Simon vor Freude noch immer übers ganze Gesicht. Langsam ritt er durch das Dorf. Der Weiler war uralt, er lag etwa vier Meilen westlich von Crediton an der Gabelung der Straße nach Oakhampton, wo es in nördlicher Richtung nach Barnstaple ging. Es gab auch mehrere kleine Straßen, die nach Süden führten, und auf eine von diesen lenkte er sein Pferd und ritt einige Meilen ziellos umher, den Blick auf die Moore gerichtet.

Der Aberglaube der Einheimischen hatte dem Moor stets etwas Unheimliches, Böses zugeschrieben, und er konnte verstehen, warum die Menschen Angst vor ihm hatten – es schien, als beobachte es ihn, während er darauf zuritt. Wie ein riesiges Ungeheuer schien es am Horizont auf Beute zu lauern. Es ging etwas Bedrohliches von ihm aus, die kalte Mitleidlosigkeit eines unbezwingbaren Geschöpfes, das sich nicht um andere kümmern muss. Er hatte das Gefühl, als sähe das Moor ihn an wie ein Mensch eine Ameise ansieht, und als wüsste es, dass es ihn mühelos verschlingen konnte.

Mit starkem Unbehagen kehrte er dem Moor den Rücken zu und wandte sich nach Osten. Er wollte noch bis Tedburn St. Mary reiten und sich dann nach Norden auf den Heimweg machen.

Nachdem er sich den Unmut der vergangenen Tage von der Seele geritten hatte, fühlte er sich viel entspannter, und während er bequem im Sattel saß, ließ er seinen Gedanken freien Lauf. Zunächst dachte er über den kommenden Umzug nach und daran, welche Veränderungen die neuen Umstände mit sich bringen würden. Doch dann kreisten seine Gedanken um die Menschen, die er unterwegs getroffen hatte.

Sir Baldwin beschäftigte ihn. Der Ritter strahlte eine Weltgewandtheit aus, die einen Mann wie Simon, der nie mehr als ein paar Tagesritte über Crediton hinausgekommen war, faszinieren musste. Er hatte sich zu gerne von ihm über seine Reisen berichten lassen, hätte nur allzu gerne erfahren, wo er gewesen war und was er erlebt hatte, in welchen Schlachten er gekämpft hatte – sicherlich waren es viele gewesen. Aber der Ritter hatte auch etwas Sanftes, Freundliches an sich, und das beschäftigte den Vogt. Ritter waren selten freundlich oder demütig – und wenn sie sich so gaben, war ihre Demut meistens zweckgerichtet. Das hatte dann mehr damit zu tun, dass sie sich durch religiösen Eifer die Vergebung ihrer früheren Sünden erhofften. Dem ehrlichen Wunsch, den Lehren Christi zu folgen, entsprang ein solches Verhalten fast nie.

Bei Tedburn St. Mary bog Simon auf die Straße nach Crediton ab, und er dachte an die Mönche. Der verängstigte Abt stand ihm innerlich vor Augen, als er zu seinem Haus zurückkehrte.

Vor der Tür stand ein angebundenes Pferd. Sicherlich ein weiterer Besucher, der zum Gratulieren kam. Er brachte sein Pferd in den Stall und hatte es gerade abgesattelt, als Hugh in den Stall kam.

»Da ist ein Mann, der Euch sprechen will.«

»So?« Simon schaute zum Haus und zuckte mit den Schultern. »Jemand, der wissen will, wie es mir geht und wann ich nach Lydford gehe?«

»Nein, der Mann kommt aus Blackway. Dort ist gestern Nacht jemand gestorben.«

Simon sah ihn einen Augenblick lang erstaunt an, dann reichte er Hugh den Sattel und lief ins Haus.

Als er eintrat, schreckte der Mann, der mit dem Rücken zu ihm auf einer Bank vor dem Kamin gesessen hatte, hoch und trat dabei einen Krug mit Ale um, der neben ihm gestanden hatte. Der Mann stöhnte laut auf – ob aus Bestürzung über seine Ungeschicklichkeit oder das verschüttete Bier, konnte Simon nicht sagen.

Sein Besucher war ein schlanker, fast feminin wirkender Jüngling, dessen blasse, schmale Züge von dichten, schmutzigblonden Haar umrahmt wurden. Seine Wangenknochen waren scharf geschnitten, und seine Züge ließen auf einen nachgiebigen, freundlichen Charakter schließen. Es war das Gesicht eines Mannes, der nie ein Soldat sein würde. Dieser Mann würde nicht in den Kampf ziehen, er würde sein Leben an einem Ort verbringen und sich nie weiter als fünfzehn Meilen von seinem Heimatdorf entfernen. Unter dem fragenden Blick des Vogts errötete er, als fürchte er, wegen seines Missgeschicks scharf getadelt zu werden. Doch Simon lächelte ihm beruhigend zu. Als er das Lächeln erwiderte, stutzte Simon; irgendwie kam ihm der Jüngling bekannt vor. Wo hatte er dieses Gesicht schon einmal gesehen? Natürlich, der junge Mann stand im Dienste Peter Cliffords, des Pfarrers von Crediton. Er war einer seiner Stallburschen. Simon ging zur Bank und bedeutete ihm, sich wieder zu setzen, bevor er selbst Platz nahm und sich ihm zuwandte.

»Du bist Hubert, nicht wahr?«

»Ja, Vogt, ich bin Hubert, ich arbeite für Peter Clifford. Er hat mich beauftragt, Euch zu holen, als er davon erfuhr.«

»Worum geht es?«

»Oh, Sir, es ist schrecklich! Heute früh kam ein Mann zu uns – Black, der Jäger – er wohnt in der Nähe, und es ist wohl so, dass es gestern Nacht in seinem Dorf gebrannt hat, bis in die frühen Morgenstunden. Harold Brewers Haus war's, das brannte. Es steht am Rand von Blackway, im Süden. Black sagte, ein paar Männer hatten versucht, das Feuer zu löschen, aber lange Zeit kamen sie nicht mal nah genug ran, weil die Hitze zu groß war.«

»Und? Warum soll ich jetzt kommen?«

»Weil Brewer – der Mann, der dort wohnt – weil seine Leiche in dem Haus liegt.«

Kapitel 3

Es war bereits Nachmittag, als er in Blackway eintraf, einem kleinen Dorf sieben Meilen südwestlich von Crediton. Es schien keinen besonderen Grund zur Eile zu geben, denn am Ort des Geschehens würden bereits etliche Leute sein, nicht nur der Priester, sondern zweifellos auch die Dorfbewohner und ein paar Auswärtige. Es erstaunte Simon immer wieder, wie schnell die Leute zur Stelle waren, um zu gaffen und das Unglück eines anderen in Augenschein zu nehmen, egal ob es sich um einen Unfall oder ein Verbrechen handelte.

Als er am alten Weatherby Cross vorbeikam, dort wo die Straße nach Crediton vom Moretonhampsteadpfad gekreuzt wurde, der nach Exeter führte, stellte sich heraus, dass er nicht der Erste war, der an diesem Tag dort entlangritt. Da der Weg eine beliebte Route für Reisende war, die zu den Häfen an der Küste wollten, war er eigentlich immer ausgetreten und uneben. Heute war es jedoch noch schlimmer als sonst.

Zu anderen Zeiten war der gestampfte Lehm, durch den sich tiefe Wagenspuren zogen, fest genug, aber nach dem monatelangen Regen hatte er sich in einen tiefen Morast verwandelt. Der Schlamm blieb an den Pferdehufen kleben und machte schmatzende Geräusche, wenn das Tier versuchte, im Matsch voranzukommen. Hier mussten innerhalb kurzer Zeit eine Menge Leute vorbeigekommen sein. Simon fluchte leise und lenkte sein Pferd auf die Grasnarbe, wo der Untergrund fester schien. Vorsichtig und langsam ritt er auf den Weiler zu.

Blackway lag an der Straße nach Süden, als habe man es wie ein Spielzeug dorthin geworfen, dessen die Riesen, die in Urzeiten diese Gegend besiedelt haben sollten, überdrüssig geworden waren. Die wenigen Gebäude standen zu beiden Seiten der Straße, keine modernen, mit Balken verstärkten Langhäuser wie das Simons, sondern alte Hütten aus Lehm, Kiesel und Stroh. Der Vogt war noch vor kurzem durch das Dorf gekommen, auf dem Weg zur Küste, wo er für seinen Lehnsherren mit einem Kaufmann verhandelt hatte, und nun versuchte er sich daran zu erinnern, wie das Haus von Harold Brewer ausgesehen hatte.

Das Dorf bestand aus sieben oder acht Grundstücken, einer Schänke und einer winzigen Kirche, deren Kaplan von Peter Clifford, dem Inhaber der Pfarre, eingesetzt wurde. Der Jäger, John Black, besaß das erste Cottage zur Rechten, eine einfache, karge Hütte. Darin glich sie den anderen, nur war sie noch kleiner. Black jagte für sich selbst und wurde dafür entlohnt, dass er die Wölfe und andere gefährliche Tiere tötete. Er hatte das Talent, Tierspuren selbst in den rauen Öden der Moore über Meilen folgen zu können, und wenn sich die de Courtenays in der Gegend aufhielten, nahmen sie oft seine Dienste in Anspruch, damit er ihnen beim Aufspüren ihrer Beute half. Sein kleines Haus beherbergte ihn, seine Frau und ihre beiden Kinder.

Dahinter lag die Schänke, das erste der größeren Häuser. Simon wusste nicht, wer dort wohnte, aber er glaubte sich erinnern zu können, dass es früher einmal Brewer gehört hatte. Dann kamen die Haupthäuser des Dorfes. Brewers lag am äußersten südlichen Rand, das vorletzte, wenn er sich richtig erinnerte. Alle Häuser umgaben den kleinen Streifen gemeinsamen Landes, um das sich die Straße schlängelte, dem Blackwater-Bach folgend, der sich gurgelnd seinen Weg nach Dartmoor bahnte.

An der nördlichen Spitze des Dorfes, dort wo Blacks Haus stand, war der Boden noch dicht bewaldet. Nach Süden öffnete sich das Land und bot einen freien Blick bis nach Dartmoor. Die meisten Häuser lagen westlich des Flusses, die Felder östlich. Eine alte, primitive Steinbrücke führte über das Wasser und über den neuen Abwassergraben, der in den Bach lief. Während Simon sich dem

Dorf von Norden näherte, fiel ihm zuerst auf, wie groß die Bäume waren, die hinter den Häusern aufragten. Sie wirkten fast bedrohlich in dem friedlichen, ländlichen Bild.

Aus der Ferne sah Simon die hohe Rauchsäule, die über der Landschaft hing, und er bemerkte den Brandgeruch, der immer stärker wurde, je näher er dem Dorf kam.

Es schien seltsam, dass ein Teil einer so friedlichen, kleinen Gemeinschaft ein Raub der Flammen geworden sein sollte, aber Simon wusste, dass so etwas nicht selten vorkam. Die alten Häuser hatten keine Schornsteine, die Rauch und Funken von den Strohdächern fernhielten. Der einzige Schutz bestand in der Höhe der Dächer. Hätten alle Häuser Kamine gehabt, würde sich die Zahl der Cottage-Brände drastisch verringern, weil die Funken so auf dem äußeren, feuchten Stroh landeten. Hier aber wurden die Funken, die aus dem Feuer flogen, oft ins Dachgebälk getragen, wo das trockene Holz Feuer fing. Und wenn das geschah, konnten sich die Bewohner des Hauses nur so schnell wie möglich ins Freie retten und darauf hoffen, dass genügend Wasser auf das Dach geschüttet werden konnte, bevor das Haus völlig abbrannte.

Als er durch das Dorf ritt, wusste Simon bereits, dass es in diesem Fall zu spät gewesen war. Er ritt an der Schänke vorbei und folgte der Straße, die sich in einer behäbigen Kurve den Mooren zuwandte. Als er um die letzte Biegung kam, sah er das Haus und verharrte bewegungslos, um bestürzt das Bild der Verwüstung zu betrachten.

Das alte Gebäude war fast restlos zerstört. Das Dach existierte nicht mehr, es war vollkommen verbrannt. Eine Seitenmauer stand noch, aber die hintere Seite des Hauses war eingestürzt. An einen Wiederaufbau war hier nicht mehr zu denken.

Langsam ritt er auf die Brandstelle zu. Der Boden war mit einer dicken Rußschicht bedeckt und Simon betrachtete den schwarzen Belag aufmerksam und verwundert. Er hatte noch nie erlebt, dass ein Feuer eine solche Menge an Ruß erzeugt hatte. Plötzlich rief jemand seinen Namen. Er schaute auf und sah seinen alten Freund Peter Clifford, der mit einer kleineren Gruppe dort stand, wo einst die Eingangstür gewesen war.

Peter redete mit einem der Leute. Simon erkannte einen von ihnen sofort, den Jäger Black. Die anderen kannte er nicht, aber er nahm an, dass es sich um Dorfbewohner handelte. Verglichen mit der großen Zahl von Menschen, die um die Unglückstelle herumliefen, waren sie deutlich in der Minderheit. Nicht einmal die Hälfte der Leute, die auf die Ruine starrten, hätten in dem kleinen Weiler Obdach gefunden.

Angewidert spürte Simon, dass fast so etwas wie eine Jahrmarktsatmosphäre über dem kleinen Dorf lag, als sei der Brand das Freudenfeuer gewesen, mit dem man die Festivitäten eröffnet hatte. Alle möglich Leute begafften das abgebrannte Haus und ergötzten sich am Anblick der Mauerreste, die wie die Fangzähne eines wilden Tieres in die Luft ragten. Er erkannte eine Familie aus Crediton, einen Kaufmann und seine Frau mit ihrem kleinen Sohn. Sie deuteten plaudernd auf die Ruine, während das Kind fröhlich spielte, so als hielte es sich auf einem Spielplatz auf und nicht am Ort einer tödlichen Feuersbrunst. Mit einem verächtlichen Schnauben stieg Simon vom Pferd und ging auf den Priester zu.

»Guten Tag, Peter. Was ist hier geschehen?«

Der Pfarrer von Crediton war ein schlanker, asketischer Mann Ende vierzig. Er trug keine Tracht, sondern ein leichtes Wams, das ihm bis zu den Knien ging, darunter warme Wollstrumpfhosen. In seinem blassen Gesicht leuchteten dunkle, intelligente Augen. Die Stunden, die er schreibend und lesend in seinem Haus verbrachte, hatten seine Züge blass gemacht. Sein ehemals hellrotes Haar hatte im Laufe der Jahre die Farbe von ausgeblichenem Stroh angenommen, und tiefe Falten hatten sich in sein Gesicht gegraben. Allerdings handelte es sich dabei nicht um Sorgenfalten, nicht Schmerz und Furcht hatten ihre Spuren hinterlassen, sondern Lebensfreude, die sich in häufigem Lachen äußerte. Die tiefen Furchen um seine Augen herum kamen ebenfalls von diesem Lachen. Heute jedoch schaute der Pfarrer seinen Freund ernster an als sonst.

»Simon!« Er streckte die Hand aus. »Gut, dass du da bist. Komm. Ich nehme an, du weißt, warum ich dich rufen ließ?«

Der Vogt nickte. »Weil sich ein Mann im Haus befand, als es in Flammen aufging.«

»Ja«, fügte John Black, der Jäger hinzu. »Ich sah das Feuer, als ich gestern Nacht von der Jagd nach Hause kam. Es brannte bereits lichterloh.«

Breitbeinig stand er da, ein kleiner, drahtiger Mann voller Selbstvertrauen. Er sah aus, als könne er ein Tier von einem Ende des Königreichs bis ans andere jagen. Die Geschmeidigkeit seiner Muskeln erinnerte Simon an einen Wolf, als sei im Laufe der Zeit bei der Jagd nach diesem Tier etwas von ihm auf den Jäger abgefärbt. Sein Gesicht war rechteckig und flach, seine Augen leuchteten dunkel. Die dichten Brauen bildeten eine durchgehende Linie, und sein tiefschwarzes Haar umrahmte das ernste Gesicht.

»Wusstest du, dass Brewer sich im Haus befand?«, fragte Simon.

»Zuerst nicht. Ich dachte, er wäre woanders. Aber beim Löschen des Feuers sahen wir die Leiche. Sie lag auf dem Bett.«

Unwillkürlich blickte Simon zum Haus hinüber und einen Augenblick fürchtete er, dort einen Geist zu sehen, doch dann schalt er sich ob seines Aberglaubens und wandte sich wieder den Aussagen des Jägers zu.

»Kaum hatte ich das gesehen, sagte ich zu den anderen, sie sollten mit dem Löschen weitermachen und lief zum Pfarrer.«

Simon nickte und sah den Priester an. »Ja, John kam kurz nach der Morgendämmerung, und nachdem ich seine Geschichte gehört hatte, schickte ich Hubert zu dir. Ich bin sofort hierher gekommen, um zu helfen. Als wir eintrafen, waren die Flammen bereits erloschen. Jetzt warten wir, bis die Ruine soweit abgekühlt ist, dass wir die Leiche des armen Mannes herausholen können.«

»Was meinst du, wie lange wird das noch dauern?«, fragte Simon und schaute erneut zum Haus hinüber.

Black folgte seinem Blick. »Ich schätze, es wird nicht so bald sein. Ein Mann ist tot – und wir sollten niemandes Gesundheit riskieren, um die Leiche zu bergen. Wir sollten noch etwas warten.«

Simon nickte und ging auf die Ruine zu. Der Ruß und die Asche unter seinen Füssen schienen weich und nachgiebig, nicht hart und trocken wie die Asche eines Kaminfeuers. Was hatte einen solch pulverigen Rückstand produzieren können? Vor den Wänden standen Schaulustige, die verärgert murmelten, als Simon sie zur Seite schob. Er ignorierte ihre Proteste und bedachte sie lediglich mit einem strengen Blick. Er ging zur Haustür und sah hinein.

Von der Tür war nur noch ein verkohltes, verbranntes Skelett übrig, das in schiefem Winkel an der unteren Angel hing. Die Trümmer im Inneren waren noch immer sehr heiß. Er spürte, wie die glühenden Überreste ihm das Gesicht wärmten wie die Sommersonne. Zuerst war es schwierig, irgendwelche Einzelheiten auszumachen, weil alles eine grauschwarze Masse zu sein schien. Verschiedene Schattierungen, aber nichts, woran man einen Trümmerhaufen vom anderen unterscheiden konnte. Die Dachbalken mussten früh und mit voller Wucht heruntergefallen sein, dachte er. Wenn jemand darunter gestanden oder gelegen hatte, gab es keine Überlebenschance für ihn. In der Mitte des Raumes lag der schwere Mittelbalken. Ein Ende wurde noch immer von der Mauer gehalten, das andere lag auf dem Boden. Rauch wehte auf ihn zu, und kaum dachte er es sei besser, ihm auszuweichen, hatte er den rußigen Dunst auch schon eingeatmet.

Der Rauch trug den ekelhaften Gestank des Todes mit sich, fast wie eine feste Masse, aber das war noch nicht alles. Es war nicht nur der Leichengeruch, der ihm die Kehle zuschnürte und die Tränen in die Augen trieb, es war der Geruch nach den verbrannten Exkrementen des Viehs, deren Ställe sich in Brewers Haus befunden hatten. Die Rückstande von Jahrzehnten, die das Feuer verwandelt hatte, schienen mit unsichtbaren, vergifteten Armen nach Simons Lungen zu greifen. Keuchend und hustend wandte er sich ab. Er hatte das Gefühl, sich übergeben zu müssen.

Er stolperte zu den anderen zurück, hustend und nach Luft schnappend.

»Unangenehm, nicht wahr?«, meinte Black leicht grinsend, als spreche er über das Wetter.

Immer noch hustend bedachte Simon ihn mit einem drohenden Blick, bevor er spuckte und würgte, um irgendwie den fauligen Geschmack aus dem Mund zu bekommen. In diesem Augenblick traf Baldwin Furnshill ein.

Er ritt ein mächtiges, graues Pferd und Edgar war wie stets dicht hinter ihm. Der Ritter trug ein weißes Wams, und selbst aus der Entfernung erkannte Simon darauf das Wappen der de Courtenays. Der Ritter trug weiche Lederstiefel. Rüstung und Waffen hatte er nicht angelegt, doch in seinem Gürtel steckte der *misericord,* der lange Dolch mit der schmalen Klinge, mit dem die Ritter in der Schlacht dem verwundeten Feind den Gnadenstoß gaben.

Baldwin kam auf die Männer zugeritten und schaute mit leicht hochgezogenen Augenbrauen auf den Vogt herab, der gerade von einem erneuten Hustenanfall geschüttelt wurde. Die anderen Männern sahen ihn mit ernsten, düsteren Gesichtern an. Er nickte dem Priester und dem Jäger zu. »Ich grüße euch.« Dann wandte er sich mit fragendem Blick an den Vogt.

»Willst du dir das Spektakel auch ansehen, Baldwin?«, platzte es aus Simon heraus, der mit Tränen in den Augen zu dem Ritter hinaufblinzelte. War denn die ganze Welt gekommen, um zu gaffen? Es deprimierte ihn, dass selbst sein neuer Freund so wenig Zurückhaltung zeigte.

»Nein, Simon, ich bin hierher gekommen, um zu sehen, ob ich etwas für die Leute hier tun kann. Schließlich ist das mein Land.« Er warf Simon einen Blick zu, der besagte, dass ihn der Vorwurf des Vogts nicht nur kränkte, sondern fast beleidigte. Doch als er die plaudernden und gestikulierenden Menschen um sich herum sah, schien er ein wenig Verständnis für Simons Reaktion aufzubringen. »Ich sagte dir doch, dass ich mich um meine Dörfler kümmern will, nicht wahr? Was ist mit den Menschen, die hier gewohnt haben?«

»Es war nur ein einzelner Mann, Gott sei Dank. Seine Leiche liegt noch drinnen. Es ist noch zu heiß, um sie heraus zu holen«, sagte Peter. »Eine traurige Sache. Die Armen müssen schon genug leiden. Und jetzt muss auch noch einer von ihnen in seinem Bett verbrennen.«

»So arm war er gar nicht«, lautete Blacks Kommentar. Baldwin schwang sich behände von seinem Pferd und warf Edgar die Zügel zu.

»Tatsächlich?« Peter schien überrascht und sah den Jäger mit gerunzelter Stirn an. »Es schien aber so, und zumindest hat er mir gegenüber immer erwähnt, wie knapp er bei Kasse sei.«

»Ja, ja, das schon. Wenn jemand Geld oder Almosen von ihm wollte, dann nagte er stets am Hungertuch – zumindest behauptete er es. Trotzdem haben sich die Leute schon immer gewundert, dass es ihm nie an Geld für ein gutes Ale mangelte. Außerdem konnte er sich mehr Ochsen leisten als alle anderen und wenn es ihm passte, kaufte er sich von seinen Pflichten als Dörfler frei.«

»Was willst du damit sagen?«, fragte Simon. »Haltst du ihn für einen Dieb?«

Der Jäger lachte kurz auf. »O nein. Nein, das glaube ich nicht. Ich glaube, die alte Geschichte ist wahr, die man sich erzählt. Er soll in den Kriegen vor zwanzig und vor fünf Jahren so viel Geld gemacht haben, dass er gut davon leben konnte. Man sagt, er habe eine Kiste mit Gold im Boden unter dem Haus vergraben.« Er zeigte mit dem Finger auf die qualmende Ruine. »Die Leute werden nicht weggehen, ehe der ganze Boden umgegraben ist. Und wenn man nichts findet, werden sie anschließend sein ganzes Land umgraben.«

Baldwin sah ihn missbilligend an. »So etwas wird es nicht geben, wenn ich es verhindern kann. Simon, ich kann ein oder zwei Wachtposten aufstellen lassen, damit sich hier niemand zu schaffen macht. Wir müssen sicherstellen, dass seine Erben das Geld bekommen, wenn es welches gibt. Hatte er Verwandte?« Er sah Peter an, aber der Pfarrer zuckte nur mit den Schultern und blickte zu dem Jäger hinüber. Offenbar wusste er nichts über das Leben des toten Mannes.

»Als ich hierher kam, lebte er allein«, sagte Black. Nach einigem Nachdenken fügte er hinzu: »Ich meine, jemand hätte mal gesagt, er habe einen Sohn, der in Exeter lebt. Ich kann mich erkundigen, ob irgendjemand etwas darüber weiß.«

»Ja, tu das, Black«, sagte Simon.

»Warst du der Erste, der den Brand gesehen hat?«, fragte Baldwin den Jäger.

»Ja, Sir.« Black schien zu akzeptieren, dass der Ritter über ihm stand und er ihm den gebührenden Respekt zollen musste. Den Pfarrer und den Vogt betrachtete er offenbar als seinesgleichen, vielleicht auch deshalb, dachte Simon, weil er als Jäger nach seinen eigenen Regeln und nach den alten Traditionen des Jagdhandwerks lebte. Aber ein Ritter – ein Ritter stand über einem Gutsverwalter oder einem Mann der Kirche. Der Ritter nahm sich, was er wollte. Und wenn man ihn gefragt hätte, kraft welcher Autorität er sich dazu berechtigt fühlte, dann hätte ein Ritter, wie jeder Spross der älteren normannischen Familien, sein Schwert gezogen und gesagt: »Weil es mein Recht ist! Mit diesem Schwert eroberten meine Vorfahren dieses Land. Mit diesem Schwert nehme ich mir, was ich will, und mit diesem Schwert verteidige ich, was mir lieb ist.« Simon riss sich aus seinen Gedanken und konzentrierte sich wieder auf das Gespräch.

Baldwin sah den Jäger abwägend an, aber offenbar nicht, weil er dem Bericht Blacks über die Ereignisse der vergangenen Nacht misstraute, sondern weil er darüber nachdachte. Als sich Black dem Ende seiner Geschichte näherte, stützte der Ritter den Ellenbogen auf dem Arm ab und fuhr mit dem Daumen über die Lippen, als kämen ihm plötzlich doch Zweifel. Black begann zu stottern, als er das Misstrauen spürte, dass ihm von dem großen, dunklen Ritter entgegenschlug und sprach die letzten Worte fast trotzig, als fordere er ihn heraus, ihn offen der Lüge zu bezichtigen.

Als er schließlich schwieg, stand die Gruppe einige Augenblicke wortlos beisammen, als wartete sie auf einen Widerspruch, ohne zu wissen, worin er bestehen könne. Baldwin brach als Erster das Schweigen und fragte:

»Gut. Du hast das Feuer also kurz nach Mitternacht bemerkt?«

»Ja«, antwortete der Jäger. »Ja, um diese Zeit muss es gewesen sein. Ich hatte Fallen aufgestellt, am Rand des Moores, zwanzig Stück. Ich bin erst im Dunkeln los, also muss es wohl nach Mitternacht gewesen sein, als ich wieder zurückkam.«

Der Ritter blickte nachdenklich auf den Boden. »Du kamst also zurück ... aus welcher Richtung?«

Black deutete die Straße hinauf, die aus dem Dorf führte. »Von dort. Vom Moor, wie ich schon sagte.«

»Wen hast du als Ersten alarmiert?«

Black wandte den Kopf in die gleiche Richtung. »Roger Ulton. Ich kam um die Biegung und sah das Feuer – Ultons Haus war das Nächste, also lief ich zu ihm und weckte ihn.«

»Und dann?« Die dunklen Augen sahen den Jäger aufmerksam an.

»Dann bin ich natürlich ins Dorf gerannt. Ich klopfte an alle Türen und rief alle zusammen, um das Feuer zu löschen.«

Der Vogt nickte. Die Männer waren sicher schnell herbeigeeilt, schon um zu verhindern, dass der Wind die Funken auf ihre eigenen Dächer wehte. Baldwin schien mit der Antwort zufrieden, mit verschränkten Armen drehte er sich um und warf einen erneuten Blick auf die immer noch rauchende Ruine. Black sah von einem zum anderen, und als er das Gefühl hatte, entlassen zu sein, ging er davon und unterhielt sich mit anderen Dorfbewohnern, die in der Nähe standen.

Baldwin seufzte und trat nach einem Stein, der neben

ihm lag. »Traurig, traurig. Ein Mann, der im Schlaf verbrennt. Was für ein Tod. Ich hoffe, er musste nicht allzu sehr leiden.« Das Ende eines Menschen, den er gar nicht gekannt hatte, schien ihm tatsächlich nahe zu geben. Vielleicht weil es ein so offensichtlich sinnloser Tod war. Ein solcher Tod brachte weder Ehre noch Ruhm, es war nur einfach eine schreckliche Art zu sterben. Er dachte an die anderen verbrannten Leichen, die er gesehen hatte, sah die verkohlten Gestalten, die aussahen, als hätten sie sich bis zuletzt gegen den Tod gewehrt. Zum Glück hatte er nicht so sterben müssen.

»Nun, ich bin sicher, dass er dort, wo er nun ist, glücklicher ist«, sagte Simon ehrfürchtig. »Möge seine Seele in Frieden ruhen.«

Mit Verblüffung sah er Baldwins zynischen Blick, als mache er sich über Simons Naivität lustig. Der Vogt war schockiert. Sicher, ein Ritter war ein weltlicher Mann, ein Krieger, aber das war Blasphemie. Als er Baldwin ansah, verzog der Ritter das Gesicht zu einer halb entschuldigenden Grimasse, als spüre er, dass Simon seine Gedanken erraten habe. Er zuckte leicht mit den Schultern, als wolle er sagen: »Es tut mir Leid, aber ich bin nun mal ein Ritter – was hast du erwartet?«

Peter Clifford schien ihren Gedankenaustausch nicht bemerkt zu haben. »Also, Baldwin, ich schätze, Ihr werdet Euch nun den besten Ochsen des Mannes nehmen.«

»Was?« Der Ritter sah ihn fragend an.

»Das Vieh. Euch gehört dieses Land, er war Euer Bauer. Nach seinem Tod habt Ihr das Recht auf sein bestes Tier, so wie ich für sein Begräbnis das Recht auf das zweitbeste habe. Kennt Ihr denn diese Gepflogenheit nicht?«

Der Ritter sah den Priester verwundert an. »Natürlich, aber ... sein Vieh ist nicht verbrannt?«, fragte er.

»Nein. Die Tiere sind alle auf dem Dorfplatz. Die Bewohner haben sie dort zusammengetrieben, nachdem sie sich um das Feuer gekümmert hatten.«

Baldwin schaute noch einmal zu der Ruine hinüber und sagte: »Es dürfte interessant sein, sich im Haus umzusehen, wenn es abgekühlt ist.« Dann ging er ohne ein weiteres Wort zu seinem Knappen und sprach mit ihm.

Simon sah ihm nach und fragte sich, was Baldwin mit seinem letzten Satz wohl gemeint hattc. Aber es schien ganz so, als zweifele der Ritter an diesem offensichtlichen Unglücksfall.

Kapitel 4

Erst zwei Stunden später wagten die Männer, die geschwärzte und noch immer warme Brandstätte zu betreten. Black ging voran, gefolgt von einer kleinen Gruppe Dörfler, die sich mit Tüchern vor dem Mund vor dem Rauch schützten. Simon, der Priester und der Ritter blieben an der Tür und sahen den Männern zu.

Die Leiche war nicht schwer zu finden. Sie war nicht von dem schweren Eichenbalken getroffen worden, der vom Dach herabgestürzt war, sondern lag noch immer auf den Überresten der Strohmatratze, die dem Mann als Bett gedient hatte, an der hinteren Wand. Zunächst konnte Simon nicht viel erkennen – die warme, flirrende Luft verzerrte den Blick, noch immer stiegen hier und da kleine Rauchwolken aus der Asche auf, und der lange Balken selbst verdeckte die Sicht auf das Bett. Das massive Stück Holz trug schwarze Brandnarben, schien aber ansonsten die Flammen unbeschadet überstanden zu haben. Blacks kleine Gruppe bahnte sich unbeirrt den Weg durch diesen Ort des Chaos und der Verzweiflung. Sie gingen am Balken entlang und duckten sich dort unter ihm durch, wo sein Ende noch von der Wand gestützt wurde. Auf der anderen Seite gingen sie wieder zurück, bis sie zu der Matratze kamen.

Simon hörte das Gemurmel, als sie davor standen, hörte einen Fluch, ein Würgen. Er konnte sich des Gedankens nicht erwehren, wie närrisch dies alles war. Die Wände zur Rechten waren eingestürzt und nur mehr ein Haufen Schutt. Es war völlig unnötig gewesen, dass die Männer die Ruine durch die Eingangstür betraten, ein altes Loch in der Mauer, die vor Jahrzehnten errichtete worden war. Warum hatten sie das getan? Aus Höflichkeit? Sollte es ein

Zeichen des Respekts gegenüber dem Toten sein, dass sie durch die Türe eintraten, wie es früher Gäste getan hatten? Wollten sie so seine nachträgliche Einwilligung erlangen? Oder war es nur die Macht der Gewohnheit, die sie dort eintreten ließ, wo bis vor Kurzem einmal ein Eingang gewesen war, so als wollten sie ignorieren, dass hier nichts mehr so war wie früher?

Baldwin stand hinter ihm und kaute auf seinem Schnurrbart herum. Als Simon sich zu ihm umdrehte, stellte er überrascht fest, dass der Blick des Ritters nicht wie der des Priesters den Männern folgte, sondern auf dem schweren Tor am anderen Ende des Hauses ruhte, dem Tor für die Ochsen.

Irgendetwas scheint ihn zu irritieren, dachte Simon. Als Baldwin seinen Blick bemerkte, grinste er verlegen. »Ich muss immer nach etwas Verdächtigem suchen. Das liegt mir wohl im Blut.« Demonstrativ wandte er sich nun auch den Männern zu, aber sein Blick glitt immer wieder zum Ochsentor.

Es schien ewig zu dauern, bis die Männer die Leiche geborgen hatten. Sie rollten sie auf eine alte Decke, die vier Männer an den Ecken packten. Dann gingen sie den gleichen, umständlichen Weg zurück, den sie gekommen waren. Dabei mussten sie darauf achten, dass die Wolle nicht mit dem Boden in Berührung kam, wo glühende Holzreste sie vielleicht in Brand gesetzt hätte. Das erforderte offensichtlich große Anstrengung, und so bewegten sich die Männer schwankend durch den Schutt, die Körper nach außen stemmend, um die Decke gespannt zu halten. Als sie vor dem Balken standen, wurde es schwierig. Schließlich bückte sich einer der Männer – war es Black? – und schob sich als Erster darunter hindurch, dann folgte der Nächste. Jeder hielt seine Ecke fest, bis alle das Hindernis passiert hatten. Schließlich erreichten sie die Tür, und die anderen traten ein paar Schritte zurück, um ihnen Platz zu machen. Kaum hatten die Männer die Ruine verlassen, ließen sie die Decke samt ihres schrecklichen Inhalts mit unangemessener Hast auf den Boden fallen und rissen sich die Tücher vom Mund. Tief atmeten sie die frische Luft ein, die den Geruch von Ruß und Tod vertrieb. Die Leiche rollte von der Decke und blieb einen halben Meter vor den wartenden Männern auf dem Rücken liegen.

»Er ist es«, sagte Black, bevor er hustend davon stolperte.

Beim Anblick der Leiche atmete Simon unwillkürlich tief durch und trat einen Schritt zurück. Als er hinter sich Peter leise beten hörte, schämte er sich seiner Empfindlichkeit und ging wieder näher heran.

Der schwarze, verkohlte Leichnam war der eines großen, athletisch gebauten Mannes mit breiten Schultern.

Seine Kleidung war verbrannt, und der Körper lag so starr und steif vor ihnen wie eine Lehmform, die aus dem Ofen kam. Doch als er in das Gesicht des Mannes schaute, schreckte der Vogt abermals zurück und schluckte, weil ihm bittere Galle in die Kehle stieg. Würgend schnappte er mehrmals nach Luft.

Baldwin verzog das Gesicht, als er sah, wie Simon sich abwandte. Die meisten Menschen reagierten so auf den Anblick eines Brandopfers, aber er hatte schon zu viele Opfer der Flammen gesehen, daher blickte er ungerührt auf die Leiche, um die Haltung des Körpers zu studieren. Als er zum Gesicht kam, stutzte er. Eigentlich hätte er den Ausdruck unerträglicher Schmerzen in den verzerrten Zügen erwartet, aber davon war nichts zu sehen.

Er betrachtete den Toten eine Weile, bevor er den Blick wieder auf das Haus richtete. Dann ging er plötzlich mit festen Schritten zum Eingang, wie ein Jagdhund, der eine Fährte aufgenommen hat, und ließ Clifford und Simon zurück, die ihm entgeistert nachsahen.

Der Ritter trat in das Haus. Er hielt sich ein Tuch vor Nase und Mund und untersuchte mit zusammengekniffenen Augen den Balken und den Schutt auf dem Boden. Er war davon überzeugt, dass irgendetwas nicht stimmte. Die Leichen, die er nach einem Feuer gesehen hatten, trugen die Zeichen eines verzweifelten Kampfes um ihr Leben auf den Zügen – Brewer nicht.

Er untersuchte das Tor, hinter dem das Vieh gestanden hatte. Es befand sich am Ende des Gebäudes und war von den Flammen fast unversehrt geblieben. Auf dem Holz waren die Spuren zu sehen, die Hufe und Hörner der in Panik geratenen Tiere hinterlassen hatten. Baldwin wischte mit dem Fuß über den Boden und kniete nieder, um nach Spuren zu suchen, bevor er sich erhob und hustend die Ruine verließ.

Simon entschloss sich, dem Beispiel des Ritters zu folgen und die ganze Situation mit mehr Gelassenheit zu nehmen, als er bisher an den Tag gelegt hatte. Er richtete sich auf und zwang sich, einen erneuten Blick auf die Leiche zu werfen. Zu seinem Erstaunen fiel es ihm nach dem ersten Schock viel leichter, und es gelang ihm, den Mann mit einem gewissen Gleichmut zu betrachten. Zumindest schien Brewer keine Schmerzen gespürt zu haben. Die Arme lagen an den Seiten, offenbar hatte er sie nicht schützend vor den Körper gezogen, und auch die Beine waren gestreckt und nicht so verdreht, als hätte er versucht, vor den Flammen davon zu kriechen. Es sah aus, als sei der Mann friedlich im Schlaf gestorben. Simon spürte Mitleid mit Brewer und eine leichte Trauer über sein einsames Ende, aber kaum mehr. Aber warum hatte der Mann die Gefahr nicht erkannt, warum war er nicht aufgewacht und hatte versucht zu entkommen? Er konnte doch unmöglich so fest geschlafen haben.

Baldwin kam zurück und starrte den Leichnam an. Dabei hatte er die Hände in die Hüften gestemmt, als erwarte er nun einige Antworten von ihm. Black war inzwischen zu ihnen zurückgekehrt und sah die Männer fragend an.

»Er sieht sehr friedlich aus, nicht wahr?«, sagte der Ritter. Es war keine Frage, mehr eine nüchterne Feststellung, die keiner Entgegnung bedurfte.

Clifford blickte ungeduldig von einem zum anderen. »Was meint Ihr damit? Natürlich sieht er friedlich aus. Er ist im Schlaf gestorben. Der Rauch hat ihn erstickt, während er schlief.«

Baldwin sah ihn an. »Black?«, sagte er.

Der Jäger murmelte etwas Unverständliches. Offenbar wusste auch er nicht, worauf der Ritter hinaus wollte.

»Black«, wiederholte er. »Wie viele Ochsen sind bei dem Brand umgekommen?«

»Kein einziger, Sir. Alle acht entkamen den Flammen.«

»Und?«, meinte der Priester und sah den Ritter und den Vogt an. »Und wenn? Ich verstehe nicht ...«

»Was ist mit den anderen Tieren?«

»Sind auch alle rausgekommen.«

»Sie sind herausgelaufen, weil sie Angst vor dem Feuer hatten«, sagte Baldwin bestimmt. »Ihr kennt die Laute, die verängstigte Ochsen von sich geben. Niemand könnte dabei schlafen.«

»Aber wenn er durch den Rauch das Bewusstein verlor ...«, mutmaßte Simon.

»Simon, ich bitte dich!« Die Zähne des Ritters blitzten bei seinem Grinsen auf. »Tiere nehmen schon die allerersten Anzeichen eines Feuers wahr. Sie wären nicht erst aufgewacht, nachdem sich die Flammen schon weit ausgebreitet hatten. Und dann wäre auch der Mann aufgewacht; schließlich schlief er ganz in ihrer Nähe.«

Der Priester schüttelte den Kopf. »Ich begreife immer noch nicht –«

»Die Sache ist offensichtlich – zumindest für mich«, unterbrach Baldwin ihn unwirsch. »Ich glaube, dass Brewer bereits tot war, als das Feuer ausbrach. Ich glaube, dass er ermordet wurde und dass man das Feuer gelegt hat, um die Tat zu vertuschen.« Lediglich Simon nahm die Vermutung relativ gelassen auf. Der Priester fragte erschrocken: »Und was sollen wir jetzt tun, Sir Baldwin?«

Baldwin blickte Simon an. »Das ist Sache des Vogts, nicht wahr?«

»Aber wie kann man beweisen, dass er schon tot war?«, sagte Simon ratlos. »Es sei denn, jemand hat gesehen, wie er ...« Er brach mitten im Satz ab. Gab es vielleicht Zeugen? O Gott, gerade hatte er seinen neuen Posten angetreten, und nun glaubte der Ritter bereits, einen Mord entdeckt zu haben. Er zwang sich, seine Gedanken auf das

Wesentliche zu lenken und sagte: »Wir wissen aber nicht bestimmt, dass er ermordet wurde.«

»Anders kann ich es mir nicht vorstellen«, erwiderte Baldwin. »Die Tiere müssten ihn aufgeweckt haben, wenn er noch am Leben gewesen wäre. Wenn der Rauch ihn erstickt hätte, hätten wir ihn irgendwo im Haus gefunden, nicht aber in seinem Bett. Er ist wohl kaum aufgestanden, um zu flüchten und hat es sich dann anders überlegt und ist wieder ins Bett gegangen. Also können ihn die Ochsen nicht aufgeweckt haben. Folglich muss er schon tot gewesen sein. Kein Mensch schläft weiter, wenn wenige Meter entfernt von ihm Ochsen brüllen.«

»Selbst wenn dem so ist, Sir, können wir nicht einfach von einem Mord ausgehen. Wie können wir sicher sein?«, fragte Clifford vorsichtig.

»Es gibt noch eine andere Sache, die mich misstrauisch macht«, sagte der Ritter. »Was tut ihr, bevor ihr ins Bett geht?«

Simon zuckte mit den Schultern. »Wir legen Holz nach, damit das Feuer in der Nacht nicht ausgeht, sondern still weiterglüht.«

»Genau. Brewers Holzstoß in der Feuerstelle scheint mir jedoch viel zu niedrig. Es sieht aus, als habe er sich seit dem Morgen nicht darum gekümmert. Wenn er aber kein Holz nachgelegt hat, ist es auch nicht sehr wahrscheinlich, dass Funkenflug den Brand verursacht hat. Das Feuer war zu niedrig. Ich bin sicher, er ist getötet worden. Die Frage ist nur, von wem?«

Sie gingen zur Schänke. Während sie auf ihr Essen warteten, nahmen sie auf den Bänken Platz, die davor standen. Von hier aus konnten sie die Straße in beide Richtungen einsehen, nach Südwesten zur ausgebrannten Ruine von Brewers Haus und nach Nordosten zu Blacks Hütte. Dahinter lagen die Äcker, auf denen die Familien ihre Nahrung anbauten, wenn sie nicht auf den Feldern des Lehnsherren ihren Pflichten nachgehen mussten.

Recht widerwillig hatte sich Black zu ihnen gesellt und

saß nun zwischen Simon und dem Priester, während Baldwin auf einem Schemel vor ihnen hockte. Edgar stand wie immer ein paar Schritte neben ihm und beobachtete alles.

»Es ist wirklich ganz einfach«, sagte Baldwin. »Wir befragen die Leute, die gestern hier waren und versuchen zu erfahren, wer einen Grund gehabt haben könnte, diesen Brewer zu töten.«

»Du willst mit allen sprechen?«, fragte Simon.

»Ja, das müssen wir. Ein Mann ist getötet worden. Das Mindeste, was wir ihm schulden, ist, seinen Mörder zu finden. Black?« Er sah den Jäger an. »Kannst du dir vorstellen, warum jemand diesen Mann umgebracht haben könnte? Gibt es hier im Dorf jemanden, der ihn so sehr hasste, dass er als Täter infrage käme?«

»Nein, nicht dass ich wüsste. Nein, dies ist immer ein friedliches Dorf gewesen. Ich würde niemals annehmen, dass es hier einen Mörder gibt.«

Baldwin trank einen großen Schluck Bier und setzte seinen Krug vorsichtig auf dem Boden ab. Dann wandte er sich wieder an Black. »Erzähl mir von den anderen Dorfbewohnern. Wie viele Familien leben hier?«

»Sieben. Sieben Familien in sieben Häusern. In zweien wohnen erwachsene Söhne, die bald selbst einen Hausstand gründen werden. Thomas hat zwei Söhne, Ulric ebenfalls.«

»Aha. Und nun erzähl mir noch etwas von Brewer. Was war er für ein Mann?«

Black schaute verlegen zum Priester, der leise sagte: »Mach dir keine Sorgen, mein Sohn. Sag einfach nur die Wahrheit.«

»Er war nicht beliebt.«

»Warum nicht?«, fragte der Ritter.

»Nun, er hatte mehrere Äcker. Er hatte acht Ochsen. Das machte die anderen Bauern neidisch. Es ging immer wieder das Gerücht um, dass er in einer Kiste viel Geld versteckte. Es schien nicht gerecht. Jeder hier muss hart auf den Feldern arbeiten, manchmal müssen sich die Nachbarn gegenseitig aushelfen. Aber Brewer kam immer allein zurecht. Er zahlte den Vogt aus, sodass er nie auf den Feldern des Lehnsherren arbeiten musste. Und er kaufte ständig neues Land. Er ließ den Wald roden. Der alte Lehnsherr, Euer Bruder, Sir Baldwin, gab ihm das Land. Er konnte es sich leisten, Männer anzuheuern, die für ihn die Bäume fällten. Und er schien immer reicher zu werden. Das machte die Leute neidisch.« Er hielt inne, als habe er bereits zu viel gesagt, und starrte auf den Boden.

In diesem Augenblick brachte der Wirt irdene Schüsseln mit einem kräftigen Stew und Brot.

Nachdem sie einige Minuten schweigend gegessen hatten, wandte sich Baldwin wieder an Black. »Was ist mit dem Sohn des Mannes? Du sagtest, er sei nach Exeter gegangen.«

Der Jäger kaute zufrieden und wischte sich den Mund mit der Hand ab. »Vielleicht weiß meine Frau mehr darüber. Sie kennt sich hier besser aus als ich.«

Nach dem Essen verkündete Peter, dass er sich nun verabschieden müsse. Er sagte, er habe in der Kirche zu tun, aber Simon fragte sich, ob das nicht lediglich ein Vorwand war, weil er all ihre Überlegungen für Hirngespinste hielt.

Simon wusste noch immer nicht, was er von den Vermutungen des Ritters halten sollte. Es schien unwahrscheinlich, dass es in diesem idyllischen Dorf einen Mörder geben sollte. Wenn Baldwin jedoch Recht hatte, wenn man den Mann getötet, auf seine Matratze gelegt und sein Haus angezündet hatte, sodass diejenigen, die die Leiche fanden annehmen sollten, er sei im Schlaf erstickt? Möglich war es. Der Ritter jedenfalls glaubte daran.

Er hatte sein Stew förmlich heruntergeschlungen und ungeduldig darauf gewartet, dass die anderen ihre Mahlzeit beendeten. Sie ließen sich mehr Zeit und deuteten so vielleicht unbewusst an, dass sie ihre Zweifel an seiner Theorie hatten. Baldwin hatte es offenbar eilig, mit dem, was er ›unsere Untersuchung‹ nannte, weiterzumachen. Fasziniert beobachtete Simon, wie verändert der Mann schien. Als er ihn vor nur wenigen Tagen kennen gelernt hatte, hatte er einen reservierten, hochmütigen Eindruck vermittelt, zwar freundlich, sich seines Standes und seiner noblen Herkunft jedoch sehr bewusst. Und nun brannte er darauf, mit den Bauern zu reden, mit den einfachsten und demütigsten Dienern des Guts, nur um seine Neugier über den Tod eines Mannes zu befriedigen, den er nicht einmal gekannt hatte – und dessen Tod ihn mehr zu interessieren schien als alle anderen. Wollte er seine so absurd scheinende Theorie unbedingt beweisen? Oder wollte er sich selbst etwas beweisen?

Baldwin Furnshill hatte anderes im Sinn. Monatelang hatte ihn ein schlimmes Hirnfieber geplagt, aber nun war er wieder gesund und brannte darauf, seinen Verstand einzusetzen. Er spürte die Skepsis der anderen und fand sie sogar verständlich. Es gab eine Menge Orte, an denen ein Mord nichts Außergewöhnliches gewesen wäre – London, Bristol, Oxford und hunderte anderer Städte und Dörfer – aber hier?

Und warum hatte es einen Mann getroffen, dessen Lebensspanne sich ohnehin dem Ende neigte?

Er grübelte noch immer über diese Frage nach, als sie Blacks Haus am Rande des Dorfes erreicht hatten. Es war eines der neuesten Häuser; solider gebaut, auch aus Lehm, aber mit starken Holzrahmen um Tür und Fenster. Baldwin betrachtete die Balken mit gerunzelter Stirn, verkniff sich jedoch die Frage, woher sie stammten. Er sah Black mit neu erwachtem Interesse an. Wenn der Jäger die Waldgesetze brach und das Holz des Königs stahl, wenn er sich in die Gefahr begab, deswegen vielleicht sogar am Galgen zu enden, wäre er dann nicht auch imstande, einen Nachbarn zu töten? Er unterbrach seinen Gedankengang, als die Frau des Jägers die Tür öffnete und verneigte sich.

Black stand zwischen ihr und den anderen, als wolle er sie vor der Welt beschützen, und Baldwin sah, warum er das tat. Jane Black war ein kräftige, gut aussehende Frau, nicht viel älter als zwanzig Jahre. Sie trug ein einfaches Wollkleid, das ihr bis zu den Knöcheln ging, mit langen Ärmeln und einer Zierstickerei auf der Brust. An den Rufen, die aus der Hütte drangen, hörte man, dass sie ihrem

Mann zwei Söhne geschenkt hatte, aber weder ihrer Figur noch ihrem Gesicht sah man das an. Sie war nur wenig kleiner als Black, eine gesunde Frau, der die harte Arbeit noch nicht zugesetzt hatte. Offensichtlich brachte der Jäger seiner Familie die besten Stücke Fleisch mit, denn ihr jugendlicher Körper zeigte sanfte Rundungen. Baldwin fand ihr Gesicht ein wenig zu schmal, die Lippen etwas zu dünn und ihren Busen für seinen Geschmack zu klein, aber es ließ sich nicht leugnen, dass sie äußerst attraktiv war.

Als er jedoch ihr Lächeln und die Wärme ihres Blicks bemerkte, schämte er sich für seine oberflächliche Einschätzung. Er hatte es hier mit einer sehr intelligenten Frau zu tun. Das erkannte er an ihren aufmerksamen Augen, an der Art, wie sie die Männer in kürzester Zeit gemustert hatte und daran, wie offen, ja fast stolz sie ihre Blicke erwiderte.

Ihr Mann erklärte ihr umständlich, worum es ging, so als habe er mehr Sorge darum, seine Frau zu beunruhigen als den Ritter und den Vogt zu verärgern.

Jane Black war fasziniert. Noch nie hatte sie derart wichtige Männer in ihrem Dorf gesehen – Blackway lag so sehr abseits von den Wegen der Mächtigen, dass sich nie jemand dorthin verirrte – und sie fragte sich, was sie am Tod des alten Brewer so interessierte. Die Besucher hatten offenbar nicht vor, ihr das zu erklären, aber ihr Mann würde ihr später sicher alles erzählen. Der Ritter fiel ihr besonders auf, weil er so ernst und so entschlossen wirkte. Er vermittelte ihr den Eindruck, als sei alles, was sie sagte, von ganz besonderer Wichtigkeit.

»Kannst du dich an Brewers Sohn erinnern?«, fragte Simon.

Langsam wischte Jane Black sich die Hände an dem Stück Stoff ab, das ihr als Schürze diente. Sie wanderte mit ihren Gedanken zurück in die Vergangenheit, als sie ein junges Mädchen gewesen war und John Black noch nicht kannte. Damals war die Familie Brewer noch zusammen gewesen. Langsam nahmen die alten Bilder Gestalt an, darunter das eines Jungen in einem einfachen rauen Wams, der stets den Tränen nahe schien, weil sein Vater ihn wieder geschlagen hatte. Ein Junge, der sich nach einer Mutter sehnte, die aber bei seiner Geburt gestorben war, ein Junge, der sich nach der Liebe und Zuneigung seines Vaters sehnte, der ihm jedoch die Schuld am Tod der Mutter zuzuweisen schien. Er ging stets mit eingezogenem Kopf, wie ein Hund, den man zu oft geschlagen hat und der jede Minute neue Schläge erwartet. Er hatte ihr Leid getan, und manches Mal hatte sie sich vorgestellt, sie könne ihm helfen, vielleicht wie eine ältere Schwester. Aber Kindern fallen solche Dinge schwer, und schließlich hatte sie es sogar ihren Freundinnen gleichgetan und den schmächtigen Jungen mit spöttischen Bemerkungen bedacht. Als junger Mann war er dann eines Tages fortgegangen.

»Er hieß Morgan, nach dem Vater seiner Mutter«, sagte sie, noch immer in den Erinnerungen an die alten Zeiten versunken.

»Warum hat er das Dorf verlassen«, fragte Baldwin.

»Warum? Oh, um von zu Hause wegzukommen, glaube ich. Er hat wohl etwas Geld gespart und ist nach Exeter gegangen, nachdem er die Erlaubnis Eures Bruders bekommen hatte, Sir Baldwin. Ich konnte es verstehen. Brewer war ein brutaler Mann. Ich habe Morgan oft in der Frühe gesehen, mit blauen Flecken und geschwollenem Gesicht, wenn sein Vater abends zu tief ins Glas geschaut hatte.«

»Betrank er sich denn oft?«

Sie musste kichern. »O ja, Sir. Sehr oft sogar. Eigentlich ist er kaum einmal nüchtern nach Hause gekommen. Oft musste man ihm auf dem Heimweg helfen, wenn er in der Schänke oder im Haus eines Freundes zu viel Cider oder Ale getrunken hatte.«

Baldwin nickte. »Und wenn er zu viel getrunken hatte, wurde er gewalttätig?«

Ihr Blick wurde traurig, als sie ihn ansah. »Ja. Wenn er getrunken hatte, wollte er sich prügeln. Und er war kräftig, Sir, sehr kräftig. Mein Vater ging ihm immer aus dem Weg, aber andere hat er kräftig verdroschen. Er schlug sogar nach den Männern, die ihm nach Hause halfen. O ja, er konnte sehr brutal werden.«

»Dieser Sohn, Morgan. Glaubst du, dass er noch in Exeter lebt?«

»Das bezweifele ich. Ich glaube, Morgan wollte so weit weg von seinem Vater wie möglich. Ich hörte, dass er in der Stadt Arbeit gefunden hatte. Wahrscheinlich ist er irgendwann weitergereist.«

»Hast du eine Ahnung, wo er sein könnte?«

»Nein, nicht die geringste, und ich bin sicher, dass niemand in Blackway mehr darüber weiß.«

Schließlich brachte Black seine Frau wieder ins Haus, und Simon und Baldwin blieben wartend vor der Tür stehen.

Schließlich sagte Simon noch einmal: »Baldwin, bist du wirklich sicher, dass dieser Brewer ermordet worden ist?«

Der Ritter sah ihn mit einem sarkastischen Lächeln an. »Nun, ich weiß es nicht, wenn es das ist, was du meinst. Aber ich bin völlig sicher, aufgrund all dessen, was ich dir gesagt habe.«

Simon kratzte sich am Hinterkopf und sah die große, dunkle Gestalt neben sich zweifelnd an. »Baldwin, selbst wenn du Recht hast, was zum Henker können wir tun, um es zu beweisen? Wir können an dem Körper keine Spuren einer Verletzung mehr finden – dazu ist er zu sehr verbrannt. Wir können nicht beweisen, dass jemand zu ihm kam und ihn ermordete. Wie willst du das anstellen?

»Natürlich können wir es beweisen«, antwortete sein Freund und sah ihn mit einer Mischung aus Mitleid und Ungeduld an. »Wir brauchen nur den Mann zu finden, der es getan hat und ihm ein Geständnis zu entlocken.«

»Ah, das ist alles?«, fragte Simon. »Dann kann ich ja jetzt nach Hause gehen. Dann hast du ja alles schon so gut wie geklärt.«

Kapitel 5

Als Black wieder aus dem Haus kam, stellte er leicht amüsiert fest, dass zwischen dem Vogt und dem Ritter eine etwas gereizte Stimmung zu herrschen schien. Das merkte man daran, dass sie schwiegen und es tunlichst vermieden, einander anzusehen. Vor allem aber merkte man es an dem Grinsen Edgars, der hinter den beiden stand.

Als der Jäger ihn fragend ansah, zuckte Edgar scheinbar desinteressiert mit den Schultern, aber seine Miene verriet das Gegenteil. Was der Jäger nicht wissen konnte, wusste der Knappe aus eigener, schmerzhafter Erfahrung nur allzu gut. Noch vor einem Jahr war Baldwin dem Tode sehr nahe gewesen. Seit er von dem Hirnfieber genesen war, hatte er immer wieder grüblerische Phasen durchgemacht, in denen sich kaum einmal ein Lächeln auf seinen Zügen zeigte. Selten nur legte er Ungeduld oder Egoismus an den Tag, vielmehr lebte er still und bescheiden und zeigte sich für die Dienste Edgars ungewöhnlich dankbar. Mit Freude und Erleichterung stellte der Knappe nun fest, dass sein Herr anscheinend wieder das Streiten lernte.

Die vier Männer gingen langsam die Straße hinauf. Black deutete auf die Häuser und erklärte ihnen, wer darin wohnte. Die Gebäude ähnelten einander, neben der Eingangstür für die Menschen, die darin lebten, gab es an der Seite meistens noch einen zweiten Eingang – den für die Ochsen, Schweine oder Ziegen, die den Viehbestand der Familien bildeten. Der Rauch stieg durch die Strohdächer in den Himmel und verteilte sich dort wie Frühnebel in der Sonne.

Als sie an der Schänke vorbeikamen, hielt Baldwin plötzlich inne und ging dann ohne ein Wort hinein. Die anderen warteten, und bald darauf kehrte er mit dem Wirt im Schlepptau wieder zurück.

Der Wirt war ein Hüne von Gestalt. Simon hielt ihn für nur wenige Jahre älter als sich selbst. Er strahlte eine gewisse Autorität aus, zu der möglicherweise auch sein kahler Schädel beitrug, den er sich jeden Morgen rasierte. Seine tief liegenden Augen funkelten spitzbübisch und schienen irgendwie nicht zum schweren, kantigen Kopf zu passen. Kinn und Oberlippe waren von dichtem Barthaar bedeckt. Sein Wams war schmutzig, aber in der Schänke war es stets so finster, dass es niemandem auffiel. Die Vorderseite schien abwechselnd als Putzlappen, Schürze, Tragebeutel für Holz und Fleisch und als Handtuch zu dienen. Die Menge an Stoff, die hier verarbeitet war, ließ auch einiges an Möglichkeiten zu. Der Mann hatte einen gewaltigen Bauchumfang, und alles, was diesen Berg umspannen konnte, bot Platz für viele andere Dinge.

»Black, deine Frau sagte, dass Brewer ein Säufer war. Also, Wirt, dann erzähle du doch diesen Männern hier, was du mir gerade erzählt hast«, sagte Baldwin und deutete auf die kleine Gruppe.

Der Wirt lehnte sich an die Wand und rieb sich die Hände am Wams ab. »Ja, der alte Harold Brewer, Sir, der war gestern Abend hier. Er kam, wie immer, kurz nachdem es dunkel geworden war und blieb viel zu lange. Ich schätze, dass er so gegen elf gegangen ist, noch vor der Hundewache.«

»War es seine eigene Entscheidung zu gehen?«

Der Wirt sah sie listig an, und fast schien es, als würde er ihnen gleich zuzwinkern. »Nein, das kann man nicht sagen. Ich habe für ihn entschieden. Er wurde wieder laut, und als er anfing herumzukrakeelen, machte ich ihm klar, dass er nun nach Hause in sein Bett gehöre.«

Baldwin beugte sich vor. »Du brachtest ihn nach draußen auf die Straße. Erzähl meinen Freunden, was dann passiert ist.«

»Nun, ich schob ihn hinaus, und da sah ich diesen anderen Mann auf der Straße, der in Brewers Richtung ging. Ich rief ihm zu, ›kannst du ihn nicht nach Hause bringen, er hat für heute Abend genug‹, und er hatte auch nichts dagegen, kam sofort herbei und stützte Brewer. Nun, das genügte mir. Ich ging hinein, um aufzuräumen.«

»Aber du hast noch deutlich gesehen, wie dieser Mann Brewer nach Hause brachte?«

»O ja. Noch nachdem ich die Tür zugeschlagen hatte, hörte ich wie Harold herumbrüllte und den anderen beschimpfte. Er wollte noch mehr Ale, er wollte hierbleiben, er wollte noch nicht nach Hause. Von mir bekam er natürlich keinen Tropfen mehr. Er hätte wieder eine Schlägerei angezettelt, und nach all den Jahren hatte ich seine Ausfälle gründlich satt. Aber der Mann, der ihm half, tat mir Leid. Er half ihm und wurde dafür von Harold aufs Übelste beschimpft.«

»Hast du gesehen, wer dieser Helfer in der Nacht war?«, fragte Simon, und die listigen, fröhlichen Augen hefteten sich auf ihn. Eine Sekunde lang sah der Vogt hinter der freundlichen Fassade den Egoismus und das Desinteresse.

»Nein, es war dunkel und ich war eben erst aus meiner Schenke gekommen. Ich konnte nur eine dunkle Gestalt erkennen und kaum hatte ich ihn herangerufen, ging ich auch schon wieder hinein. Ich wollte nur eins – Harold loswerden und ins Bett gehen.«

Die Männer ließen den Wirt vor seinem Gasthaus stehen und gingen weiter. Black schien in Gedanken versunken. Simon sah Baldwin ratlos an. »Wie sollen wir jetzt herausfinden, wer der Mann war?«

Der Ritter drehte sich um und sagte lächelnd: »Wir fragen Leute, Simon, wir fragen Leute.«

Kapitel 6

Die kleine Truppe zog immer noch hinter dem Ritter her, als die Schatten langsam länger und die Luft kälter wurde. Baldwin deutete auf die Häuser und stellte Black unablässig Fragen über deren Bewohner, wie viele Menschen dort lebten, wie lange schon, ob auch deren Eltern schon dort gelebt hätten? Black schien eine ganze Menge über den Weiler und die Dörfler zu wissen, wahrscheinlich weil er sie oft mit Fleisch von der Jagd vesorgte. Er selbst lebte allerdings erst seit vier Jahren hier. Damals hatte er seine Frau geheiratet und ihr versprochen, in das Dorf zu ziehen, in dem sie aufgewachsen war und das sie nicht gerne verlassen hätte.

Baldwin räusperte sich. »Dieser Mann, der in diese Richtung zurückging, wer immer es auch gewesen sein mag ... ich nehme an, man kann wohl davon ausgehen, dass er in einem der dort liegenden Häuser wohnt. Natürlich mag er auf dem Weg zu irgendeiner Arbeit gewesen sein und wollte erst später nach Hause, aber wir sollten trotzdem nachforschen, ob sich auf dieser Seite des Dorfes, also jenseits der Schenke, letzte Nacht jemand draußen aufgehalten hat. Was meinst du, Simon?«

Der Vogt nickte; der Unmut, den er über seinen Freund verspürt hatte, war längst verraucht. »Ja, das scheint mir sinnvoll. Black, weißt du, wer um diese späte Stunde noch draußen gewesen sein könnte?«

Der Jäger überlegte angestrengt und spitze dabei auf fast lächerliche Weise die Lippen. »Nun, da fallen mir gleich vier ein. Cenred, der Hegemeister, ist oft noch spät unterwegs, denn er muss seine Kaninchen ständig vor den Dachsen und Füchsen schützen. Dann ist da noch Alfred, der junge Sohn der Carters. Er muss manchmal auf die

Schafe drüben beim Hügel aufpassen, auch nachts. Edward, sein jüngerer Bruder, leistet ihm dabei oft Gesellschaft. Und Roger kommt auch oft spät heim.«

»Warum?«, fragte Simon nach, als keine weitere Erklärung folgte.

Der Jäger lachte laut auf. »Weil er um eine Frau drüben in Hollowbrook wirbt. Emma Bundstone. Da bleibt er so lange, wie's nur irgend geht.«

Mittlerweile hatten sie die Ruine fast wieder erreicht. Nur noch wenige Schaulustige waren zu sehen, nach der Bergung des Leichnams hatte sich die Menge zerstreut. Jetzt standen fast nur noch Dörfler in kleinen Gruppen zusammen und unterhielten sich aufgeregt. Als sich die Gruppe um den Ritter näherte, erntete sie misstrauische Blicke.

»Black«, sagte Baldwin. »Zeige mir die vier Männer, von denen du gerade sprachst. Später bringst du sie dann zu mir. Also, welche sind es?«

»Das da ist Alfred, neben ihm sein Bruder.« Black deutete auf die beiden. Alfred war dünn, wirkte aber zäh, ein geschmeidiger, junger Mann mit hellem Haar und dunkler, wettergegerbter Haut, dessen schnelle, flinke Bewegungen Simon irgendwie an eine Ratte erinnerten. Sein Bruder war etwas größer, er hatte dünnes, mausgraues Haar und war kräftiger, rundlicher, wie jemand, der ein gutes Glas Bier zu schätzen weiß. Selbst aus der Entfernung konnte man an seinen rosigen Wangen erkennen, dass er dem Getränk offenbar in großen Mengen zusprach. Seine Augen schienen jedoch so wach zu sein wie die seines Bruders. Mit schnellen Blicken musterte er den Vogt und seine Begleiter.

Der Jäger streckte erneut den Arm aus. »Da drüben steht Roger Ulton.« Er deutete auf einen stillen, jungenhaft wirkenden Mann, mit schmalem, blassen Gesicht und tief liegenden Augen. Für jemanden, der erst neunzehn war, wirkte er erstaunlich schlaff. Simon sah den Mann aufmerksam an. Er strahlte eine ängstliche Nervosität aus, als warte er nur darauf, angeklagt zu werden, und als fühle er sich in jedem Fall schuldig.

»Was ist mit dem vierten – dem Hegemeister?«, fragte Baldwin leise.

»Cenred? Ich kann ihn nirgendwo sehen. Ich nehme an, er ist draußen bei seiner Arbeit.«

»Gut. Dann hol zuerst die beiden Brüder, Black. Da wir nur mit fünf Männern sprechen müssen, dürfte es nicht allzu lange dauern.«

»Fünf? Ihr habt doch nur vier genannt, Sir.«

»Oh, du bist natürlich auch dabei, Black.«

Mit vor Zorn dunkel angelaufenem Gesicht kehrte der Jäger mit den beiden jungen Männern zurück. Alfred schien der jüngere Bruder zu sein, und sein schlauer, etwas verschlagener Blick wanderte stetig umher, während der Ältere unruhig und in demütiger Haltung vor den Männern stand. Alfred war vielleicht noch nicht einmal zwanzig und schien sich in seiner jugendlichen Unbedarftheit nicht im Klaren darüber zu sein, dass sie hier in einer Mordsache vernommen werden sollten. Scheinbar furchtlos und ungerührt stand er vor Baldwin und Simon, die sich auf einen Baumstamm am Boden gesetzt hatten. Black und Edgar blieben ein paar Schritte hinter ihnen.

Simon betrachtete Alfred. Er wirkte zu lebendig für das langweilige, monotone Leben auf dem Dorf, und seine lebhafte und etwas hinterlistige Art passte nicht in das Bild, das der Vogt von einem Lehnsmann hatte. Seine abgewetzten, fleckigen Strumpfhosen waren an einigen Stellen geflickt, und um die Hüfte trug er einen dünnen Ledergürtel, an dem in einem ledernen Schaft ein Messer mit Holzgriff hing. Er erwiderte die Blicke der Männer mit Trotz und Arroganz.

Edward hielt den Blick auf den Boden gerichtet. Er zeigte mehr von der devoten Haltung des ländlichen Arbeiters, die Simon erwartete. Der Vogt war keineswegs ein hochmütiger oder grausamer Mann, aber er wusste um die Unterschiede zwischen den Menschen, und er wusste, ihr Verhalten zu deuten. Als Sohn eines Seneschalls war Simon klar, dass es unmöglich war, die Dienerschaft ständig ruhig und friedlich zu halten. Jeder ertrug nur ein gewisses Maß an Unterdrückung. Schließlich brauchte jeder Mensch Selbstachtung, und die konnte man nur haben, wenn die anderen einem Respekt entgegenbrachten. Deshalb achtete Simon darauf, seinen Männern ein Gefühl dafür zu vermitteln, dass er ihre Arbeit schätzte. Seine eigenen Leute hätten dem neuen Lehnsherren gegenüber auch ein viel größeres Maß an Achtung gezeigt als Alfred, egal, was sie hinterher reden mochten.

Der ältere Bruder trug dicke Strumpfhosen, Sandalen, ein leichtes Wams und einen kurzen Umhang. Überrascht stellte Simon fest, dass seine Kleidung viel ordentlicher war als die seines Bruders – sie war weder fleckig noch geflickt.

Baldwin schien der Unterschied in der äußeren Erscheinung auch aufgefallen zu sein, denn sein Blick wanderte mehr als ein Mal vom einen zum anderen. »Ich habe gehört, dass ihr beide gestern Nacht draußen wart. Wo seid ihr gewesen?«

Er wartete ab, wer als Erster antworten würde. Schließlich sagte Alfred, nachdem er einen bestätigenden Blick zu seinem Bruder geworfen hatte: »Ich hüte die Schafherde meines Vaters. Wir waren bei den Tieren.«

»Bist du nicht ein bisschen zu alt für diese Arbeit?«

Er verzog keine Miene. »Nein, ich bin erst zwanzig und der Jüngste der Familie, also bin ich derjenige, der auf sie aufpasst. Edward kommt oft mit.«

»Ah ja, Edward. Was arbeitest du?«

»Ich? Ich verkaufe Ware auf Märkten. Ich kaufe sie in der Stadt ein und bringe sie mit dem Karren in die Dörfer. Warum?«

»Wieso hilfst du dann deinem Bruder?«

»Oh, da draußen können wir uns in Ruhe unterhalten. Außerdem ist er dann früher fertig. Warum?«

Der Ritter ignorierte die Gegenfrage ein zweites Mal. »Wann seid ihr gestern Nacht zurückgekommen?«

»Oh, ich weiß nicht genau«, antwortete Alfred schnell, als wolle er nicht, dass sein Bruder zu viel redete. »Ich schätze, wir haben den Hügel gegen halb elf verlassen. Viel später ist es bestimmt nicht gewesen.«

»Wie lange braucht ihr für den Rückweg?«

»Nach Hause? Oh, eine halbe Stunde etwa.«

»Habt ihr auf dem Heimweg irgendjemanden gesehen?«

Der junge Mann schaute seinen Bruder kurz an, als er für ihn antwortete: »Nein, niemanden.« Simon glaubte, etwas in seinen Augen aufblitzen zu sehen, vielleicht war es Furcht oder gar Zorn. Was mochte der Grund hierfür sein?

»Und als ihr ins Dorf kamt, hat Brewers Haus noch nicht gebrannt?«

»Nein, da war nichts – da bin ich mir vollkommen sicher.«

Baldwin glaubte ihm zunächst einmal. Blieb nur die Frage – wann hatte das Feuer begonnen? Er sah den jüngeren Mann an, der ihn aufmerksam anblickte. Oder war sein Blick sogar herausfordernd? Dann wandte er sich wieder an den Älteren. »Habt ihr euch auf dem Heimweg vielleicht einmal getrennt?«

Zu seiner Überraschung antwortete jetzt Alfred, bevor der Bruder den Mund aufbekam. »Nein. Wir waren die ganze Zeit zusammen.«

Als die beiden entlassen waren und Black gebeten wurde, Roger Ulton zu holen, schaute Baldwin Simon mit einem leicht schiefen Grinsen an und meinte: »Und?«

»Mir gefällt die Art des Jüngeren nicht, und ich traue ihm nicht über den Weg. Dieser Alfred scheint etwas zu verbergen. Edward mag ein ehrlicher Bursche sein, zumindest hat er nichts gesagt, das mich stutzen ließ.«

»Stimmt. Wir wollen hören, was uns dieser Roger zu sagen hat.« Beide wandten sich dem Mann zu, den Black gerade heranführte.

Von nahem sah er weniger blutleer aus als aus der Ferne. Sicher, er war dünn, aber das war nach den letzten beiden Jahren der Hungersnot ein vertrauter Anblick. Seine Kleider, ein hellbraunes Wams und Strumpfhosen, schienen ihm zu groß, und Simon fragte sich, ob sie wohl einem älteren Bruder – oder seinem Vater – gehört hatten. Die Stiefel waren abgewetzt und wirkten ebenfalls zu groß. Er trug eine Kapuze, die er jedoch zurückwarf, als er sich dem Ritter und dem Vogt näherte. Sein Hals wirkte ungewöhnlich feminin und war von dem gleichen Alabasterweiß wie sein Teint. Simon konnte den Blick kaum davon abwenden, und als er zu Baldwin hinüberschaute, sah er, dass auch er die Auffälligkeit bemerkt hatte. Interessiert betrachten die beiden den Mann, der vor ihnen stand.

Wie Edward hielt auch Roger den Blick auf den Boden gesenkt. Er wagte es kaum, den beiden Männern in die Augen zu sehen. Sein schmales, blasses Gesicht wurde von fast rabenschwarzem Haar, ähnlich dem des Jägers, eingerahmt, was einen fast beunruhigenden Kontrast erzeugte. Strahlte der Jäger eine lebendige Energie aus, so wirkte dieser Mann zerbrechlich, ja kränklich. Sein Mund war ein dünner Strich, die Nase sah aus, als würde sie ständig laufen, und als er endlich aufschaute, sahen sie, dass seine Augen fast farblos schimmerten, wie ein buntes Tuch, aus dem der Regen alle Farben gewaschen hat. Etwas Unangenehmes ging von seiner Erscheinung aus, dachte Simon. Während der junge Alfred wenigstens noch eine gewisse Individualität vermittelt hatte – aus ihm würde einmal ein guter Kaufmann werden, – hatte dieser hier nichts dergleichen zu bieten.

Der Ritter schien einen Augenblick lang unschlüssig, als wisse er nicht genau, wie er beginnen sollte. Dann sah er dem Mann in die Augen und spürte, dass er vielleicht nicht so schwächlich war, wie er gedacht hatte.

»Du heißt Roger?«, fragte er streng.

»Ja, Sir.« Der junge Mann hatte eine erstaunlich tiefe Stimme für seine dünne Gestalt.

»Du hast gestern Abend deine Frau besucht, diese Emma …«

»Emma Bundstone. Sie wohnt in Hollowbrook, bei ihren Eltern.«

»Ja. Wann bist du dort fortgegangen?«

Vielleicht war es der strenge Ton, in dem der Ritter

sprach oder seine gerunzelte Stirn, die Miene des Mannes verdunkelte sich jedenfalls sogleich.

»Warum, Sir?«

»Warum?« Baldwin schlug mit der Faust auf den Baumstamm, sodass Simon neben ihm zusammenfuhr und ihn erschrocken ansah. »Ich habe dich gefragt, wann du gegangen bist. Nimm dir ja nicht die Frechheit heraus, mich zu fragen, warum. Antworte!«

»Sir, ich wollte nicht unhöflich sein, ich … es war gegen zehn, Sir. Später sicherlich nicht.« Verschämt senkte er den Blick.

In etwas versöhnlicherem Ton fragte Baldwin: »Wie weit ist es von hier nach Hollowbrook?«

»Etwa drei Meilen, Sir, würde ich sagen, weiter nicht.«

»Also, dann warst du spätestens um elf wieder hier?«

»Früher, Sir, eher früher. Eher halb elf als elf.«

»Hast du auf dem Heimweg jemanden gesehen?«

»Nein, Sir, niemanden.«

»Lebst du allein?«

»Nein, Sir, bei meinen Eltern. Einen Bruder habe ich auch.«

»Haben Sie gehört, wie du nach Hause kamst?«

»O nein, Sir, sie schliefen schon, und ich bin ganz leise ins Bett gegangen, um sie nicht aufzuwecken.«

Baldwin nickte Simon zu. »Möchtest du noch etwas fragen?«

»Ja.« Simon beugte sich vor und sah den Mann eindringlich an. »In welcher Richtung liegt Hollowbrook?«

»Wo? Dort drüben, Sir.« Er deutete die Straße hinab nach Süden.

»Du musstest also nicht an Brewers Haus vorbei, um nach Hause zu kommen?« Als Roger den Kopf schüttelte, wedelte Simon mit der Hand. »Gut, das ist alles. Du kannst jetzt gehen.«

Sie sahen ihm nach, wie er zur Straße schlurfte und in die Richtung seines Elternhauses ging. »Und?«, fragte Baldwin.

»Ich habe keine Ahnung. Sie wirken alle so verdammt

verängstigt. Wahrscheinlich haben sie vor uns Angst. Ich habe das Gefühl, dass wir nur dann die Wahrheit aus ihnen herauskriegen, wenn wir sie auf die Folterbank spannen.«

»*Was?*« Der Ritter zuckte zusammen, streckte den Arm aus und hielt Simons Hand, als müsse er sich an ihn lehnen – oder wollte er ihn davon abhalten, noch mehr zu sagen? Nach einigen Sekunden lockerte sich sein Griff, aber in seinen Augen blieb ein so tiefer Schmerz zurück, dass er Simon ein zweites Mal unendlich Leid tat.

Black hatte das Gefühl, als sei beim Aufschrei des Ritters die Welt angehalten worden. Er spürte mehr als dass er es sah, dass Edgar einen Schritt nach vorne trat und unentschlossen stehen bleib. Aber er behielt die beiden Männer im Auge und hatte sogar die Hand an den Dolch gelegt. Er schien bereit, Simon an jedem weiteren Wort zu hindern, das seinen Herrn verletzen könne. Doch dann sah Black, der selbst den Griff seines Jagdmessers gepackt hatte, dass der Knappe seinen Dolch wieder losließ. Black fuhr mit der Zunge über seine trockenen Lippen. Er mochte den Vogt und wäre ihm bei einem Angriff sicherlich zur Hilfe gekommen.

Baldwin atmete schwer und versuchte wieder Haltung anzunehmen. Er hielt noch immer Simons Hand. »Mein Freund«, murmelte er, »glaube nicht, dass die Streckbank oder andere Folterinstrumente etwas nützen würden. Ich habe sie gesehen, und das, was sie anrichten. Sie bringen nicht die wirkliche Wahrheit ans Licht; sie tun nur eines – sie vernichten den Menschen. Sie können ihn nicht dazu bringen, die Wahrheit zu sagen, aber sie können ihn zwingen zu lügen, nur damit die Schmerzen ein Ende haben. Die Folter bringt uns keine Gewissheit, alles, was sie erreicht, ist die Zerstörung der Seele.« Er sah Simon an und in seinem Blick lagen Verzweiflung und Trauer. Bat der Ritter um Verständnis, oder bat er ihn gar um Vergebung? Simon wusste nicht, wie er sich verhalten sollte. Er hatte Angst davor, seinen Freund erneut zu verstören, aber er spürte, dass er Unterstützung brauchte.

»Baldwin, natürlich werden wir in dieser Angelegenheit

nichts dergleichen unternehmen«, sagte er schließlich, und das schien ausreichend.

Langsam ließ der Ritter Simons Hand los. Er konnte es nicht leugnen, er wusste, dass ihm die Erfahrungen in Frankreich noch immer schwer zu schaffen machten. Wie konnte er nur so reagieren! Wo er doch hätte wissen müssen, dass Simon es nicht ernst meinte. Es war lächerlich.

Er erhob sich und ging zur Schänke zurück, und Simon folgte ihm, den Blick nachdenklich auf den Rücken des Ritters gerichtet. Warum hatte er so die Fassung verloren? Fast, als wäre er selbst ein Verbrecher, dachte der Vogt.

Kapitel 7

Nachdem sie auch Black befragt hatten, ließen sie ihn an der Schänke zurück und bestiegen ihre Pferde, um nach Crediton zurückzureiten. Er sah ihnen schweigend und mit ernstem Blick hinterher. Seine zweite Aussage hatte ihnen auch nicht weiterhelfen können. Er hatte bei seiner Rückkehr die Flammen gesehen und Alarm geschlagen, und wenn jemand in der Nähe des Hauses gewesen sein sollte, hatte er ihn nicht bemerkt.

Simon sprach auf dem Heimweg wenig. Er machte sich Sorgen um seinen neuen Freund. Immer wieder schaute er zu Baldwin hinüber, auch wenn er dabei den wachsamen Blick Edgars im Nacken spürte, als gäbe er darauf Acht, dass Simon nicht noch einmal das Wort Folter erwähnte und sein Herrn noch einmal so die Fassung verlor.

Baldwin saß aufrecht auf seinem Pferd und starrte auf die Straße. Er schien mit seinen Gedanken so weit weg zu sein, dass Simon das Gefühl hatte, er würde ihn nicht einmal hören, wenn er seinen Namen riefe. Baldwin war wieder in seine Vergangenheit zurückgekehrt, fest umschlossen seine Hände die Zügel und er zog die Augenbrauen zusammen.

Der Vogt senkte den Blick. Zweifellos würde ihm der Ritter von den schrecklichen Ereignissen und seinen schlimmen Erinnerungen erzählen, wenn er soweit war. Bis dahin konnte er nur hoffen, dass die Bilder dieses Albtraums langsam verblassten. Als er wieder aufschaute, sah er erleichtert, dass der Ritter sich etwas erholt zu haben schien.

Baldwin sah ihn an. Schließlich grinste er und sagte: »Komm schon, in diesem Tempo brauchen wir die ganze Nacht.« Er klatschte auf den Rücken seines Pferdes, und die drei galoppierten in Richtung Crediton.

Simon trennte sich von den beiden, kurz bevor sie Crediton erreicht hatten. Die Straße gabelte sich hier; ein Weg führte nach Osten, nach Exeter und dann nach Tiverton, an Furnshill vorbei, der andere führte nach Crediton und nördlich nach Sandford.

Simon ritt durch das Zentrum, wo er an der alten Kirche abbiegen musste. Er überlegte kurz, ob er seinem Freund, nicht doch noch einen kurzen Besuch abstatten sollte, um etwas zu trinken, aber als er an der offenen Kirchentür vorbei kam, hörte er den Messgesang und ritt weiter. Vom offenen Abwassergraben stieg ihm ein übler Gestank in die Nase, und er ritt den schmalen Pfad entlang, der am alten Friedhof und an den Hütten vorbeiführte, in denen die Bediensteten der Pfarre wohnten. Schließlich ritt er den Hügel hinauf, der aus der Stadt führte.

Im Licht des Tages hatte er diesen Weg stets als angenehm und beschaulich empfunden. Er wand sich sanft empor, auf der einen Seite von einer Mauer begrenzt, die zum Schutz des Kirchenbesitzes diente. Auf der anderen Seite begannen unmittelbar die Felder, eine Reihe schmaler Streifen, die bis zu den Wäldern gingen. Das Spiel der Farben, das Grün der Gräser und das Braun der frisch gepflügten Erde erfüllten ihn stets mit Freude. Wenn er unruhig oder verärgert war, hatte ihn ein Ritt durch diese Landschaft stets beruhigt. Es war die Arbeit des Menschen, die er hier bewunderte, wie er die Natur nach seinem Willen formen und verändern konnte, damit sie ihm Nahrung und Schutz bot. Hier lag der Beweis dafür, dass der Mensch dem Wüten der Wildnis Einhalt gebieten konnte.

Aber jetzt, da er die Hügelspitze überschritten hatte und der Straße ins Tal hinunter folgte, schien sich die Szenerie zu ändern. Und mit dem Bild, das die hereinbrechende Dunkelheit bot, änderten sich auch seine Gefühle. Hier war die Natur niemals besiegt worden. Hierher hatten sich die Holzfäller nie gewagt, das Gebiet war schon zu weit von der Stadt entfernt. Hier rodeten die Bauern den Wald nicht mehr und brachten auch keinen Samen für die Felder her.

Auch Tiere hielt man in der Nähe der Stadt, wo man sie leichter versorgen und beschützen konnte.

Hier war das Land noch wild und ungezähmt, es regierte die Natur, und der Mensch bewegte sich vorsichtig. Die dunklen, bedrohlichen Wälder kamen zu beiden Seiten der Straße immer dichter heran, als wollten sie die Hände nach den Lebewesen ausstrecken und sie verschlingen. Die Zweige und Wurzeln reckten sich gierig, und wer ihnen zu nahe kam, dem zerrissen sie Strümpfe und Wams. Aus dem Dunkel kam ein Knacken im Unterholz, und für ihn, der von Kindheit an die Schauergeschichten von Geistern und Dämonen gehört hatte, klangen die Geräusche wie unheimliche Stimmen. Im Dunkeln erinnerte ihn dieser Ort an die schrecklichsten Gestalten von allen: Old Nick und Old Crockern.

Diese beiden Namen waren in ganz Devon wohlbekannt, überall waren sie berüchtigt, und als Simon an sie dachte, verspürte er eine Furcht, die er seit Jahren nicht mehr gekannt hatte. Nach dem Tode des alten Brewer – er konnte noch immer kaum glauben, dass jemand ihn ermordet hatte und wünschte sich geradezu, dass der Alte einfach zu betrunken gewesen war, um aufzuwachen – war er auf seinem einsamen Weg nach Hause allzu empfänglich für die Geschichten und Legenden.

Old Nick war der Teufel. Die Sagen erzählten, dass er auf einem kopflosen Pferd durch die Moore ritt, auf der Suche nach Seelen. An seiner Seite lief ein Rudel Hunde, erzböse Kreaturen mit glühenden Augen, deren heiseres Bellen verriet, dass sie die Fährte eines menschlichen Wesens aufgenommen hatten. Die wilde Jagd fand auch am helllichten Tag statt, nicht nur bei Nacht und Nebel, denn Old Nick hatte es nicht nötig, seine grausamen Taten zu verbergen.

Auch der andere war ein unangenehmer Geselle. Old Crockern war die uralte Seele des Moores. Er war überall, aber er zeigte sich hauptsächlich denen, dies es wagten, sein Land zu zerstören und rächte sich an ihnen. Oft genügte es ihm, einen Bauer, der mehr vom Moorland genommen hatte, als er brauchte, in den Ruin zu stürzen, indem er dafür sorgte, dass auf dem gestohlenen Land nichts wachsen konnte. Doch sollte es jemand wagen, den Bestand des Moores ernsthaft zu gefährden, dann, so munkelte man, würde Old Crockern den Sünder holen und ihn in eine Hölle schleppen, die teuflischer war als jene, die Satan selbst entworfen hatte.

Je weiter Simon ritt, desto dunkler wurde die Straße. Die Sonne war in einem warmen, orangefarbenen Glanz am Himmel untergegangen, mit dem Versprechen eines trockenen, klaren Morgens. Eigentlich hatte er geglaubt, diese Sagen hinter sich gelassen zu haben, aber hier, wo die Bäume so dicht standen …

Er schüttelte sich. Nebelschwaden schwebten über die Straße. »Großer Gott!«, murmelte er. »Wie alt bin ich eigentlich?« Er trieb sein Pferd schneller voran, vergaß jedoch nicht, sich immer wieder umzusehen.

Als er schließlich zu Hause ankam, hatte sich die Dunkelheit wie ein grauer Samtteppich über das Land gelegt, und beim Anblick des warmen Lichts, das in den Fenstern schien, verflüchtigten sich seine Ängste. Er brachte sein Pferd in den Stall und rieb es eilig ab, bevor er sein Heim betrat.

Es hatte einiges gekostet, aber er freute sich jedes Mal darüber, dass er einen holzgetäfelten Flur hatte einbauen lassen. Er trennte den Raum von der Vorratskammer und den Schlafstellen der Bediensteten. Zudem hielt er einiges von der unangenehmen Zugluft fern, die drinnen die Binsen aufwirbelte.

Eigentlich hatte er den Teil des Hauses, der nur der Familie vorbehalten war, auch mit Holz abtrennen wollen, aber das lohnte sich nun nicht mehr. Es hatte keinen Sinn, Geld in das Haus zu stecken, wo der Umzug nach Lydford dicht bevor stand.

Seine Frau saß mit Edith auf der großen Bank vor dem Feuer. Das Mädchen trug ein leichtes Kleid und schlief, den Kopf auf dem Schoß der Mutter. Margret stickte, aber sie bewegte die Nadel mit solch heftigen, schnellen Bewegungen, als steche sie auf den Stoff ein.

Simon sah sie an, aber sie schaute nicht auf, sondern sagte lediglich kühl: »Im Topf ist Stew für dich.«

Leise trat er an die Feuerstelle in der Mitte des Raums. Der Topf hing an einer Eisenkette von dem dreibeinigen Ständer herunter, und er sah, dass sein Essen schon seit einiger Zeit fertig war. Das Fleisch war bereits völlig zerkocht.

»Hugh!«, rief er, und als sein Knecht herbeieilte, befahl er ihm, einen Teller und einen Löffel zu bringen. Mit dem gefüllten Teller setzte er sich neben seine Frau und begann, das Stew herunterzuschlingen. »Also, sag mir, was los ist.«

Sie warf den Stoff auf den Boden und sah ihn wütend ob seiner Ahnungslosigkeit an. »Was los ist? Du wolltest den ganzen Tag hier bleiben. Stattdessen bist du den ganzen Tag fort. Du hast Edith versprochen, mit ihr zu spielen, und ich durfte ihr erklären, warum du verschwunden bist.« Als sie spürte, dass Edith sich regte, nahm sie ihre Tochter den Arm, und brachte sie in den Schlafraum. Als sie zurückkam, zischte sie mit leiser Stimme: »Warum hast du nicht einen der anderen geschickt, den Constable Tanner zum Beispiel. Um den Toten hätte sich der Priester kümmern können. Warum nimmt ein abgebranntes Haus so viel von deiner Zeit in Anspruch?«

Sie sah ihn finster an, obwohl sie wusste, dass ihr Vorwurf nicht ganz gerecht war. Margret war keine Xanthippe, kein keifendes Weib, aber sie wollte, dass er ihre Gefühle verstand. Ihr war klar, dass er als Vogt ganz andere Pflichten hatte als zuvor. Aber auch sie hatte Pflichten, und sich um den Haushalt zu kümmern, war nicht die geringste davon. Eine Tochter, die sich darauf freut, dass ihr Vater den Tag mit ihr verbringt, kann sehr bockig und schwierig sein, wenn er sein Versprechen nicht hält. Und Edith war heute sehr schwierig gewesen.

Margret hatte die Vorratskammer auffüllen und neuen Cider keltern wollen, aber jedes Mal, wenn sie mit Hugh darüber sprach, hatte Edith an ihrem Rockzipfel gehangen und um Aufmerksamkeit gebettelt. Wenn sie sich um etwas kümmern musste, war Edith ihr nachgelaufen, wollte mit ihr spielen und hatte sie so lange mit Fragen gelöchert, bis sie die Geduld verlor und ihr sagte, sie solle sie in Ruhe lassen und draußen spielen gehen.

Darauf hatte ihre kleine, tyrannische Tochter zu ihr gesagt, dass ihr Vater nie so mit ihr reden würde und dass sie sie hasse.

Das hatte Margret ebenso verletzt wie erzürnt. Natürlich wusste sie, dass ihre Tochter es nicht so gemeint hatte, dass ihre Wut schnell verraucht sein würde, genauso wie ihre eigene. Aber es ärgerte sie, dass der Vater wieder einmal aus dem Haus war und sich ungestört seiner Arbeit widmen konnte. Warum sollte es Simon so ohne weiteres erlaubt sein, seine Vaterpflichten zu vernachlässigen, und ihr, der Mutter, nicht, wo sie doch auch ihre Arbeit hatte?

Nachdem sie ihren Ärger den ganzen Nachmittag über genährt hatte, fühlte sie sich berechtigt, ihn bei seiner Heimkehr anzufahren. Aber noch während sie ihn finster anschaute, fing er an zu grinsen, und plötzlich fühlte sie sich hin- und hergerissen zwischen ihrer Wut auf ihn und der Freude, ihn gut gelaunt bei sich zu haben.

»Warum kommst du nicht her und erzählst mir, was los ist?«, sagte er und deutete neben sich auf die Bank.

Sie ging zu ihm und erzählte ihm von ihrem Tag. Es tat ihr gut, davon zu sprechen, und gleich fühlte sie sich besser. »Aber was hast du gemacht? Warum warst du so lange weg? Es war doch nur ein Brand, oder?«

Kaum hatte sie das gesagt, sah er sie so ernst an, dass sie die Hände in den Schoß legte und ihn aufforderte: »Erzähl mir davon.«

Er berichtete von dem Toten, den sie in dem Haus gefunden hatten, der verkohlten, kaum erkennbaren Leiche Harold Brewers, der so einsam gestorben war. Niemand wusste, wo sein Sohn steckte, ob er überhaupt noch lebte. Er erzählte auch, dass Baldwin, der neue Ritter, einen schrecklichen Verdacht hegte. Aufmerksam hörte sie zu, während er von den Männern sprach, die sie verhört hatten, von den Carters und von Roger Ulton, die nichts zu wissen schienen und von Cenred, den er noch befragen wollte. Zunächst sah sie ihn ungläubig an, dann jedoch mit wachsender Besorgnis, als habe sie die Tatsache, dass Baldwin an einen Mord glaubte, bereits davon überzeugt, dass einer geschehen war.

»Glaubst du, dass es ein Verbrechen war?«, fragte sie.

»Ich weiß nicht, was ich davon halten soll. Vielleicht. Aber es kommt mir so unwahrscheinlich vor. In einem kleinen Weiler wie Blackway. Ich weiß es einfach nicht.«

Er starrte in die Flammen. »Was wenn Cenred auch nichts weiß?«, fragte sie. »Was werdet ihr dann tun?«

»Keine Ahnung. Baldwin wird wahrscheinlich mit dem ganzen Dorf sprechen wollen. Das Problem ist nur, dass es keinen richtigen Beweis für einen Mord gibt. Wie können wir die Leute dazu bringen, jemanden zu beschuldigen, wenn wir selbst nur einen Verdacht vorzuweisen haben.« Er starrte wieder ins Feuer, als könne er die Antwort dort finden.

»Was hast du morgen vor?«, fragte sie.

»Oh, ich gehe wieder zurück und versuche, ein bisschen Licht ins Dunkel zu bringen. Auf alle Fälle werde ich mit Cenred reden und vielleicht auch noch mal mit den anderen. Baldwin sagte, er käme auch, und vielleicht sind wir hinterher schlauer.«

Jane Black schmiegte sich an ihren Mann, der neben ihr im Bett lag und versuchte ihn mit der Wärme und der Sanftheit ihres Körpers zu beruhigen, aber es schien nichts zu nützen. Es war wie damals, als er seinen Lieblingshund, den Mastiff Ulfrith, verloren hatte. Auch damals hatte er wach im Bett gelegen. Sie konnte sich noch gut daran erinnern.

Sie wollte ihm beistehen, aber wie?

»John«, sagte sie leise. »Warum erzählst du mir nicht alles? Vielleicht kann ich dir helfen.«

Sie spürte, wie er den Atem anhielt, als wolle er ganz

genau hören, was sie sagte. Offenbar hatte sie ihn aus seinen Gedanken gerissen und es dauerte eine Weile, bis er sich zu ihr drehte. Sein struppiger Bart streifte ihren Arm, und sie spürte seinen Atem.

»Sie glauben, dass Brewer ermordet wurde. Sie glauben, dass es einer von uns war, einer, der letzte Nacht draußen war. Das heißt, sie verdächtigen auch mich.«

Sie erstarrte. »Aber so etwas würdest du doch niemals tun. Du hattest doch gar keinen Grund, ihn zu töten. Warum glauben sie, du könntest –«

»Weil ich das Feuer entdeckt habe.«

»Aber John, wenn du es gewesen wärst, hättest du doch niemals Alarm geschlagen. Das werden sie schon wissen, mach dir keine Sorgen.«

»Ich mache mir aber Sorgen. Und abgesehen davon, wer hat es getan? Es muss spät am Abend geschehen sein. Wer hat Brewer von der Schänke nach Hause gebracht?«

»Nun, vielleicht Roger Ulton?«

»Roger? Auf dem Heimweg von Emma? Der führt aber gar nicht an der Schänke vorbei, wenn er von den Bundstones kam.«

Sie rückte ein kleines Stück von ihm ab und sah ihn im Dunkeln an. Als sie wieder sprach, klang ihre Stimme besorgt. »Aber von dort kam er nicht. Ich habe ihn auf der Straße gesehen, und er kam nicht aus dem Süden, von Hollowbrook, er kam von Norden und ging nach Hause.«

»Was?« Er richtete sich auf und legte seine Hand auf ihren Arm. »Bist du sicher? Aber … wie spät war es da?«

»Ich weiß nicht, kurz bevor ich zu Bett ging. Es muss gegen elf gewesen sein, aber –«

»Und du bist sicher, dass es Ulton war?«

»O ja. Ganz sicher.«

»Und er ging in Richtung seines Hauses?«

»Ja.«

Der Jäger nahm seine Hand von ihrem Arm, legte sich auf den Rücken und starrte an die Decke. Wenn Ulton aus dieser Richtung gekommen war, dann hatte er gelogen. Warum? War es denkbar, dass er Brewer getötet hatte? Das musste er morgen dem Ritter erzählen. Es würde ihn entlasten.

Erleichtert hörte seine Frau, wie er langsamer atmete, und sie spürte, dass er sich entspannte. Erst dann machte sie es sich selbst bequem, legte lächelnd den Kopf auf den Arm und schlief kurz darauf ein.

Kapitel 8

Am nächsten Vormittag kam Simon vor dem Haus des Hegemeisters an. Wie es der Sonnenuntergang versprochen hatte, war der Tag hell und klar, ohne ein Anzeichen von Regen.

Als er auf seinem Weg über die gleichen Straßen geritten war wie am Abend zuvor, hatte er über sich selbst lächeln müssen. Wo waren die furchtbaren Schreckgespenster geblieben, die er sich eingebildet hatte?

Im Licht der Morgensonne ritt er an den Bäumen entlang, die nun wie freundliche Wachtposten am Straßenrand zu stehen schienen, um die Reisenden vor den Gefahren zu beschützen. Bei Tag strahlten sie keine Düsternis aus, und er begrüßte sie wie alte Gefährten.

Das Dorf lag friedlich im Sonnenschein. Die Häuser schienen neuer und sauberer, das Gras grüner, und als er die Straße entlang ritt, glaubte er fast, sich die Ereignisse des gestrigen Tages nur eingebildet zu haben.

Er sah nur wenige Menschen. Am Fluss befanden sich ein paar Frauen und wuschen Wäsche. Dort standen Töpfe mit Tonerde und Lauge und daneben lagen die hölzernen Paddel, mit denen sie auf die nassen Kleidungsstücke einschlugen. Die Frauen lachten und riefen einander zu, die Sonne ließ ihre Kleider aufleuchten, und er verspürte einen Hauch von Neid darüber, dass er diesen herrlichen Morgen nicht ebenso unbeschwert verbringen konnte.

Doch als er heranritt und sie ihn bemerkten, erstarb ihr Gelächter so plötzlich, als hätte eine seltsame Zauberkraft es verschwinden lassen. Sie standen nur da und sahen ihn an, den unwillkommenen Besucher, schweigend und wie erstarrt.

Die Stille nach all dem Lärm und Lachen verunsicherte

Simon, und ihn beschlich das unbehagliche Gefühl, als handele es sich um eine Warnung, die besagte, er sei ein unerwünschter Eindringling. Er schaute zu ihnen hinüber, bis er zu der scharfen Kurve kam, hinter der er sie nicht mehr sehen konnte. Dankbar atmete er auf.

Das Haus des Hegemeisters war noch kleiner als das Blacks. Es lag etwas nach hinten versetzt, und auf dem Rasenstreifen davor weidete zufrieden eine Ziege. Als der Vogt sich näherte, hörte sie auf zu kauen und betrachtete ihn mit ihren gelben, ausdruckslosen Augen mit den senkrechten Pupillen. Simon spürte, wie das unbehagliche Gefühl wiederkam, und auch als er sein Pferd angebunden hatte, ließ es ihn nicht los. Von Baldwin war weit und breit nichts zu sehen. Sollte er auf ihn warten? Er schaute die Straße hinunter und überlegte, bis er sich an Margrets Frage erinnerte: »Musst du heute wieder den ganzen Tag fortbleiben?« Daraufhin entschied er selbst und ging zur Vordertür, den Blick der Ziege im Rücken spürend.

Das Cottage war alt, eine bescheidene Hütte. Im Gegensatz zu den anderen Dorfbewohnern brauchte der Hegemeister hier keine Tiere unterzubringen, und die Luft um das Haus herum war sauber und frisch. Vor Jahren schien ein Teil des Gebäudes eingestürzt zu sein, wie es bei alten Cottages häufig der Fall war, weil die alten Mauern das Gewicht des Dachs nicht mehr tragen konnten. Irgendwann musste es einmal doppelt so groß gewesen sein, das konnte man an den seitlichen Umrissen der Mauern im Gras erkennen. Offensichtlich war das hintere Ende eingefallen und man hatte das Loch auf irgendeine Weise wieder gefüllt, damit man den Rest der Hütte weiter nutzen konnte. Der übrig gebliebene Teil wirkte allerdings gut gepflegt – die Wände waren erst vor kurzem weiß getüncht worden, das Holz neu gestrichen, und im Dach fand sich kaum Moos und keine Löcher, in denen Vögel ihre Nester gebaut hatten.

Der Hegemeister öffnete selbst die Tür. Sein zerzaustes Haar und sein verschlafener Blick deuteten darauf hin, dass er gerade erst aufgestanden war. Er rieb sich das Gesicht, während er auf der Türschwelle stand, und sah den Fremden vor seinem Haus schlaftrunken an.

»Bist du Cenred?«, fragte Simon, und als der Mann nickte, fuhr er fort: »Ich bin Simon Puttock, der Vogt. Ich möchte dir einige Fragen darüber stellen, was vorgestern Nacht passiert ist.«

Der Hegemeister blinzelte. »Warum?«

Simon wusste nicht recht, wie er anfangen sollte. »Weil der Mann, der gestorben ist –«

»Der alte Brewer«, sagte der Hegemeister freundlich.

»Genau, der alte Brewer«, bestätigte Simon, »vielleicht ermordet worden ist, und ich versuche herauszufinden, ob dem so ist.« Nachdem ihm die einleitenden Worte einigermaßen gelungen waren, fuhr er etwas zuversichtlicher fort: »Deshalb möchte ich wissen, was du in jener Nacht gemacht hast, wo du warst und wann du nach Hause gekommen bist, all diese Dinge.«

Der Mann betrachtete Simon blinzelnd. Er hatte ein freundliches, ehrliches Gesicht und einen großen, runden Kopf, der auf einem dicken, eckigen Körper saß. Irgendetwas schien ihn an dem Vogt zu amüsieren. Die Andeutung eines Lächelns lag auf seinen vollen, roten Lippen und die dunkelbraunen Augen wurden von Lachfältchen umrahmt. Das Haar auf seinem Kopf war dünn, vermutlich würde dort bald eine Glatze sein, aber das wurde durch das dicke, lockige schwarze Haar wettgemacht, das sich aus dem Ausschnitt seines Nachthemdes kräuselte. Er trug einen Bart, der ebenfalls schwarz war, bis auf eine Stelle mitten unter dem Kinn, die rotblond leuchtete, als habe man sie irgendwann in Farbe getaucht. Er sah nicht viel älter aus als achtundzwanzig, aber sein Gesicht verriet eine gewisse Schläue, und Simon kam sich vor, als müsse er sich bei dem Mann entschuldigen, ihn aus dem Schlaf gerissen zu haben.

Er verbannte diesen Gedanken und sagte: »Also, wo warst du vorgestern Nacht?«

Cenred schien die Frage einigermaßen komisch zu finden, fast sah es aus, als würde er in Gelächter ausbrechen –

aber als er den ernsten Ausdruck auf Simons Gesicht bemerkte, besann er sich und sagte: »Kommt herein und trinkt ein Glas Bier, Vogt. Drinnen können wir uns besser unterhalten, und der Ritt wird Euch durstig gemacht haben.«

Da hatte er Recht. Simons Kehle war ausgetrocknet, und ein bequemer Platz zum Sitzen konnte auch nicht schaden. Er nickte und folgte dem Mann ins Innere. Das Erste, was Simon auffiel, war der Kamin. Noch nie hatte er in einem Cottage dieser Art eine solche Neuerung gesehen. Die meisten Leute gaben sich noch immer damit zufrieden, den Rauch durch das Strohdach abziehen zu lassen, aber dieser Mann wollte offensichtlich mehr Behaglichkeit, als ein qualmendes Feuer bieten konnte. Vor dem Kamin stand ein großer Granitblock, der als Kochstelle diente. Die Matratze des Mannes lag noch auf dem Boden. Jetzt rollte er sie zusammen und stellte sie neben den Kamin, damit sie trocken blieb.

»Ich bin erst heute Morgen nach Hause gekommen, da ich die ganze Nacht einen Fuchs gejagt habe. Ihr habt mich aufgeweckt«, sagte er und ging hinaus, um das Bier zu holen. Simon schob eine Bank ans Feuer, setzte sich und wartete. Cenred kam bald zurück, zwei große, irdene Krüge in den Händen, von denen er einen Simon reichte, bevor er eine andere Bank an den Kamin zog, auf der er Platz nahm.

»Ihr wollt also wissen, wo ich vorgestern Nacht gewesen bin, was?«

Der Vogt nickte stumm und betrachtete diesen großen, gemütvollen, aber vor allem selbstbewussten Mann. Im Gegensatz zu dem nervösen Auftreten der drei jungen Männer von gestern wirkte Cenred ausgesprochen gelassen. Schon die Haltung des Mannes zeigte, dass er sich keineswegs unwohl fühlte. Er saß mit ausgestreckten Beinen auf der Bank und stützte sich mit der einen Hand ab, während die andere den Bierkrug hielt.

»Nun, ich bin am späten Nachmittag aufgebrochen. Zuerst musste ich in meinem Wäldchen Holz besorgen, weil ich ein paar neue Pfähle für mein Gehege brauchte. Ich reparierte also den Zaun und sah dann nach den Fallen. In einer steckte ein Dachs, aber in der Nähe einer anderen fand ich den Kadaver eines meiner Kaninchen. Das war der Fuchs, von dem ich sprach, er hatte es gerissen. Ich verbrachte eine gute halbe Stunde damit, die Spur dieses Biests zu suchen, aber als ich sie nicht fand, kehrte ich hierher zurück, aß etwas zu Abend –«

»Wie spät war es da?«, unterbrach Simon.

»Wie spät? Oh, es dämmerte gerade. So halb acht etwa. Jedenfalls bin ich dann wieder zum Gehege, um den Fuchs vielleicht doch noch zu erwischen. Ich blieb ziemlich lange, aber ich hatte keinen Erfolg. Schließlich bin ich nach Hause gegangen.«

»Wann bist du wieder hier gewesen?«

»Ich weiß es wirklich nicht. Es war schon lange dunkel, das ist alles, was ich sagen kann.«

Simon dachte nach. »Du kommst auf dem Heimweg nicht durch das Dorf, stimmt's?«

»Nein, das Gehege liegt unten am Moor, eine halbe Meile südlich von hier. Ich komme nur an Ultons und Brewers Haus vorbei.«

»Sag mir, was hältst du von den Ultons?«

»Oh, ich habe nichts gegen sie. Sie sind neidisch auf mich, zumindest Roger, aber sie sind trotzdem ganz freundlich.«

»Was meinst du mit neidisch?«

»Ich bin ein freier Mann. Jeder im Dorf hier ist entweder Zinsbauer oder Pachthäusler, aber ich habe mir die Freiheit erkauft. Ich habe sie von den Furnshills erhalten und ein paar Leute haben seltsam darauf reagiert. Es ist dumm, denn andere – nehmen wir Brewer – waren oder sind reicher als ich, und trotzdem neiden sie es mir.«

»Was weißt du über Brewer? Niemand scheint mir viel über ihn erzählen zu können. Kanntest du ihn gut?«

Das freundliche Lächeln verschwand nicht vom Gesicht des Hegemeisters, aber sein Blick verdunkelte sich, und als er sprach, klang seine Stimme ernster.

»Es war nicht einfach mit ihm. Jeder hier glaubte, dass

er reich war, aber ich weiß nicht, ob das stimmt. Jedenfalls machte ihn das nicht gerade beliebt.«

»Nicht?«

»Nein. Er hatte Geld, aber er war geizig. Außerdem war er ein Säufer, und wenn er zu viel getrunken hatte, fing er Schlägereien an. Er war ein kräftiger Kerl, dieser Brewer, und er schlug gern fest zu.«

»Hatte jemand einen besonderen Grund, ihn zu hassen? Hat er vielleicht kürzlich jemanden verprügelt?«

Nun brach der Hegemeister in prustendes Gelächter aus, und er musste sich mit dem Handrücken über die Augen wischen, bevor er antworten konnte.

»Verzeiht, Vogt, verzeiht! Das kann man wohl sagen. Eigentlich war er jeden Tag betrunken und hat jeden Tag einen Streit angezettelt. Ständig hat er andere beleidigt und verhöhnt. Ich will Euch sagen, wie die Leute zu ihm standen. Hier werdet Ihr wohl niemanden finden, der ihn mochte!«

Kapitel 9

Man sah es dem Vogt wohl an, dass ihn dieses Urteil nicht gerade aufheiterte. Der Hegemeister stand auf und klopfte ihm auf die Schulter.

»Ah, kommt schon, Vogt. Vielleicht war er so betrunken, dass er nicht aufgewacht ist. Vielleicht jagt ihr nur ein Gespenst. Kommt, gebt mir Euren Krug. Wenn Euch mein Bier schmeckt, sollt Ihr noch einen Humpen mit mir trinken.« Mit diesen Worten nahm er Simons Krug und ging nach hinten.

Als er zurückkam, hatte sich Simon so weit erholt, dass er seine Dankbarkeit für das frische Ale mit einem Lächeln ausdrücken konnte. »Danke. Denk bitte noch einmal nach. Hast du vielleicht jemanden auf deinem Heimweg gesehen? Wir wissen, dass Brewer in der Nacht, in der er gestorben ist, von jemandem nach Hause gebracht wurde, aber niemand scheint zu wissen, von wem. Weißt du es?«

»Nein. Ich habe nicht gesehen, dass ihn jemand nach Hause gebracht hat – womit Ihr sicher meint, dass er von jemandem nach Hause geschleift wurde, nachdem man ihn wieder mal aus der Schänke geworfen hatte? Das dachte ich mir. Aber ich habe ihn nicht gesehen.«

»Überrascht es dich nicht, dass ihm jemand half? Nach all dem, was du gesagt hast, klingt das eher ungewöhnlich.«

»Nein, die Leute haben ihm oft nach Hause geholfen. Natürlich haben sie ihn gehasst. Er war arrogant und rüde, und wenn ihm die Worte fehlten, half er mit den Fäusten nach. Aber das hier ist ein kleines Dorf. Wir müssen die Ernte einbringen und die Felder pflügen, und das geht nur, wenn man einander hilft. Wir müssen miteinander auskommen – aber er machte es allen sehr schwer.«

»Kannst du mir noch mehr über ihn sagen?«

Erneut leuchteten die Augen des Hegemeisters amüsiert auf. »Mögt Ihr Aufschneider? Nun, Brewer war einer von der Sorte. Die Gerüchte über sein Geld – er half selbst dabei, sie zu verbreiten. Seine Ochsen gehörten ihm alle selbst, er hatte immer Geld für Ale, und er fand es immer lustig, andere niederzumachen.«

»Ich verstehe«, sagte Simon und starrte in das Feuer. »Aber gesehen hast du ihn in der Nacht nicht.«

Er sah Cenred an und glaubte, ein etwas verlegenes Grinsen auf dem Gesicht des Mannes zu erkennen. »Brewer habe ich wirklich nicht gesehen, aber ich glaube, jemand anderen.«

»Wen?«

»Ich weiß es nicht, es war zu dunkel. Aber ich will Euch sagen, wie es war. Ich hatte genug davon, den Fuchs oder was immer es war aufzuspüren und machte mich auf den Heimweg. Ich war wütend und müde, und ich hatte gerade das Haus der Ultons hinter mir gelassen –«

»Weißt du ungefähr, wann das war?«

Cenred sah ihn fast flehend an. »Ich weiß nicht, warum Ihr dauernd nach der Uhrzeit fragt. Ich trage keine Stundenkerze mit mir herum, wenn ich draußen bin, Vogt. Wie kann ich da wissen, wie spät es war. Es war jedenfalls dunkel. Es mag elf gewesen sein oder bereits nach zwölf, das kann ich nicht sagen. Wie dem auch sei, ich ging am Haus der Ultons vorbei, und ich hätte schwören können, in der Ferne eine Gestalt am Straßenrand gesehen zu haben. Es kann in der Nahe von Brewers Haus gewesen sein, also dem Haus gegenüber, vor den Bäumen. Ich habe mich nicht weiter darum gekümmert, ich …« Er schwieg verlegen. »Es war alles etwas unheimlich, diese dunkle, schlanke Gestalt, die bei den Bäumen stand, die Schatten und der Mond, ich dachte an die alten Sagen, und ich beeilte mich, nach Hause zu kommen und versuchte, die Sache zu vergessen. Jedenfalls stand die Person gegenüber von Brewers Haus.«

»Ja, ja, ist schon gut.« Simon überlegte, wer das gewesen sein könnte. Wie spät war es gewesen? War es einer der beiden Brüder? Oder Roger Ulton? War es der Mann, der Brewer nach Hause gebracht hatte?

Simon stand noch lange vor dem Haus des Hegemeisters, nachdem sie das Gespräch beendet hatten. Er bedauerte, dass der Ritter nicht gekommen war. Er hätte vielleicht mehr mit den Aussagen Cenreds anfangen können. Auf dem Weg zu seinem Pferd trat er nach ein paar Steinen und Kieseln. Er band das Tier los und führte es nach Süden, hinaus aus dem Dorf.

Die Straße bog direkt hinter dem Haus des Hegemeisters nach Süden ab und führte Simon wieder an der Ruine von Brewers Cottage vorbei. Der Vogt würdigte sie kaum eines Blickes. Seltsam, aber nun, da Baldwin ihm den Mordverdacht so hartnäckig nahe gelegt hatte, schien der eigentliche Tod fast bedeutungslos. Das Haus spielte keine Rolle mehr. Brewers Tiere waren nicht mehr wichtig. Das Einzige, was jetzt noch interessierte, war die Frage nach dem Täter.

Hinter den rußgeschwärzten Trümmern verbreiterte sich die Straße etwas und führte direkt in die Moore. Sie folgte nun nicht mehr den alten Eigentumsrechten, den Feldern und Weiden, den Besitztümern und Ländereien, wand sich nicht mehr verschlungen durch das Land, sondern verlief schnurgerade, den Strom links beiseite lassend.

Die einsame Straße führte zu den Hügeln in der Ferne, wo das Haus der Ultons stand. Es handelte sich dabei um ein einstmals geräumiges Langhaus, das sicherlich schon über hundert Jahre alt war. Es bestand hauptsächlich aus altem Ton, Erde und Dung, eine Behausung für einen Bauern und seine Familie, die jedoch auch Schutz vor Feinden bieten sollte. Denn von hier aus konnte man über das ganze Land sehen, und die Feinde, seien es kornische Horden oder die Wikinger in ihren Booten, wurden früh genug entdeckt, um die anderen zu alarmieren. Simon wusste, dass seit dem glückhaften Aufstieg Wilhelms die Überfälle und

Massaker von ausländischen Angreifern fast gänzlich aufgehört hatten, aber noch immer lauerte die Gefahr durch Feinde, die ganz aus der Nähe kamen.

Der letzte Bürgerkrieg war erst wenige Jahre her, eine böse und sinnlose Zeit, in der Allianzen mit ermüdender Regelmäßigkeit geschlossen und wieder aufgekündigt wurden.

Von diesem Haus aus, mit seinen dicken Mauern und den schmalen Fenstern hatte man nicht nur eine freie Sicht, man konnte sich hier auch ausgesprochen gut verteidigen. Wie viele der alten Häuser hatte auch dieses eine einzige große Eingangstür. Dort hineinzustürmen wäre töricht gewesen, denn die Verteidiger konnten die Feinde durch die kleinen Fenster mit Pfeilen beschießen.

Aber die Jahre waren nicht freundlich mit dem alten Gemäuer umgegangen. Als es errichtet worden war, hatte es sicherlich einer größeren Familie mit ihrem Vieh und den Gänsen und Hühnern auf dem Hof Schutz und Sicherheit geboten. Jetzt war die Westwand eingestürzt, aus welchem Grund auch immer.

Zunächst war wohl ein Stück aus der Ecke herausgebrochen, überlegte Simon, vielleicht hatte das Gewicht des Dachs die Mauer eingedrückt. Das Dach selbst hatte dann ebenfalls nachgegeben. Der schwere Dachbalken lag wie ein freigelegtes, schwarzes Rückgrat in den Trümmern, und die Dachsparren hingen wie Rippen in der Ruine.

Der Einsturz hatte mindestens die Hälfte des Hauses unbewohnbar gemacht, und als Simon um die nach Süden zeigende Mauer ging, sah er, welche Anstrengungen in den Erhalt des noch stehenden Teils gesteckt worden waren. Holzstämme, die sicher aus dem eingestürzten Teil des Daches stammten, stützten die Mauer ab, um ein weiteres Abrutschen zu verhindern. Dort, wo das Dach eingestürzt war, hatte man Granitblöcke auf die Mauern gesetzt, als Regenschutz und um zu verhindern, dass der Ton fortgespült wurde. Hinter der alten Mauer hatte man eine neue gebaut, die bis unter den erhaltenen Teil des Daches ging und so das klaffende Loch schloss. So besaß man zwar nur noch ein halbes Haus, aber zumindest konnte man darin wohnen.

Der Vogt stand eine Weile vor dem Gemäuer. Offensichtlich mangelte es der Familie an Geld. Wenn sie die Geschichten über den Reichtum des alten Brewer kannten, wenn sie an die Geldkiste in der Erde glaubten, war es dann nicht möglich, dass sie versucht hatten, sie sich zu holen? War es nicht leicht, bei diesem Säufer einzubrechen, während er schlief und das Geld zu stehlen? Und wenn er doch aufgewacht war, wäre es dann nicht möglich, dass sie ihn getötet hatten, weil er sie erkannt hatte? Um danach das Haus anzuzünden und die Tat zu vertuschen?

»Vogt!«

Simon drehte sich um und sah, dass Black auf ihn zukam. »Ah, John. Hast du Sir Baldwin heute gesehen?«

»Nein, Vogt. Aber ich habe Neuigkeiten für Euch.«

Hastig erzählte Black, was seine Frau in der Nacht des Feuers gesehen hatte und wann das gewesen war.

»Der junge Roger kam also aus der falschen Richtung. Er hat gelogen, als er sagte, dass er den ganzen Abend bei Emily verbracht hat. Und warum sollte er lügen, wenn er nicht seine Schuld verbergen wollte?«

Simon kratzte sich nachdenklich am Hinterkopf. »Ich weiß es nicht, aber wir sollten diese Emma aufsuchen und hören, was sie dazu zu sagen hat, bevor wir mit Roger sprechen.«

Baldwin ließ sich noch immer nicht blicken, und so ritt Simon mit Black die vier oder fünf Meilen bis Hollowbrook. Den größten Teils des Weges legten sie schweigend zurück. Simon dachte über die Aussagen nach, darüber, ob sie Widersprüche enthielten. Er sehnte sich nicht danach, irgendjemanden als Mörder zu verhaften, schon gar nicht einen Unschuldigen, und daher ging er jede Information noch einmal sorgfältig durch. Reichten sie wirklich aus, um Roger Ulton zu verdächtigen?

Das Haus von Emma Bundstones Eltern war groß und recht neu. Die weiß getünchten Wände strahlten in der nachmittäglichen Sonne, und der Hof vor der großen Haustür war sauber und gepflegt. Offenbar waren die Leute, die hier wohnten, stolz auf ihr Eigentum.

Simon trat einen Schritt zurück, als der Jäger an die Tür klopfte. Er kannte niemanden von der Familie, während Black jedem in der Gegend vertraut war. Es war besser, wenn er die ersten Worte sprach.

Die Tür ging auf und eine rundliche, fröhliche Frau mittleren Alters trat auf die Schwelle. Sie trug ein schwarzes Kleid, und ihr graues, geflochtenes Haar wurde von einem grauen Tuch geschmückt. An ihrem Gesicht war alles rund – die Augen zwei dunkle Perlen, die Nase ein kleiner Knopf; die Wangen hatten die Farbe von zwei kleinen, rosigen Äpfeln und selbst das Kinn war rund. Simon erwiderte ihr Lächeln sofort. Alles andere wäre nicht nur unhöflich, sondern angesichts dieser gut gelaunten, freundlichen Frau ausgesprochen dumm gewesen.

»John, wie geht es dir an diesem schönen Tag?«

»Mir geht es gut, Emma Bundstone, sehr gut. Was macht der Ehemann?«

»Ihm geht es auch gut, John, auch gut. Wollt ihr zu ihm?«

»Nun …« Black zögerte und wandte sich Simon zu.

»Wen haben wir denn hier? Euch kenne ich, glaube ich, nicht.«

Simon trat vor. Sie reichte ihm gerade bis an die Schulter, und er stellte sich vor, dass ihre Körpergröße wahrscheinlich identisch mit der ihres Körperumfangs war. »Guten Tag. Ich bin Simon Puttock, der Vogt von Lydford. Wir würden gerne mit deiner Tochter Emma sprechen.«

Das Lächeln der kleinen Frau blieb freundlich, aber er bemerkte doch ein leichtes Flackern in ihren Augen, als sie zu ihm aufsah. »Ach, unsere Emma wollt Ihr sehen. Ja, sie ist da. Wartet, ich hole sie.«

Emma kam kurz darauf zur Tür und Simon war etwas enttäuscht. Er hatte sich gefragt, wie wohl die junge Frau aussehen mochte, die in dem jungen Ulton die Leidenschaft entfacht hatte, und er musste erkennen, dass sich hier offenbar Gegensätze anzogen.

Emma hatte nichts von dem Charme ihrer Mutter. Sie war etwas größer und wohlgerundet, aber ihr Gesicht war nichtssagend, lang und grobknochig wie der Rest ihres Körpers. Sie wirkte nicht dick, sondern stämmig. Unter der hohen, flachen Stirn leuchteten kleine Augen, ihre Nase war breit, der Mund ein schmaler Schlitz. Ihre geflochtenen Zöpfe hingen wie Seile an ihren Wangen herab und ihre Figur wirkte fast männlich. Simon hätte sie am liebsten wieder fortgeschickt und weiter in das freundliche Gesicht ihrer Mutter geschaut.

Das Mädchen baute sich vor ihnen auf, eine Hand auf die Hüfte gestützt. »Nun? Ihr wolltet mit mir sprechen?«

Simon nickte und überlegte, wie er am besten anfangen sollte. »Ja, ich hätte da einige Fragen zum vorgestrigen Abend.«

»Was soll damit sein?«

»Ich hörte, du warst mit Roger Ulton zusammen, aus Blackway.«

»Ja.« Sie erwies sich schnell als wenig hilfreich.

»Wann ist er hier eingetroffen?«

»Ich weiß nicht.«

Simon platzte langsam der Kragen. »So ungefähr, Emma.«

»Nun«, sie legte den Kopf auf eine Weise zur Seite, den man bei einer kleineren Frau kokett genannt hätte; bei ihr sah es lediglich unbeholfen aus. »Es war schon dunkel, als er kam. Ich glaube, es war sechs oder sieben. Warum?«

Simon ignorierte die Frage. »Und wann ist er gegangen?«

»Gegen halb neun.«

»Bist du sicher?«

Ein trotziger Funke leuchtete in ihren Augen auf. »Ja, ich bin sicher. Warum fragt Ihr nicht ihn, wenn Ihr mir nicht glaubt.«

Die beiden Männer sahen einander an und plötzlich bekam ihre Stimme einen mürrischen, fast unwirschen Klang. »Es geht ihm doch gut, oder ist ihm was zugestoßen?«

»Nein, es geht ihm gut, soweit wir wissen. Warum ist er denn so früh gegangen, wir hörten, dass ihr beide euch verloben wollt.«

Ungeduldig warf sie den Kopf nach hinten. »O ja, das wollten wir. Aber wir haben uns gestritten, wenn Ihr es unbedingt wissen wollt. Er will mich nicht heiraten, bevor er nicht das Haus seines Vaters wieder aufgebaut hat, und das kann noch lange dauern. Ich habe zu ihm gesagt, wenn du mich willst, dann beeilst du dich lieber – vielleicht warte ich nicht auf dich. Wir stritten weiter, und schließlich sagte ich, er solle geben. Deshalb ist er früher nach Hause gegangen als sonst.«

Als Simon abends mit Margret vor dem Feuer saß, berichtete er ihr von den Ereignissen des Tages. Er hatte Black auf dem Weg von Hollowbrook allein weiterreiten lassen. Es schien sinnlos, so spät noch einmal nach Blackway zu reiten, und er freute sich darauf, einmal früher zu Hause zu sein.

Auch Margret freute sich über seine frühe Rückkehr und nach dem Essen spielten sie mit Edith Scheibenwerfen, wovon sie gar nicht genug bekommen konnte. Jetzt lag sie in ihrem Bett, und die beiden Eheleute hatten zwei kurze, friedliche Stunden für sich, bevor auch sie schlafen gehen würden.

»Und dieser Hegemeister, wie hieß er doch gleich?«

»Cenred«, antwortete Simon schläfrig.

»Ja, Cenred. Was hatte der zu sagen?«

Sie lag mit dem Kopf in seinem Schoß, und er streichelte ihr mit der einen Hand durchs Haar, während die andere auf ihrem Bauch ruhte. Der Regen schlug gegen die Mauern, und ein gelegentlicher Windstoß rüttelte an der Tür und bauschte die Felle vor den Fenstern auf.

»Eigentlich nicht sehr viel. Er sagte, er habe jemanden bei Brewers Haus gesehen. Der Narr war zu ängstlich, um nachzusehen, er glaubte, es sei Old Crockern oder was weiß ich für ein Geist und ging einfach weiter. Aber jetzt interessiert mich mehr dieser Roger Ulton.«

»Den hast du gestern schon kennen gelernt, nicht wahr?«

»Ja.« Simon sah sie an und lächelte, aber sie spürte, wie müde er war. Selbst im Licht des Feuers und der beiden Kerzen, die neben ihnen standen, wirkte sein Gesicht grau. Unter den Augen zeichneten sich dunkle Ringe ab, und sie machte sich Sorgen, ob er sich bei der Suche nach dem Mörder nicht zu sehr anstrengte. Aus einem plötzlichen Impuls heraus hob sie die Hand und strich ihm über die Wange, eine Geste der Fürsorge und Liebe, und sie strahlte, als sie sah, wie sein Lächeln sich verbreitete.

Sie lauschten dem Regen. Er hatte sich den ganzen Tag zurückgehalten, aber in der Dunkelheit der Nacht hatte der Himmel seine Schleusen geöffnet. Das Wasser tropfte durch die beiden Löcher im Dach. Margret war froh, dass ihr Mann zumindest bei ihr im Warmen war. Wenn er bei diesem Wetter draußen gewesen wäre, hätte sie große Angst um ihn gehabt. Sie strich mit der Hand über seine Wange, über die Bartstoppeln, die einzige kratzige Stelle an seinem Körper, der so glatt und sanft war. Sie genoss das Gefühl, den Geruch und die Wärme ihres Mannes zu spüren so sehr, dass sie kaum hörte, was er sagte.

»Wie bitte?«

»Ich sagte, es ist komisch«, sagte er und sah lächelnd auf sie herab. »Dieser Roger hat um ein Mädchen aus der Nachbarschaft geworben, aber an diesem Abend haben sie sich gestritten. Er hat ausgesagt, er sei den ganzen Abend bei ihr gewesen, aber sie schwört, dass er ziemlich früh gegangen ist. Seiner Aussage nach ist er direkt nach Hause gegangen, aber Blacks Frau hat ihn an ihrem Haus vorbeigehen sehen, auf der anderen Seite des Dorfes. Ich bin ziemlich sicher, dass er es war, der Brewer nach Hause gebracht hat. Aber warum hat er uns belogen?«

»Das wirst du sicherlich morgen herausfinden.«

Sie plauderten noch eine Stunde miteinander, aber dann fand Margret, dass ihr Mann Schlaf brauchte. Aber selbst als sie schon im Bett lagen, spürte sie seine Unruhe.

Rodney von Hungerford fühlte sich hundeelend. Zusammengekauert hockte die dunkle Gestalt vor dem spärlichen Lagerfeuer, aus dem eine dünne Rauchsäule hoch stieg, als wolle sie ihn und seinen Wunsch nach Wärme und Trockenheit verspotten. Noch bevor die Flammen auflodern konnten, hatte der heulende Wind, der dicke Regentropfen auf seinen schweren Reiseumhang klatschen ließ, jeden Funken erstickt.

»Ein Jahr, ein Jahr ist es erst her«, murmelte er, aber seine Stimme verlor sich im eisigen Wind, der seine Kleidung nach einer Lücke zu durchsuchen schien, in die er hineinstoßen konnte. Er zog sich die Kapuze tiefer ins Gesicht und hüllte sich noch fester in den Umhang. Dennoch zitterte er vor Kälte.

Er hätte natürlich zu einem der Bauernhöfe gehen und um Essen und einen Platz vor dem Feuer betteln können, aber als die Dämmerung heraufzog, hatte es nicht nach einem Unwetter ausgesehen, das diese Erniedrigung wert gewesen wäre. Schließlich war er immer noch ein Ritter, und ein solches Verhalten war eines Mannes aus hochrangiger Familie nicht würdig.

»Ein Jahr!«, stieß er verbittert hervor.

Erst vor einem Jahr war sein Lehnsherr Hugh de Lavy, Lord Barwick, gestorben. Und in diesem Jahr hatte er alles verloren. Alles, was er noch besaß, trug er bei sich – das Schwert seines Vaters und eine kleine Tasche mit persönlichen Gegenständen. Das andere war fort. Seine Stellung als Hofmarschall hatte er an diesen Bastard, den Neffen des Lords, verloren. Mit ihr musste er auch seine Räume in der Burg aufgeben und als sein Nachfolger vorschlug, dass es vielleicht besser sei, sich ein neues Ziel zu suchen, so als traue er ihm nicht mehr, da hatte er in seiner Wut zugestimmt.

Sein überstürzter Abschied war ihm jedoch teuer zu stehen gekommen. Anstatt darauf zu warten, dass sein Ruf und seine Vergangenheit ihm irgendwo eine neue Stellung einbringen würden, wollte er einfach nur davonlaufen, allein von dem Wunsch getrieben, die Schmach zu vergessen, die ihm dieser Narr zugefügt hatte. Noch am gleichen Abend ließ er sein Pferd satteln und ritt davon. Noch einmal hatte er die Aufregung und den Stolz gespürt, den er vor fünfzehn Jahren gespürt hatte, als er Ritter geworden war. Aber das war lange her, und seitdem war Rodney von Hungerford weit herumgekommen.

Überrascht hatte er feststellen müssen, wie schnell sein Geld zur Neige ging. Es schien, als würden überall dort, wo er eintraf, die Preise steigen. Zunächst machte er sich darum keine Sorgen, unter anderem auch, weil sich ein Ritter um so etwas Profanes wie Geld nicht kümmerte, aber sein kleiner Vorrat an Münzen schmolz so rasch dahin, dass ihm bald klar wurde: wenn er mehr Geld haben wollte, würde er es sich verdienen müssen.

Wie lange war es her, dass er in einem richtigen Bett geschlafen hatte, in einem richtigen Haus? Er zog die Schultern hoch, um sich vor dem bitterkalten Wind, der aus dem Moor kam, zu schützen. Zwei Wochen, drei? Nein, es waren zwei. Vor zwei Wochen hatte er in einer Priorei übernachten dürfen. Der Prior, ein freundlicher Mann, hatte ihm angeboten, länger zu bleiben, aber Rodney musste ablehnen. Es hätte zu sehr nach einem Almosen ausgesehen, und das war unter seiner Ehre.

Das Feuer war nun gänzlich erloschen und er sah es traurig und voller Selbstmitleid an.

Er wusste nicht, was er tun sollte. Jetzt, da sein Pferd gestorben war, konnte er es nicht bis nach Cornwall zu seinem Bruder schaffen. Es mussten noch immer über sechzig Meilen sein, sechzig Meilen durch Moore und Wälder.

Er schaute nach oben. Hier, in der Nähe der Moore, gab es nur noch wenige Bäume. Ihre knorrigen, verkümmerten Äste hingen im heulenden Wind wie die gequälten Opfer einer bösen Fee, die nachts auf Jagd geht. In der Finsternis der mondlosen Nacht wirkten die Stämme um ihn herum wie eine Armee verdammter Seelen. So musste es in der Hölle aussehen.

Der Gedanke gefiel ihm. Ein ironisches Lächeln umspielte seine fleischigen Lippen, und für einen Augenblick verloren seine Züge etwas von ihrer Bitterkeit und zeigten eine Spur von dem jüngeren Mann. Er dachte, dass er sich von heute an keine Gedanken mehr über die ewige Verdammnis zu machen brauchte. Er wusste nun genau, wie sie aussah.

Seufzend rappelte er sich auf und schulterte seinen Beutel. Es hatte keinen Sinn, hier sitzen zu bleiben und auf den Tod zu warten, er würde um sein Leben kämpfen, so wie er bisher um alles gekämpft hatte. Der Wind zerrte an seiner Kapuze und riss sie ihm vom Kopf, blähte sie auf und füllte sie mit Luft, als wolle er sie ganz vom Umhang abreißen, aber er scherte sich nicht darum. Er spürte seine Erschöpfung, und wie eine rostige Maschine begann er, einen Fuß vor den anderen zu setzen und machte sich auf den Weg nach Westen.

Der Umhang flatterte hinter ihm, und der Sturm zerzauste sein Haar, bis er aussah wie ein Wahnsinniger. Jede einzelne Strähne schien von seinem Kopf abzustehen. Mit zusammengekniffenen Augen kämpfte er sich zwischen den Bäumen hindurch, und die Kälte ließ seine Gesichtszüge, die von Unglück und Missgeschick erzählten, erstarren. Sie besaßen zwar gewissen herben Charme, und man hätte sie vielleicht sogar einnehmend nennen können, wäre da nicht die knollige Nase gewesen, über die eine breite Narbe bis auf die rechte Wange lief. Der Kopf saß auf einem kurzen, sehnigen Hals, und der große, sinnliche Mund deutete auf seinen herrischen, überheblich Charakter hin.

Der Wind riss ihm den Umhang fast vom Leib. Er versuchte gar nicht mehr, ihn vor dem Körper zusammenzuhalten, sondern ließ zu, dass der Wind wie mit Nadeln durch sein Wams in seinen Körper stach. Seine große und breitschultrige Statur glich der eines Bären, aber er wusste, dass auch Bären sterben. Er seufzte erneut.

Als er sich bereits vorstellte, wie es wohl wäre, sich an einen Baum zu lehnen und die Kälte in seine Knochen dringen zu lassen, sich auszuruhen und wahrscheinlich nie wieder aufzuwachen, da hörte er einen Laut, einen wunderbaren, himmlischen Laut – das Wiehern eines Pferdes!

Oder spielten ihm seine Ohren einen Streich? Er drehte seinen Kopf in die Richtung, aus der das Geräusch gekommen war und lauschte gegen das Brüllen und Zischen der Elemente. Ja, da war es wieder. Ein Pferdewiehern.

Er spürte, wie neue Energie in ihm frei wurde und eilte zwischen den Bäumen hindurch. In der Dunkelheit und im Labyrinth des Waldes konnte er nur raten, wo er das Pferd und vielleicht auch Sicherheit und Wärme finden würde. Er bahnte sich seinen Weg zwischen Zweigen hindurch, die ihn aufhalten wollten, trat auf Wurzeln, die sich um seine Füße zu schlingen schienen und zwängte sich durch dichte Büsche, alles, um zu dem Pferd zu kommen. Und dann sah er es. Es stand vor ihm und schüttelte verängstigt den Kopf. Der Ritter sah sich verwundert um. Wo war der Besitzer? Hier war nichts, kein Lagerfeuer, kein Unterschlupf, nur das Pferd. Instinktiv fuhr seine Hand an den Schwertgriff, während er die dunklen Baumreihen absuchte. Er wartete auf eine plötzliche Bewegung, auf die Schritte von Männern, die auf ihn zurannten, aber er sah und hörte nichts, nur das unablässige Pfeifen des Windes.

Vor Erstaunen die Stirn runzelnd, ging er langsam auf das Tier zu, das vor Angst die Augen verdrehte. Er klopfte ihm auf den Hals und sah, dass es eine Stute war, gesattelt und gezäumt. Selbst im Dunkeln erkannte er, dass es sich um sehr teures Zaumzeug handelte, und er spürte die Qualität des Leders unter seinen Händen. Auf der Brust und den Flanken des Pferdes glänzte Schaum. War das Pferd davongerannt, als sein Besitzer überfallen worden war? Was war geschehen?

Er griff nach den Zügeln und zog daran, aber sie steckten irgendwo fest, und er sah, dass sie sich an einem starken Zweig verfangen hatten. Kopfschüttelnd band er die Stute los und führte sie davon. Er streichelte ihr über den Kopf und sprach leise mit ihr, während er sich immer wieder umsah. Nirgendwo eine Spur ihres Besitzers. Langsam bahnte sich ein Lächeln den Weg auf sein Gesicht. Er war gerettet! Dieses Pferd, das offenbar jemand verloren hatte, würde ihn zu seinem Bruder bringen.

Aber erst, als er in die Satteltaschen griff, erkannte er, wie groß sein Glück tatsächlich war.

Eine der Taschen war mit Münzen gefüllt.

Kapitel 10

Am Morgen war Simon mit Hugh nach Osten geritten, um das Land zu inspizieren, das nun zu seinem neuen Verantwortungsbereich gehörte. Allerdings war es auch ein guter Vorwand, sich der Affäre von Blackway für eine Weile zu entziehen und einen schönen Ausritt zu machen. Hugh freute sich wie erwartet nicht besonders über den Plan, aber als Simon die Schänke in Half Moon erwähnte, erwachte sein Interesse plötzlich und bald machten sie sich auf den Weg.

Sie ritten früh los, nur eine Stunde nach Sonnenaufgang, und kamen an, noch bevor der örtliche Vogt sein Frühstück beendet hatte. Nach zwei Pints machten sie sich gegen Mittag wieder auf den Heimweg.

Edith stand bereits an der Haustür und wartete auf sie. »Vater, Tanner ist da! Er sagt, dass es auf der Straße einen Überfall gegeben hat«, sagte sie, die Augen in einer Mischung aus Angst und Faszination weit aufgerissen.

Stöhnend rollte Simon mit den Augen. »Worum handelt es sich denn diesmal? Hat man einen Hahn vom Hof gestohlen? Vermisst jemand seine Rüstung? Er lachte seiner Tochter zu, stieg vom Pferd ab und reichte Hugh die Zügel, bevor er vor seiner Tochter ins Haus ging.

Drinnen saß Stephen Tanner, der Constable, und unterhielt sich mit Simons Frau. Margret kam auf ihn zu und küsste ihn, um sodann mit ihrer Tochter auf den Hof zu gehen, nicht ohne ihm noch einen besorgten Blick zuzuwerfen.

»Stephen, wie geht es dir?«, fragte der Vogt. »Und was hat es mit diesem Überfall auf sich?«

Tanner war ein großer, träger Hüne mit einem massigen Körper, der Simon an die Eichen im Moor erinnerte. Kompakt, fest und von ungeheurer Stärke. Das Gesicht war wettergegerbt und unter den schwarzen Brauen blickten seine Augen sanft und freundlich. Der Mund wirkte stets, als wäre er mit irgendetwas nicht einverstanden. Wenn er an etwas zweifelte, setzte er eine völlig verblüffte Miene auf, hinter der sich jedoch eine präzise und berechnende Intelligenz verbarg. Mit dieser Schläue hatte er schon so manchen Dieb zur Strecke gebracht. Alle wussten, dass er ein guter, ehrlicher Mann war und wählten ihn immer wieder neu für seinen Posten. Jetzt allerdings schaute er äußerst besorgt drein.

»Guten Morgen, Vogt. Entschuldigt, dass ich hier so hereinplatze, aber ich habe die Nachricht erhalten, dass ich heute nach Clanton Barton kommen soll. John Greenfield hat heute früh auf seinem Feld gearbeitet, als eine Gruppe von Männern über den Acker kam. Sie sagten, sie seien gestern am frühen Abend auf der Straße nach Oakhampton überfallen und ausgeraubt worden. Sie sollen in schrecklicher Verfassung sein, wegen des Regens und all dem. Sie hatten versucht, irgendwo Unterschlupf zu finden, aber dort draußen gibt es ja kaum etwas, und so mussten sie die ganze Nacht im Freien verbringen. Nun, er setzte sie vor sein Feuer und schickte seinen Jungen zu mir. Ich hatte gehört, dass Ihr Vogt geworden seid, und deshalb hielt ich es für besser, zuerst hier vorbeizuschauen. Ich weiß, dass es meine Aufgabe ist, die Verbrecher in dieser Gegend zu fangen, aber Eure als Vogt ist es ja auch. Und wir müssen einen Suchtrupp zusammenstellen. Ich wäre Euch dankbar für Eure Hilfe. Bis jetzt hatten wir ja nicht viele Raubüberfälle hier. Wenn es sich um eine Bande von Gesetzlosen handelt, könnt Ihr vielleicht in Oakhampton Männer kriegen, die uns helfen, sie zu fangen.«

»Ja, natürlich. Ich komme gleich mit dir. Warte, ich hole nur eben meine Sachen«, sagte Simon. Als Vogt war er am Gericht in Lydford der Stellvertreter seines Lehnsherren und somit auch für die örtlichen Constables verantwortlich. Wenn er Tanner half, tat er nur seine Pflicht. Lydford gehörte zwar nicht zu Tanners Bereich, aber eigentlich war jedermann verpflichtet, bei der Jagd auf Gesetzesbrecher zu helfen. Er ging auf den Hof hinter dem Haus und rief Hugh zu, er solle ein frisches Pferd satteln. Nachdem er rasch seine Frau und seine Tochter zum Abschied geküsst hatte, nahm er sein Schwert und ging mit Tanner hinaus.

Vor dem Haus warteten sie auf Hugh. Simon hatte es eilig, und als Hugh mit dem Pferd kam, riss er ihm die Zügel aus der Hand und saß bereits im Sattel, als Tanner sich erst anschickte, es ihm gleichzutun. Er brauchte länger, um seinen mächtigen Körper auf sein Pferd zu hieven. Der Anblick erinnerte Simon an den eines fallenden Baumes – der gleiche langsame Beginn, das anfängliche Innehalten, dann die plötzliche Beschleunigung und das Aufschlagen auf dem Boden. Schließlich also saß der Constable im Sattel, ein zufriedenes Lächeln auf den Lippen, als habe er selbst bezweifelt, dies zu schaffen. Die beiden machten sich auf den Weg nach Clanton Barton.

»Hat der Junge noch etwas über diese Leute gesagt?«, fragte Simon.

»Nein, es waren wohl Reisende, mehr weiß ich nicht. Sein Sohn war so erschöpft, als er bei mir ankam, dass er kaum ein Wort herausbrachte. Ich habe ihn bei meiner Frau gelassen.«

»Vielleicht brauchen wir wirklich einen Suchtrupp«, sagte Simon nachdenklich. »Wenn wir auf dem Hof sind, werden wir erfahren, wo sie überfallen wurden und was genau geschah. Wenn wir einen Trupp Männer brauchen, können wir das von dort aus in die Wege leiten.«

Schweigend ritten sie weiter. Tanner saß fast stoisch auf seinem Ross, während Simon immer wieder unruhig umherschaute. Er konnte kaum glauben, dass so etwas geschehen war, so kurz, nachdem er sein Amt als Vogt von Lydford angetreten hatte. Solange er in dieser Gegend lebte, hatte er nur von drei Überfällen gehört, und der letzte hatte sich vor vielen Monaten ereignet. Es schien, als stünde seine Amtszeit unter einem schlechten Stern, erst Brewers Tod und nun das. Aus irgendeinem Grund hatte er das ungute Gefühl, dass sich diese Sache keineswegs als Kleinigkeit erweisen würde.

Nach einer Stunde hatten sie den Greenfield-Hof erreicht, ein solides Gebäude aus Granitblöcken, zwischen denen man den roten Mörtel sehen konnte. Die Rauchsäule, die aus dem Kamin aufstieg, verriet, dass drinnen ein wärmendes Feuer brannte. Ein scheinbar friedliches Bild.

Die beiden Männer stiegen ab und banden ihre Pferde an. Simon ging an die mächtige Holztür und klopfte laut. Er hörte Stimmen von drinnen und trat einen Schritt zurück. Schlurfende Schritte näherten sich und kurz darauf wurde die Tür einen Spaltbreit geöffnet. Ein Mann mit kantigem Gesicht und Schnurrbart schaute sie misstrauisch aus alten, leicht getrübten blauen Augen an. Es war Greenfield, der Bauer, der, so munkelte man, Wikinger unter seinen Vorfahren hatte. Das blonde Haar, das als Beweis dafür hätte herhalten können, war allerdings mittlerweile ergraut. Er betrachtete den Vogt, aber erst als er Tanner sah, hellte sich seine Miene auf. Greenfield war als ruhiger, gelassener Mann bekannt. Wenn er solche Vorsicht beim Öffnen seiner Tür an den Tag legte, gab es Anlass zur Besorgnis.

»Ah, Stephen. Guten Tag. Mein Sohn ist also bei dir gewesen?«

»Ja, John. Er sitzt bei mir zu Hause vor dem Kamin und wärmt sich auf. Er war ganz erschöpft, als er ankam.«

»Nun, immerhin hat er es geschafft. Und Ihr seid Puttock?«, fragte er und wandte sich an Simon.

»Ja, er ist jetzt Vogt, John. Deshalb hat es länger gedauert. Ich wollte, dass er mitkommt.«

»Ah. Kommt rein.«

Sie folgten dem alten Bauern in einen breiten Flur, der von einer Reihe von Wandleuchtern erhellt wurde und den Wohntrakt von den Ställen trennte. Von dort kamen sie an einem schweren Fell vorbei in die große, dunkle Halle. Vier Männer saßen dort vor dem prasselnden Kaminfeuer und sahen der Bauersfrau zu, die eine Mahlzeit zubereitete.

»Der Vogt und der Constable sind gekommen«, sagte

Greenfield, als er die beiden hereinführte, und als Simon die Männer sah, fuhr ihm der Schreck in die Glieder. Es handelte sich um die vier Mönche, denen er vor kurzem zusammen mit ihrem Abt begegnet war.

»Wo ist der Abt?«, fragte er sogleich, als er auf sie zuging. Die Männer sahen zu ihm auf, die Gesichter von den Flammen erhellt, aber niemand antwortete ihm, und Simon sah die Furcht in ihren Mienen. Er wandte sich an den Bauern. »Nun?«

Greenfield zuckte mit den Schultern, als wisse er nichts von einem Abt. Beunruhigt fragte Simon die Mönche noch einmal: »Wo ist er?«

Schließlich senkte einer der Männer den Blick und schaute zu Boden. »Wir wissen es nicht«, sagte er leise und räusperte sich, als würde er gleich zu schluchzen anfangen. »Man hat ihn mitgenommen. Er wurde als Geisel genommen.«

Simon lehnte sich neben dem Kamin an die Wand und ließ den Blick über die Gruppe gleiten. »Erzählt mir, was geschehen ist«, forderte er sie mit sanfter Stimme auf.

Zuerst brachten sie nur wirres Zeug heraus. Das kam nicht nur vom Schock des Überfalls, sondern auch von der elenden Nacht, die sie in Regen und Sturm im Freien verbracht hatten, ohne jeden Schutz. Selbst der Älteste brachte kein Lächeln mehr zustande. Er sah aus, als stünde er kurz vor dem Zusammenbruch. Seine Hände zitterten, und er wich dem Blick des Vogts aus. Schließlich richtete Simon seine Fragen an den jüngsten Mönch, der den Eindruck machte, als habe er die Ereignisse noch am besten verkraftet.

Auch er sprach nur langsam und stockend und vergewisserte sich durch ständige Blicke zu seinen Gefährten, dass er keine wichtige Einzelheit ausließ. »Wir … wir waren auf dem Weg nach Oakhampton.«

»Wieso habt ihr so lange gebraucht? Es ist Tage her, seit ich euch getroffen habe, ihr müsstet schon längst dort sein.«

»Wir … wurden aufgehalten … blieben in der Kirche

von Crediton. Wir haben uns erst gestern wieder auf den Weg gemacht ... wir kamen nach Copplestone –«

»Wo genau ist es passiert?«, fragte Simon leise. Er spielte mit der Hand am Schwertknauf, um seine Ungeduld im Zaum zu halten. Am liebsten hätte er den Mann gepackt und ihn gezwungen, schneller zu erzählen.

»Wir hatten das Dorf verlassen ... nach etwa zwei Stunden –«

»Ihr wart auf der Straße?«

»Ja. Ja, wir waren –«

»Und ihr wart alle zusammen?«

»Ja, wir gingen zusammen, nur der Abt saß auf seinem Pferd. Zwei Männer kamen von hinten auf uns zu ... sie hatten Schwerter. Sie ritten einfach in unsere Gruppe hinein – wir mussten zur Seite springen. Sie ritten zum Abt und ... und ...«

Simon hockte sich vor den Mönch und sah ihn ernst an. Zuerst sah der Mann verlegen auf den Boden, doch schließlich schaute er Simon in die Augen, und als er direkt mit dem Vogt sprach, wurde seine Stimme ruhiger und kräftiger. Der Anblick des bewaffneten Vogts, der ihm so aufmerksam zuzuhören schien, half ihm offenbar.

»Wir ... wir hatten Angst. Der Abt hatte sich schon seit Tagen Sorgen gemacht. Er war überzeugt davon, dass man uns angreifen würde. Er sagte nie, warum, aber er war sicher. Er schien es zu spüren.« Simon nickte, genau das hatte er auch gedacht. »Dann kamen diese beiden Männer von hinten und trieben uns auseinander. Sie trugen Helme, wir konnten ihre Gesichter nicht erkennen. Sie hatten ihre Schwerter gezogen und ritten auf den Abt zu ... sie wussten genau, was sie wollten ... der eine packte die Zügel des Abtes, und er ... Der Abt hatte das ganze Geld in der Satteltasche ... Wir dachten, sie würden die Tasche nehmen oder das Pferd und verschwinden, aber das taten sie nicht. Sie ritten einfach mit dem Abt davon, hinein in die Wälder. Wir konnten nichts dagegen tun. Wir liefen zuerst sogar hinter ihnen her, aber dann riefen sie uns zu, dass sie den Abt töten würden, wenn wir ihnen folgten, und uns ebenfalls. Dann suchten wir nach einem Nachtlager, aber wir fanden keins. Wir versuchten, nach Copplestone zurückzukommen, aber bei dem Sturm … Wir mussten im Wald nächtigen, natürlich nahe bei der Straße.«

Simon legte tröstend die Hand auf die Schulter des jungen Mannes. »Trugen ihre Helme irgendwelche Zeichen?«

»Nein … nein, ich glaube nicht.«

»Was war mit ihren Gewändern? Hast du dort irgendetwas gesehen?«

»Nein, nichts.«

»Es gab also nichts, das dir aufgefallen wäre?«

»Nein.«

»Was war mit ihren Pferden – welche Farbe hatten sie?«

»Beide waren braun. Das eine war ein großes, starkes Pferd, wie das eines Ritters. Das andere war kleiner.«

»Gab es noch etwas anderes, an dem man sie als Ritter erkennen konnte?«

»Nein, ich glaube nicht.« Der junge Mönch legte die Stirn in Falten. »Es ging alles so schnell.«

»Sie haben den Abt einfach mitgenommen?« Simon versuchte, eine Erklärung für diese Tat zu finden. »Hat er um Hilfe gerufen?«

»Nein, Sir, er sagte keinen Ton – ich glaube, er war wie gelähmt.«

Simon erhob sich. »Stephen, wir müssen uns auf die Suche nach dem Abt machen. Ich reite voran und sehe mich um. Du stellst einen Suchtrupp zusammen und kommst nach. Wir müssen versuchen, ihn zu retten.« Er wandte sich noch einmal an den jungen Mönch. »Willst du mit mir kommen und mir zeigen, wo alles geschah? Kannst du reiten?«

Erst als der Mönch mit schierem Entsetzen in den Augen zu ihm aufsah, wurde Simon die ganze Tragweite des Verbrechens bewusst. Ein Abt war verschleppt worden, der Leiter eines wichtigen und reichen Zisterzienser-Klosters, sicherlich ein Mann von edler Herkunft. Sie mussten ihn finden, bevor ihm etwas Schlimmeres zustieß.

Aber wer verschleppte einen Abt?

Kapitel 11

Greenfield besaß ein großes, altes graues Pferd, das lange Jahre seinen Karren gezogen hatte und nun sein Gnadenbrot bekam. Jetzt musste es noch einmal den Mönch tragen.

Nun, da er wusste, dass ein Mann, noch dazu ein Abt verschwunden war, hatte es Tanner erheblich eiliger, auf sein Pferd zu kommen. Er ritt davon, um die Männer zusammenzutrommeln. Simon und der Mönch mussten warten, bis der alte Gaul gesattelt war, aber schließlich war es soweit und sie konnten den Hof verlassen.

»Wie heißt du? Ich habe ganz vergessen, dich zu fragen.«

»David, Vogt.«

»Halt die Augen offen, David. Und sag mir sofort Bescheid, wenn wir uns der Stelle nähern, an der gestern der Abt verschleppt wurde, verstehst du?«

Der Mönch nickte. Die Angst stand ihm noch immer ins Gesicht geschrieben. War es die Angst um den Abt oder Angst davor, was uns zustoßen könnte?, fragte sich Simon. Mit grimmigem Blick überzeugte er sich davon, dass sein Schwert fest am Gürtel hing. Als er den Griff umfasste, fühlte er sich etwas besser, aber auch er war nervös und fragte sich, was sie wohl finden würden.

Sie hatten Copplestone etwa sieben Meilen hinter sich gelassen, als der Mönch hinter ihm zurückblieb. Als Simon sich umdrehte, sah er, dass der junge Mann aufmerksam die Umgebung betrachtete. Er verlangsamte ebenfalls das Tempo und ließ den Mönch voranreiten, bis dieser stehen blieb. Nun schloss Simon wieder auf.

»Daran kann ich mich erinnern«, sagte David und zeigte auf eine Esche, in die der Blitz eingeschlagen war. »Ein paar Minuten, nachdem wir an diesem Baum vorbeigekommen sind, ist es passiert.«

Simon nickte und stieg von seinem Pferd. Die Straße war hier nicht viel mehr als ein breiter Pfad durch den Wald. Der König hatte befohlen, dass alle Straßen zu beiden Seiten mehrere Yards frei bleiben sollten, um zu verhindern, dass Straßenräuber Hinterhalte legen konnten, aber hier reichte der Wald bis dicht an den Weg. Die hohen Bäume, die neben ihnen aufragten, schienen sie daran erinnern zu wollen, wie weit sie von einem Weiler oder auch nur einem Haus entfernt waren.

Er reichte dem Mönch seine Zügel und ging voran. Der Mönch folgte ihm zu Pferde, während Simon die fest getretene Oberfläche der Straße untersuchte. Manchmal blieb er stehen, um sich eine bestimmte Stelle genauer anzusehen, aber die Spuren der Mönche und ihrer Angreifer hatten sich mit denen der anderen Reisenden vermischt und zudem hatte der schwere Regen der vergangenen Nacht fast alle davongespült. Er zuckte mit den Schultern. Ein Jäger konnte hier vielleicht noch etwas erkennen, er jedenfalls nicht. Er ging weiter, und der Mönch folgte ihm, wobei er immer wieder ängstlich in die Wälder starrte.

Simon konzentrierte sich so sehr auf die Straße, dass ihn der Ruf, der von hinten kam, zusammenzucken ließ.

Er drehte sich um und lief zum Mönch zurück, die Hand am Schwert. »Was ist?«

Der Mönch deutete auf die Baumreihen vor ihnen und sagte: »Hier war es.«

Simon nickte. Der Boden auf der anderen Seite der Straße war aufgewühlt. Er blickte in die Finsternis des Waldes. Als er sich davon überzeugt hatte, dass sich dort nichts rührte, hockte er sich hin und betrachtete den Boden. Deutlich konnte er drei Pferdespuren ausmachen, die der Regen nicht weggewaschen hatte. Sie führten in den Wald. Simon fragte sich, was er als Nächstes tun sollte. Das Vernünftigste wäre gewesen, auf den Suchtrupp zu warten, aber das konnte noch lange dauern. Tanner würde etwa zwanzig Höfe und Dörfer aufsuchen müssen, um genügend Männer zusammen zu bekommen, und wahrscheinlich würden sie erst im Dunkeln eintreffen. Er fasste einen Entschluss und stand wieder auf.

»David, ich möchte, dass du hier wartest. Der Suchtrupp kommt sicher bald, und dir wird hier nichts passieren. Sag ihnen, dass sie mir nachkommen sollen, falls ich bis dahin nicht zurück bin. Ich gehe in den Wald und folge diesen Spuren.«

Der Mönch packte die Zügel fester und sah Simon verstört an. Er sprach mit zitternder, leiser Stimme, als dürfe der Wald nicht hören, was er sagte. »Aber was ist, wenn sie zurückkommen? Was dann? Und was, wenn Ihr auf sie stoßt? Sie könnten ...«

»Das glaube ich nicht. Wer immer den Abt entführt hat, ist längst auf und davon. Sei unbesorgt, du brauchst hier nur auf die anderen zu warten. Ich bin sicher bald wieder zurück«, sagte Simon zuversichtlicher, als er sich fühlte. Er hatte wahrscheinlich genauso viel Angst davor, in den Wald zu gehen, wie der Mönch vor dem einsamen Warten auf der Straße. Aber es war seine Pflicht, den Abt und seine Entführer aufzuspüren. Abwesend strich er seinem Pferd über den Rücken, nickte dem Mönch aufmunternd zu und machte sich auf den Weg.

Als er zwischen den Bäumen hindurchlief, hatte er das Gefühl, als würden sie ihn beobachten. Der Waldboden dämpfte seine Schritte. Das Knacken der Zweige, auf die er trat, kam ihm dafür umso lauter vor, und er hörte auch seinen eigenen Atem überdeutlich. Die Stille nahm ihm den Mut, aber er ging weiter, nachdem er sich umgedreht und gesehen hatte, welch kurze Strecke er erst zurückgelegt hatte. Er konnte die Straße immer noch sehen und zwang sich mit einer schnellen, fast wütenden Geste vorwärts.

Als er tiefer in den Wald eindrang, hörte er die Geräusche der Natur, hier ein Rascheln, dort ein Scharren, das ständige Knarren und Achzen der Bäume. Er lauschte nach menschlichen Lauten, und vor Nervosität begann seine Kopfhaut zu kribbeln. Als einmal hinter ihm ein Vogel aus seinem Nest aufflog, zuckte er zusammen und sprang hinter einen Baum, nur um danach über seine eigene Feigheit den Kopf zu schütteln. Kurz darauf hörte er ein kurzes Bellen, gefolgt von einem scharfen Kreischen. Er blieb einige Sekunden unbeweglich stehen, aber es blieb still. Mit der Hand am Schwert ging er weiter. Langsam vergaß er seine Furcht. Es war nicht mehr so sehr das Pflichtbewusstsein, das ihn antrieb, sondern der ehrliche Wunsch, dem Abt zu helfen. Er konnte die Angst im Gesicht des Mannes, der ihn um Hilfe gebeten hatte, nicht mehr vergessen. Hatte der Abt wirklich gewusst, dass etwas geschehen würde? Er schüttelte den Kopf und ging weiter.

Aber vielleicht wäre all das nicht passiert, wenn er den Abt begleitet hätte? Vielleicht hätten er und sein Knecht die Räuber abgeschreckt. Langsam stieg Zorn in ihm auf. Der Abt war ein Diener Gottes. Er hätte nicht angegriffen werden dürfen, sein Gewand allein hätte Schutz genug sein müssen. Bei dem Gedanken, dass jemand hier, in seiner Grafschaft, einen Abt ausgeraubt und entführt hatte, packte ihn die Wut.

Er richtete den Blick auf den Boden. Ein Vogelschrei ließ ihn erneut aufschrecken. Je tiefer er in den Wald kam, desto dunkler wurde es, und er musste sich stärker konzentrieren, um den Spuren zu folgen. Sie verwischten sich jedoch mehr und mehr, und er blieb immer öfter stehen, um sich davon zu überzeugen, dass er sie noch nicht verloren hatte. Das Unterholz wurde noch dichter, und im ständigen Halbdunkel des Waldes verlor er die Fährte schließlich doch und musste seine eigene Spur zurückverfolgen, bis er sie wieder gefunden hatte. Nachdem ihm das ein zweites Mal passiert war, gab er es auf und ging stattdessen einfach dort zwischen den Bäumen entlang, wo genug Platz für Pferd und Reiter war. Die Methode schien zu funktionieren, denn jedes Mal, wenn er auf dem Boden nach den Pferdespuren suchte, fand er sie auch wieder. Er schaute sich noch immer nach möglichen Angreifern um, und seine Nerven waren zum Zerreißen gespannt. Als er endlich wieder einen Laut hörte, der ihn zusammenfahren ließ, nahm er ihn fast erleichtert auf, weil sich die Anspannung für einen Augenblick löste. Er spürte die Erregung des Jägers, der seine Beute verfolgt.

Er hörte das scharfe Bellen eines Fuchses. Simon lauschte und ließ seinen Blick umherschweifen. Ein paar letzte Sonnenstrahlen kämpften sich mühsam durch das Blattwerk – er war nun wahrscheinlich bereits eine Stunde unterwegs. Er lehnte sich an einen Baum und überlegte, ob es noch Sinn hatte, weiterzugehen. Sollte er nicht lieber die anderen holen? Aber was, wenn Tanner und seine Leute noch gar nicht da waren? Vielleicht dauerte es nicht mehr lange, bis er den Abt gefunden hatte. Vielleicht konnte er die Verbrecher im Dunkeln überraschen und überwältigen und den Abt befreien. Zumindest wollte er noch ein Stück weitergehen. Noch war es nicht ganz dunkel, und den Rückweg würde er sicher finden.

Er griff nach seinem Schwert und setzte seinen Weg fort.

Da war es wieder, das Bellen. Es kam von vorne, aus der Richtung, in die die Spur führte. Er überlegte: Wenn es Füchse waren, hielten sich dort bestimmt keine Menschen auf. Trotzdem ging er weiter; immer wieder blieb er stehen und überzeugte sich davon, dass er die Spur nicht verloren hatte, immer wieder lauschte er nach verdächtigen Geräuschen.

Er war noch eine halbe Stunde weitergegangen, als er die Lichtung sah, eine halbe Stunde, in der er eine verhältnismäßig kurze Strecke bewältigt hatte, weil er jeden Schritt mit äußerster Konzentration tat. Wieder lauschte er. Er hörte keinen Laut. Bis der Fuchs wieder bellte. Es schien, als seien er und das Tier die beiden einzigen Lebewesen im ganzen Wald, die die feuchte, schwere Luft einatmeten.

Mit der hereinbrechenden Dunkelheit tauchten auch seine alten Ängste vor den Gestalten der Nacht wiederauf. Er näherte sich den Mooren, dem Reich von Old Crockern, und er hatte das Gefühl, ein Eindringling zu sein, als nähme ihm die Erde unter seinen Füßen den Frevel übel. Er musste sich zwingen, nicht aufzugeben.

Schließlich befand er sich fast bei der Lichtung. Er

schlich sich noch langsamer heran, blieb schließlich im Schutz einer riesigen Eiche erst einmal stehen.

Etwas raschelte, als würden kleine Tiere auf dem Blätterteppich spielen. Es war zu dunkel, als dass er etwas hätte erkennen können. Er spürte, wie ihm der Schweiß über die Stirn lief, wischte ihn ab und griff erneut nach seinem Schwert. Dann ging er weiter, in einem weiten Bogen um die Lichtung herum.

Im Halbdunkel kam es ihm vor, als würde er einen großen Wandteppich vor sich sehen, aber jede Szene einzeln, nie im Zusammenhang. Er strengte sich an, die einzelnen Stücke zusammenzufügen, aber es wollte ihm nicht gelingen. Es war, als seien die Bilder am Rande ausgefranst.

Als er die Lichtung halb umrundet hatte, hielt er es nicht mehr aus und bewegte sich geradewegs auf sie zu. Er spürte, wie das Blut in seinen Schläfen pochte und schlich sich geduckt vorwärts bis er dort stand, wo die Bäume aufhörten.

Zunächst fand er nichts, keinen Hinweis darauf, dass sich hier Menschen aufgehalten hatten oder noch in der Nähe waren, kein abgebranntes Feuer, keine Taschen, kein glänzendes Schwert. Doch dann entdeckte er einige Schritte entfernt die pyramidenförmigen Exkremente eines Pferdes.

Demnach musste das Tier gestanden haben. Also war es sicherlich hier angebunden gewesen. Hatten die Räuber hier doch Rast gemacht? Und wenn, wo waren sie dann jetzt? Er dachte nach. Es war also mindestens ein Pferd auf dieser Lichtung gewesen. Entweder war es das des Abtes oder eines der Räuber. Konnte es sein, dass der Abt entkommen war? Und wenn das Pferd einem der Räuber gehörte? Dann könnte er sich noch in der Nähe aufhalten. Hatten sie letzte Nacht hier gerastet und waren weitergeritten? Oder lauerten sie ihm gerade in diesem Augenblick auf?

Er wusste nicht, was er tun sollte. Schließlich traf er eine Entscheidung und schlich so leise wie möglich am Rand der Lichtung weiter.

Er hatte sie fast gänzlich umrundet, als ihm der Geruch nach verbranntem Holz und gebratenem Fleisch in die Nase stieg. Er ging in die Hocke. Es roch nicht nach einem Feuer, das noch brannte oder vor kurzem gebrannt hatte, es roch feucht und kalt. Er sah auch keine Rauchsäule, sondern nahm nur diesen fast schalen Geruch wahr, der rechts von ihm seinen Ursprung zu haben schien.

Mit geschlossenen Augen sprach der Vogt ein stummes Gebet und schlich sich weiter vorwärts. Er war mittlerweile so müde, dass er befürchtete, bald Krämpfe in den Beinen zu bekommen. Die Erschöpfung legte sich wie ein bleierner Mantel um ihn, der Körper und Geist lähmte. Er schaute zurück, in der Hoffnung, Tanners Männer zwischen den Bäumen zu sehen, aber er wurde enttäuscht. Er musste allein weitergehen. Geduckt schlich er sich langsam in die Richtung, aus der der Geruch kam.

Nach kurzer Zeit erreichte er eine zweite, viel kleinere Lichtung, mehr eine Stelle im Wald, an der die Bäume nicht gar so dicht beieinander standen. Hier musste die Feuerstelle sein, hier konnte man ein Feuer entzünden, ohne befürchten zu müssen, von irgendjemandem bemerkt zu werden. Er sah einen Baum, dessen unterer Teil offenbar von den Flammen geschwärzt war. Er wartete ab, hörte aber keinen Laut. Es war, als sei die Raststätte schon lange verlassen worden.

Dann hörte er wieder das Bellen, und als er ein paar Schritte weiterschlich, sah er sie – zwei junge Füchse tollten um den Baum herum und balgten und sprangen wie zwei Kätzchen.

Nun verlor Simon die Geduld, denn er dachte, dass all seine Angst und Vorsicht unnötig gewesen waren. Er erhob sich langsam und ließ seinen Blick über die Lichtung schweifen. Plötzlich packte ihn die Wut, und er rief laut: »Ist da jemand?«

Die einzige Reaktion, die er erzielte, bestand darin, dass die beiden Füchse zusammenzuckten und in Windeseile im Unterholz verschwanden. Simon zog sein Schwert und betrat die Lichtung.

Nichts, keine Angreifer, kein Hinterhalt, gar nichts. Er entspannte sich etwas, ließ das Schwert sinken und stützte sich darauf. Außer dem Feuer deutete nichts darauf hin, dass hier jemand gewesen war. Er wollte sich dessen Reste ansehen, um herauszufinden, wann man es entfacht hatte. Der geschwärzte Baum stand auf der anderen Seite der Lichtung, ein dunklerer Schatten zwischen dunklen.

Er ging darauf zu, und mit jedem Schritt wurde sein Blick ungläubiger und bestürzter. Auf der Hälfte der Distanz blieb er stehen. Er musste würgen und presste sich die Hand auf den Mund, während er mit weit aufgerissenen Augen auf das verbrannte Gras und den Baum starrte.

Er atmete tief durch, bevor er sich vom Ort des Geschehens abwandte und in ungläubigem Entsetzen auf den Weg zurück zur Straße machte.

Es hatte nach gebratenem Fleisch gerochen, weil man hier einen Mann wie eine Hexe verbrannt hatte.

Kapitel 12

Als Tanner und die anderen eintrafen, saßen der Mönch und der Vogt gemeinsam am Straßenrand und wärmten sich an einem Feuer. Der junge Mann sprang auf und begrüßte die Neuankömmlinge mit nervösem Geplapper, und als Tanner Simon einen Blick zuwarf, sah er, warum der junge Mann sich dringend andere Gesellschaft wünschte. Der Vogt starrte schweigend in die Flammen, fest in seinen Umhang gehüllt. Tanner stieg ab und ging zu ihm.

»Gott sei Dank, dass ihr da seid! Wir dachten schon, ihr hättet euch entschieden, erst am Morgen zu kommen, und wir hatten bestimmt keine Lust, die ganze Nacht hier allein zu verbringen«, sprudelte der Mönch hervor, aber Tanner nickte nur abwesend und überließ es den anderen, sich um ihn zu kümmern.

»Was ist geschehen, Vogt?«

Nur langsam konnte Simon den Blick von den Flammen abwenden. Nach dem Schock in den Wäldern fühlte er sich so müde wie nie zuvor in seinem ganzen Leben. Die nervöse Energie und der Zorn, die ihn vorangetrieben hatten, hatten ihn auch ausgelaugt, und der Rückweg zur Straße nach dem Anblick der Leiche hatten den Rest besorgt. Als er nun aufschaute, schien es dem Constable, als sei der Vogt seit dem Nachmittag um zwanzig Jahre gealtert. Sein Gesicht war hager und blass und seine Augen glänzten fiebrig, sodass Tanner sich besorgt neben ihn kniete. Simon schien ihn kaum wahrzunehmen und starrte wieder mit leerem Blick in das Feuer, als wolle er Tanner nicht sehen.

»Vogt? Was ist geschehen?«, wiederholte Tanner bestürzt.

»Wir sind am späten Nachmittag zu dieser Stelle gekommen«, sagte Simon leise. »David – der Mönch – hat sie sehr schnell gefunden. Die Spuren sind deutlich zu sehen, sie führen dort in die Wälder.« Er nickte kurz zur anderen Straßenseite und sprach leise und monoton weiter. »Ich sagte zu David, er solle hier warten und machte mich auf den Weg. Nach über einer Stunde kam ich an eine kleine Lichtung. An einem Haufen Dung erkannte ich, dass dort mindestens ein Pferd gestanden hatte.«

Plötzlich schaute Simon auf und Tanner sah den Schmerz in seinen Augen. »Der Abt war ganz in der Nähe«, fuhr Simon fort. »Man hatte ihn an einen Baum gebunden. Dann hat jemand Zweige und Äste gesammelt und unter ihm aufgeschichtet.« Ein Schauder lief durch seinen Körper, aber er sprach ruhig weiter. »Dann haben sie die Zweige angezündet und den Abt verbrannt.«

Tanner starrte ihn an. »Was? Wie auf dem Scheiterhaufen?«

»Ja«, antwortete Simon leise, als könne er es selbst nicht glauben. Der Klang seiner Stimme änderte sich, sie wurde harscher. »Wie muss er geschrieen haben, als er starb. O Gott, Stephen, ich habe sein Gesicht gesehen! Es war schrecklich. Die Flammen schlugen nicht hoch genug, um den oberen Teil seines Körpers zu verbrennen, er starrte mich an! Ich hatte das Gefühl, als schaue mich der Teufel persönlich durch diese Augen an. Ich konnte sein Gesicht genau erkennen. Gott! Es war furchtbar.«

»Aber wer tut so etwas? Wer tut einem Mann Gottes so etwas an?«, sagte Tanner stirnrunzelnd. Natürlich waren die Gesetzlosen für ihre Brutalität bekannt, die selbst die der grausamen Piraten der Normandie übertraf, aber hier im Herzen Devons waren bislang weder französische noch englische Räuberbanden aufgetaucht. Tanner war älter als der Vogt und hatte in den Kriegen gegen Frankreich gedient; er wusste, wozu die Menschen fähig waren, aber selbst im Krieg hatte er nie gehört, dass ein Mönch auf solche Weise, wie ein Ketzer, getötet worden war. Es überraschte ihn allerdings mehr als es ihn erschütterte.

Aber auch er machte sich Sorgen. Wenn die Gesetzlosen es wagten, einem Abt so etwas anzutun, war in dieser Gegend niemand mehr sicher, bis die Männer gefasst waren. Die Mitglieder seines Trupps gesellten sich lachend und scherzend zu ihnen. Fast hätte er sie angeherrscht zu schweigen.

Tanner war ein ruhiger, zuverlässiger Mann. Als Bauer war er an den Wechsel der Jahreszeiten gewöhnt, an den Ablauf der Jahre, in denen er beobachtete, wie alles um ihn herum – seine Ernte, sein Vieh – wuchs, gedieh und irgendwann einmal starb. Aber er kannte auch das harte Herz der Wildnis, in der die Starken überleben und die Schwachen untergehen. Tiere töten einander, weil sie Hunger haben. Sie waren nicht barbarisch wie die Menschen, die dieses Verbrechen begangen haben. Das jemand dazu fähig war, in dieser friedlichen ländlichen Gegend. Die Constables in den Städten sahen das sicherlich öfter. Warum hatte man den Abt auf so abscheuliche Weise getötet? Er seufzte und wandte sich an den Vogt, der schweigend neben ihm saß.

»Ihr müsst Euch ausruhen, Sir. Legt Euch hin. Ich werde Wachtposten einteilen.«

»Ja«, antwortete Simon abwesend und nickte langsam. Unter dem ruhigen Blick des Constables löste sich seine Panik langsam auf, wurde jedoch von dem ebenso verwirrenden Gefühl abgelöst, als sei seine ganze Welt auf den Kopf gestellt worden. Er hatte sein ganzes Leben in dieser Gegend verbracht, und noch nie hatte er einen Menschen gesehen, der auf eine solch brutale Art und Weise getötet worden war. Es schien, als sei alles, was er je über die Grafschaft und ihre Menschen gewusst hatte, nichtig, und als müsse er alles von Grund auf überdenken. Eine Träne lief ihm die Wange herab und zornig wischte er sie fort.

Als habe die Geste ihn wach gerüttelt, schaute er Tanner an, der nun seinerseits in die Flammen starrte. »Gut. Morgen beginnen wir die Jagd auf diese Mörder, wer immer sie sein mögen. Ich will sie zur Strecke bringen«, sagte er. Die letzten Worte spie er fast heraus, und er spürte, wie Hass und Ekel in ihm aufstiegen. Er war wütend, nicht nur des

Verbrechens wegen, nicht nur wegen des schrecklichen Todes des Mannes in den Wäldern. Er selbst fühlte sich angegriffen, denn wenn diese Männer einer solchen Tat fähig waren, würden sie auch weitere begehen. Sie mussten getötet werden wie tolle Hunde, die man ohne Mitleid jagt und erlegt. »Lass einen der Männer nach Buckland reiten. Er soll berichten, was geschehen ist. Wir folgen den Spuren und versuchen die Mörder zu finden.«

»Jawohl«, sagte Tanner, den die Bitterkeit, mit der Simon gesprochen hatte, verblüffte. »Was ist mit dem Sheriff? Sollten wir nicht jemanden nach Exeter schicken?«

»Nein. Es ist hier geschehen und fällt in unseren Verantwortungsbereich. Wir werden sie schnappen. Aber jetzt muss ich schlafen.« Er erhob sich mühsam, sah zu den Männern des Suchtrupps hinüber, als habe er sie eben erst bemerkt und ging zu einem Baum. Er setzte sich, lehnte sich gegen den Stamm, zog den Umhang fester um sich und war bald darauf eingeschlafen.

Tanner beobachtete ihn eine Weile. Als einer der Männer an ihm vorbeiging, einen Krug Cider in der Hand, hielt er ihn am Arm fest. »Hier ist ein Mord geschehen. Sag den anderen, dass wir bei Sonnenaufgang aufstehen, sie sollen also lieber schlafen.«

Der Mann, ein älterer, stämmiger Bauer, dessen rosige Wangen verrieten, dass er dem Cider gerne zusprach, sah ihn entgeistert an. »Ein Mord? An wem?«

»Am Abt von Buckland«, sagte Tanner, während er sich erhob. »Ich werde Wache halten. Sag den Männern, sie sollen sich jetzt hinlegen, sonst kann einer von ihnen das übernehmen.« Eine plötzliche Lachsalve ließ ihn wütend herumfahren, und er zischte erbost: »Und sag den tumben Narren, dass wir nicht auf dem Weg zum Jahrmarkt sind. Die Mörder könnten uns in diesem Augenblick beobachten.«

Er stellte sich in der Nähe von Simon auf und beobachtete die Wälder. Die Männer suchten sich ihre Schlafplätze, und es entstand ein kurzzeitige Hektik, als jeder versuchte, so nah wie möglich ans Feuer zu kommen. Schließlich hörte man nur noch leises Gemurmel, dann wurde es still im Lager und Tanner konnte die Geräusche des Waldes hören, die so klangen, als wäre nichts geschehen.

Aber die Ahnung des Bösen lastete auf ihm. Die Nachricht von dem Mord hatte ihn so aufgewühlt, dass er sowieso keine Ruhe hätte finden können. Er dachte nur daran, dass dort in den Wäldern irgendwo Männer steckten, die einen Abt ermordet hatten. Während er die erste Runde um die Lagerstatt machte, den Umhang fest um sich gehüllt, dachte er an sein Heim, wo jetzt ein Kaminfeuer prasselte und die Flammen aus den trockenen Eichenscheiten loderten.

Auch Rodney dachte an ein wärmendes Feuer, als er in das kleine Dorf North Tawton ritt. Er fror und fühlte sich jämmerlich, und er sehnte sich nach einem Feuer, das ihm die Kälte aus den Knochen trieb. Auch das Pferd brauchte einen Stall und frisches Heu. Der Weiler bestand aus wenig mehr als einer Straße mit fünfzehn Häusern. Eines davon war eine Schänke, und hier hielt der Ritter an. Auf der Rückseite sah er die Ställe, die durch ein niedriges Tor zu erreichen waren. Er stieg ab und führte die Stute dorthin, bevor er in die Gaststube trat.

Der Morgen war kühl und feucht. Ein dichter Nebel lag über dem Land, den kein Windhauch vertreiben wollte, und die Männer erhoben sich steif und frierend aus ihrem Schlaf.

Tanner hatte das Feuer die ganze Nacht hindurch immer wieder neu entfacht, und nun drängten sich die Bauern darum herum und versuchten, etwas Wärme abzubekommen. Der Constable wartete, bis alle wach geworden waren und fröstelnd bei ihm standen. Erst dann schüttelte er Simon sachte an der Schulter.

»Wacht auf, Sir. Lasst uns diese Brut suchen!«

Simon hob benommen den Kopf. Der gestrige Schock schien ihn tief getroffen zu haben, denn er fühlte sich keineswegs ausgeruht. Tanner brachte ihm etwas Dörrfleisch und blieb neben ihm stehen wie ein Ritter, der seinen Lehnsherren bewacht. Er bat ihn, alles aufzuessen, was Simon mit einem ironischen Lächeln auch tat. Dann führte er ihn zu den Männern.

»Der Vogt hat gestern hier im Wald die Leiche des Abtes gefunden –«

»Lass mich ruhig mit ihnen sprechen, Stephen«, unterbrach Simon ihn. Er wandte sich den Männern zu und sprach mit leiser, aber eindringlicher Stimme. »Der Abt wurde von zwei Männern verschleppt und in den Wald gebracht. Seine Begleiter glaubten, man habe ihn entführt, um Lösegeld zu erpressen und schlugen Alarm. Aber die Männer banden ihn an einen Baum und töteten ihn – indem sie ihn auf einem Scheiterhaufen verbrannten. Wir müssen diese Männer finden. Solange sie frei herumlaufen, sind sie eine Gefahr für uns alle. Wer ist der beste Jäger von euch?«

»Das wird wohl John Black sein«, antwortete einer der Männer, und als Simon seinem Blick folgte, entdeckte er den kleinen, drahtigen Mann, den er gestern gar nicht bemerkt hatte. Er saß am Feuer und wärmte seine Hände an den Flammen. Er sah nicht einmal auf, als Tanner fortfuhr.

»John, kannst du eine Pferdespur durch den Wald verfolgen?«

»Sicherlich«, entgegnete Black ruhig.

Simon sah ihn an. Der Mann strahlte viel Selbstvertrauen aus und schien sich seiner Fähigkeiten sicher zu sein.

»Gut. Jemand muss nach Buckland reiten und die Mönche dort informieren. Paul, könntest du das übernehmen?«, fragte Tanner. Paul, der Sohn des alten Cottey, atmete sichtlich erleichtert auf. Er war ein dünner Bursche von vielleicht sechzehn Jahren und schien froh darüber, nicht mitkommen zu müssen. Er hatte ein flinkes Pferd und würde Buckland schneller erreichen als jeder andere.

Sie gingen auseinander und machten sich daran, ihre Sachen zusammenzusuchen und auf die Pferde zu packen. Als alle bereit waren, gab Simon Black ein Zeichen, und der Jäger führte sie in den Wald. Simon ging hinter ihm, gefolgt von den anderen.

Im klaren Licht des frühen Morgens, das durch die grünen Blätter drang, kam es Simon vor, als habe der Wald nichts mehr von den drohenden Schrecken der vergangenen Nacht an sich. Vielleicht war es die Gesellschaft der anderen Männer, vielleicht auch die Tatsache, dass er bereits wusste, was auf der Lichtung auf sie wartete. Die Männer gingen leise und schweigsam hinter ihm her. Sie spürten, dass sie es hier nicht mit einem gewöhnlichen Mord zu tun haben würden, dass sich ihr Leben in diesen Tagen verändern würde. Auch wenn sie die Mörder fangen und bestrafen würden – ein dunkler Schatten hatte sich über das friedliche Land gelegt.

Simon dachte an etwas anderes. Der Abt war ein reicher und mächtiger Mann gewesen – wenn nicht, hätte er den Posten niemals bekommen. Das bedeutete, dass er, der Vogt, die Täter um jeden Preis ergreifen musste. Das Rätsel um Brewers Tod musste warten, er war nur ein Bauer, der Abt hingegen … Er spürte die schwere Last der Verantwortung auf seinen Schultern. Wenn er die Mörder fing, würde ihm das in der neuen Stellung sehr nützen – aber was, wenn er versagte?

Sie brauchten über eine Stunde, bis sie die erste Lichtung erreicht hatten. Die Männer blieben stehen, während Black die Spuren begutachtete. Schulterzuckend erhob er sich aus der Hocke und sein Blick folgte dem Finger Simons, der auf die Stelle deutete, wo die Leiche an den Baum gefesselt war. Als Black dorthin ging, spürte Simon, wie ihm die Beine schwer wurden. Fast schien es, als wollten sie ihn daran hindern, den Anblick des Abtes noch einmal ertragen zu müssen, aber er gab sich einen Ruck und folgte dem Spurensucher mit festen Schritten.

Als sie aus dem Schatten der Bäume traten, blieb Black plötzlich stehen und Simon hörte, wie er tief Luft holte. Doch dann konzentrierte er sich sofort wieder auf die Fährte, als sei der Anblicks des Toten eine unerlaubte Ablenkung gewesen.

Er sah über die Schulter zu Simon und reichte ihm die Zügel seines Pferdes. Dann ging er die Stelle mit sorgenvoller Miene ab, blieb stehen und schaute eine Weile in den Wald. Schließlich umkreiste er den Ort noch einmal, bevor er zu Simon zurückkehrte.

»Kann nicht viel sagen, Sir«, meldete er mit zusammengekniffenen Augen. »Auf der ersten Lichtung waren drei Männer, alle auf Pferden. Der eine hat sein Pferd dort gelassen. Die anderen wurden in der Nähe angebunden. Der Tote wurde hierher geschleppt und an den Baum gebunden, man kann die Schleifspuren gut erkennen. Dann schichteten die anderen Zweige um ihn herum auf und zündeten sie an. Es scheint, als hätten sie zugesehen, wie er verbrannte.« Er deutete auf eine Stelle. »Hier haben sie gesessen. Als er tot war, führten sie ihre Tiere durch die Bäume am anderen Ende der Lichtung, dort drüben. Das dritte Pferd ist irgendwann davongelaufen, offenbar bevor die anderen diesen Platz verließen. Sie haben sich nicht die Mühe gemacht, es zu suchen.«

»Kannst du den Spuren folgen?«

»Ich schätze schon. Eines der Pferde war groß und schwer. Die Spuren sind tief genug. Eines noch – es sieht so aus, als hätte es einen Nagel am hinteren rechten Huf verloren, und es ist wohl auch schon eine Weile her, seit man es das letzte Mal beschlagen hat. Das andere Pferd war kleiner und leichter.« Er zögerte kurz und warf einen schnellen Blick zu den Bäumen hinüber. »Hier in diesen Wäldern kommen wir nicht sehr schnell voran. Wir müssen die Pferde führen, wie sie es wahrscheinlich auch getan haben. Vielleicht können wir später wieder aufsteigen, ich weiß es nicht. Ich bin noch nie so weit westlich gewesen.«

Simon nickte und rief Tanner zu: »Zwei Männer sollen die Leiche losschneiden und zu Greenfields Hof bringen. Dort sollen sie auf eine Nachricht von uns warten.« Tanner wählte die Männer umgehend aus. Simon wandte sich an Bruder David. »Willst du mit ihnen zurückreiten? Ich glaube nicht, dass du uns bei der Verfolgung helfen kannst. Es wäre besser, wenn du zum Hof zurückkehrst und dich ein bisschen ausruhst.« David nickte. Er starrte voller Entsetzen auf den Leichnam seines Abtes. Der Schock stand ihm ins Gesicht geschrieben. Simon nickte dem Jäger zu. »Also los, schnappen wir uns diese Bastarde.«

Plötzlich fiel ihm etwas ein und er fragte den Mönch: »David, das Pferd des Abtes, wie sah es aus?«

»Oh, es war eine hellgraue Stute. Sehr sanft, sehr gutmütig.«

»Gibt es etwas, woran man sie noch erkennen kann?«

Der junge Mönch überlegte kurz. »Ja, sie hat auf der linken Seite ihres Widerrists eine Narbe, etwa drei Zentimeter lang.«

»Gut«, sagte Simon »Was meinst du, Black, sollen wir das Pferd jetzt suchen?«

»Das können wir später machen, denn jetzt sind die Spuren noch deutlich zu erkennen. Wir sollten unsere Truppe zusammenhalten, damit wir genügend Männer haben, falls wir auf die Mörder stoßen.«

Simon nickte und Black nahm die Zügel seines Pferdes und führte es in den Wald. Simon folgte ihm und sah sich nach den beiden Männern um, die Tanner aufgefordert hatte, die Leiche abzuschneiden. Sie durchtrennten gerade die Lederriemen, mit denen die Arme gefesselt waren, dann verdeckten die Bäume die Sicht auf das Geschehen. Erleichtert wandte er den Blick von diesem schwarzen, entstellten Klumpen ab, der vor zwei Tagen noch ein lebendiger Mensch gewesen war, und schaute nach vorn, wo sich vielleicht die Übeltäter verbargen.

Die Spur führte sie einen Hügel hinauf; auch hier war der Wald so dicht, dass sie kaum wussten, in welche Richtung sie gingen. Die Spuren verliefen fast in gerader Linie, als hätten die Männer keine Schwierigkeiten gehabt, sich zu orientieren. Simon fragte sich, ob es sich womöglich um Einheimische handelte. Zwar konnte er sich kaum vorstellen, dass jemand aus der Grafschaft zu einer solchen Tat fähig war, aber jemand, der sich hier nicht auskannte, hätte sich niemals so sicher zwischen den Bäumen hindurch bewegen können.

Ihr Weg führte sie über Dutzende kleiner Bäche und

Rinnsale, und es kam häufig genug vor, dass einer der Männer stolperte oder ausrutschte, wenn er sein Pferd einen der vielen kleinen Hügel hinaufführen musste. Sie folgten den Spuren der Mörder durch das dichte Unterholz. Offensichtlich hatten sie sich nicht die Mühe gemacht, sie zu verwischen. Überall dort, wo das Unterholz sich lichtete, sah man die Hufabdrücke deutlich in der Erde. Vielleicht hatten sie nicht damit gerechnet, so schnell verfolgt zu werden. Oder hatte sie ihre Tat selbst so sehr verstört, dass sie nur so schnell wie möglich davonkommen wollten? Jedenfalls konnte man ihnen leicht folgen. Nach drei oder vier Meilen sah Simon einen Lichtschimmer zwischen den Bäumen. Inzwischen waren sie sicherlich bereits über zwei Stunden unterwegs. Sein Rücken, seine Oberschenkel und seine Waden taten ihm weh. Er sah zu Black hinüber. Der Jäger schien das Licht nicht bemerkt zu haben, sein Blick war noch immer auf den Boden geheftet. Simon schaute nach vorne. Es wurde tatsächlich heller. Bald würden sie den Waldrand erreichen. Dann würden sie auf ihre Pferde steigen und losgaloppieren können. Er spürte, wie seine Erregung wuchs, als sie langsam die letzten Meter bewältigten.

Jetzt sah auch Black auf, aber er reagierte ganz anders als Simon. Er schüttelte den Kopf und schaute äußerst unzufrieden drein, und als sie den Waldrand endlich erreicht hatte, wusste Simon warum.

Als er die Straße sah, verließ ihn fast gänzlich der Mut, und er stöhnte laut auf. Es war die Hauptstraße, die nach Barnstaple führte: Karren und Kutschen hatten mannigfache Spuren hinterlassen, und zwischen den tiefen Rillen der Räder hatte sich der Lehm zu einer kompakten Masse zusammengeschoben. Simon erkannte, dass sie der Fährte hier nicht mehr folgen konnten. Er seufzte leise, als er Black aus dem Wald kommen sah. Der Jäger ließ den Blick über den Boden wandern und folgte den letzten erkennbaren Spuren, die Pferde und Reiter hinterlassen hatten. Aber sie verloren sich rasch in dem bereits vorhandenen Spurengewirr.

Enttäuscht sah Simon, wie Black die Zügel seines Pferdes um einen Ast schlang. Es wäre furchtbar, wenn sie die Fährte nach all der Anstrengung hier verlieren würden. Der Jäger gab sich alle Mühe, doch noch eine Spur zu finden, der man folgen konnte.

Er suchte die Straße ab, die nach Crediton führte, und ging mit langsamen Schritten voran. Immer wieder betrachtete er die Grasnarbe, um zu sehen, ob dort Spuren der Reiter zu finden waren. Nachdem er auf diese Weise mehrere Meter zurückgelegt hatte, kehrte er um und ging in die andere Richtung. Er wiederholte die Prozedur und kam dann zu Simon zurück.

»Es tut mir Leid, aber hier kann ich nichts mehr machen. Die Spuren vermischen sich mit denen, die schon vorhanden.« Er hob hilflos die Hand und schaute nach links und rechts. »Ich könnte nur raten, ich weiß es einfach nicht.« Er zuckte mit den Schultern und sah Simon niedergeschlagen an.

Simon spürte, wie ihn ein Gefühl der Ohnmacht ergriff. Er musste die Mörder finden! Das war die Tat von Wahnsinnigen gewesen, und bis sie gefasst waren, würde diese Gegend nicht zur Ruhe kommen. Enttäuscht stand er da und starrte ins Leere. Tanner kam auf ihn zu, aber Simon schien ihn kaum zu bemerken.

»Gibt es Schwierigkeiten?«, fragte Tanner leise.

»Sieh selbst«, entgegnete Black. »Auf dieser Straße kann man keine einzelnen Spuren mehr erkennen. Ich habe mein Bestes getan, aber ab hier kann man nur noch raten, in welche Richtung sie geritten sind.« Er sprach fast flehentlich, als erhoffe er sich von dem Constable die Bestätigung, dass es wirklich nicht seine Schuld war.

»Vogt?«

»Ich weiß nicht. Wir können doch nicht einfach aufgeben. Wir müssen diese Teufel finden.« Simon war verzweifelt und verwirrt. »Gebt mir eine Minute Zeit; ich muss nachdenken.«

Die beiden anderen sahen ihm nach, während er bis zur Mitte der Straße lief, innehielt und in beide Richtungen schaute. Tanner sagte kein Wort, und auch Black kratzte sich nur nachdenklich am Hinterkopf, während er noch immer mutlos auf den Boden starrte.

Diese Männer haben den Abt verschleppt, dachte Simon, sie haben ihn ausgeraubt und getötet – aber warum haben sie ihn nicht einfach erstochen, warum mussten sie ihn verbrennen? Großer Gott, hilf mir!

Er hockte sich hin, betrachtete noch einmal das Wirrwarr der Spuren auf der Straße und schaute in die Ferne. »Ich weiß nicht, warum sie den Abt getötet haben. Ich weiß nur, dass sie es getan haben und dass wir sie finden müssen, und zwar schnell. In welche Richtung sind sie geritten? Nach Crediton oder nach Barnstaple? Verdammt noch mal«, murmelte er.

Er ging zu den Männern zurück. Tanner, Black, kommt zu mir. Also, wir wissen nicht, welchen Weg sie eingeschlagen haben. Wenn ich so etwas getan hätte, würde ich mich im Moor verstecken, aber diese Männer sind offenbar weitergeritten. Tanner, wohin würdest du an ihrer Stelle gehen?«

Der Constable sah ihn überrascht an und zog die Mundwinkel herab, während er überlegte. »Ich würde sehen, dass ich so schnell wie möglich nach Barnstaple käme, und von dort nach Cornwall.«

»Black?«

»Ich würde nach Hause reiten und so tun, als sei ich nie fort gewesen.«

»Mmh, ihr habt Recht. Ein Fremder würde aus der Gegend verschwinden, ein Mann aus der Gegend würde sich zu Hause verstecken.«

»Hilft uns das weiter?«, fragte Tanner skeptisch.

»Nur insofern, dass wir keine andere Wahl haben, als drei Gruppen zu bilden. Tanner, du reitest nach Barnstaple und erkundigst dich, ob dort zwei fremde Reiter gesehen worden sind. Frag in den Häusern nach einem Mann auf einem großen Pferd und einem auf einem kleineren. Sie tragen Ritterkleidung, aber keine Wappen, die ihren Namen oder den Namen ihres Lehnsherren verraten würden. Wir reiten nach Crediton und versuchen, dort eine Spur von ihnen zu finden. Die anderen Männer werden in den Hütten in der Umgebung nachfragen. Tanner, du reitest mit deinen Leuten bis Elstone, wenn du dann immer noch keine Spur gefunden hast, könnt ihr euch von dort auf den Heimweg machen. Wir werden sehen, ob wir irgendetwas finden.«

»Wir brauchen noch einen zweiten Spurenleser«, meinte Black. »Es könnte ja sein, dass sie die Straße irgendwann verlassen haben und wieder in die Wälder geritten sind.«

»Gut. Tanner, kann jemand von deinen Männern das übernehmen?«

»Ja, der junge Fasten hat gute Augen. Ich nehme ihn mit. Was ist mit der dritten Gruppe?«

»Zwei Männer reichen. Sie müssen sich aber in der Gegend auskennen, um in jedem Haus nachzufragen, ob man hier vor kurzem zwei Reiter gesehen hat. Ach ja, und sie sollen in Erfahrung bringen, ob jemand eine graue Stute gesehen hat, vielleicht ist sie gefunden worden. Und sie sollen herausbekommen, ob in vergangenen Nacht jemandem etwas aufgefallen ist. Irgendwer muss den armen Kerl doch gehört haben – ein Jäger oder ein Holzsammler vielleicht.«

»Gut, Vogt, ich teile die Männer ein. Mark und Godwen kennen sich hier am besten aus.«

»Schön. Wir fragen in Crediton nach. Vielleicht haben wir Glück und finden jemanden, der sie auf der Straße gesehen hat. Ich habe nicht viel Hoffnung, aber wir haben keine Wahl, oder?«

Black und Tanner nickten. Sie gingen zu den Männern zurück und machten sich auf den Weg.

Auf der Straße, die in die Stadt zurückführte, ritt Black wieder voran. Immer wieder ließ er den Blick über den Weg gleiten, damit ihm nichts entging. Simon ritt hinter ihm und zerbrach sich den Kopf über die Gründe für das schreckliche Verbrechen.

Es kam vor, dass jemand ausgeraubt und anschließend getötet wurde, sicherlich, aber ein solch grausamer Mord schien keinen Sinn zu ergeben.

Wenn die Täter den Abt nicht als Geisel nehmen wollten, hätten sie sich seiner weitaus schneller entledigen können. Aber sie waren tief in den Wald geritten, damit niemand die Rauchsäule des Feuers sah und die Schreie des Sterbenden hörte.

Simon schüttelte den Kopf und konzentrierte sich auf seinen Spurensucher. Es hatte keinen Sinn, sich weiter das Hirn zu zermartern. Die Antworten würden von selbst kommen, wenn sie die Mörder fingen. Und darum ging es jetzt.

Am späten Nachmittag trafen sie erschöpft und hungrig in Crediton ein. Simon bedankte sich bei den Männern, insbesondere bei Black, und schickte sie nach Hause, damit sie endlich etwas zu essen bekamen. Er bat den Jäger, dafür zu sorgen, dass sie sich am nächsten Tag wieder trafen, um bei den Bauern nachzufragen, wer sich zum Zeitpunkt des Mordes nicht zu Hause aufgehalten hatte. Dann machte er sich ebenfalls auf den Heimweg.

Als er daheim ankam, sattelte er sein Pferd ab, ging ins Haus hinein und setzte sich ans Feuer. Gedankenverloren saß er dort, bis seine Frau und seine Tochter den Raum betraten. Margret stand lächelnd dabei, als Edith auf ihren Vater zustürmte und ihn umarmte. Als sie sich ausgetobt hatte, begrüßte auch sie Simon.

Doch als sie ihm in die Augen sah, merkte sie sofort, dass etwas nicht stimmte. »Was hast du?«, fragte sie. »Du wirkst so angespannt.«

»Mach dir keine Sorgen«, sagte er mit einem mühsamen Lächeln. »Es ist wegen des Überfalls bei Copplestone.«

»Was ist passiert?«

Edith sollte die Geschichte nicht mitanhören. Nachdem Simon sie zum Spielen nach draußen geschickt hatte, nahm er seine Frau bei der Hand und setzte sich mit ihr an das Feuer. »Nun, es war nicht nur ein Überfall. Die Diebe verschleppten einen Mönch – einen Abt – und töteten ihn. Warum, weiß ich nicht.« Er zögerte. Als er weitersprach, klang es fast so, als wundere er sich noch immer über die

Tat. »Es waren zwei Männer in Rüstung und mit Helm, die den Abt in die Wälder schleppten. Die Mönche konnten ihre Gesichter nicht erkennen. Der Abt schien gewusst zu haben, dass er in Gefahr war – selbst ich habe seine Angst gespürt, als ich ihm vor Tagen unterwegs begegnet bin. Aber warum nur? Warum mussten sie ihn töten, wenn sie auf sein Geld aus waren?«

Margret hatte sich noch nie in ihrem Leben bedroht gefühlt. Die Überfälle und Plünderungen der vergangenen Zeiten hatten aufgehört; nur die Küstenregionen hatten noch darunter zu leiden. Aber wenn Simon Recht hatte, dann gab es in dieser Gegend zwei Männer, denen alles zuzutrauen war. Sie hatte nicht so sehr Angst um sich, sondern um Edith und Simon. Was, wenn Simon die Mörder wirklich stellte? Was, wenn sie ihn töten würden, so wie man ihren Vater vor vielen Jahren bei einem Überfall auf der Straße getötet hatte? Die Furcht schnürte ihr die Kehle zu, aber sie gab sich alle Mühe, ihre Besorgnis nicht zu zeigen. »Vielleicht glaubten sie, ein Lösegeld für den Abt erpressen zu können«, sagte sie mit ruhiger Stimme. »Vielleicht haben sie ihn deshalb entführt.«

»Aber warum hätten sie ihn dann töten sollen?«

»Möglicherweise hat er versucht zu fliehen.«

»Nein, das glaube ich nicht. Der Abt ist getötet worden, sobald sie sich weit genug von der Straße entfernt hatten. Sie haben ihn ermordet, sobald es ihnen möglich war.«

»Vielleicht hat er sie erkannt.«

»Ja, das ist möglich. Aber die Mörder werden ihre Helme kaum abgenommen haben.«

»Und wenn sie sich in Gefahr glaubten und den Abt in Panik umgebracht haben?«

Simon sah sie an. »Nein, nein. Sie waren sich ganz sicher, und sie haben sich viel Zeit gelassen. Sie haben den Abt verbrannt, auf einem Scheiterhaufen, wie einen Ketzer. Sie haben ihn im Wald an einen Baum gefesselt.«

»Was?« Margret sah ihn fassungslos an. »Er wurde bei lebendigem Leibe verbrannt? Warum tut jemand einem Mönch so etwas an?«

»Ich wünschte, ich wüsste es«, sagte Simon und starrte ins Feuer. »Es muss einen Grund geben, aber ich kenne ihn nicht.«

»Sucht man nach den Mördern?«

»Ja. Die beiden sind an der Straße nach Barnstaple aus dem Wald gekommen. Tanner ist mit einer Gruppe nach Westen geritten, um dort zu suchen. Wir haben zwei Männer losgeschickt, die in den Hütten und Höfen in der Gegend nachfragen, und wir sind selber nach Crediton geritten. Aber bis jetzt gibt es noch keine Spur von ihnen.« Er streckte sich und gähnte. »Aber vielleicht hat Tanner mehr Glück gehabt.«

»Und was hast du jetzt vor?«

Er gähnte erneut und rieb sich die müden Augen. »Das hängt davon ab, was die Männer herausfinden. Wenn –«

»Nein, Simon, das meine ich nicht«, unterbrach sie ihn. »Aber was wird jetzt aus unserem Umzug, müssen wir ihn verschieben? Und was ist mit dem Mord an Brewer?«

»Oh. Nun, den Umzug müssen wir in der Tat verschieben. Ich kann nicht auf die Burg ziehen, bevor wir uns Klarheit darüber verschafft haben, was hinter dem Mord an dem Abt steckt. Und Brewer? Nun, diese Sache muss erst einmal warten. Den Mord an einem Abt aufzuklären, ist zweifellos wichtiger. Brewer war schließlich nur ein alter Bauer.«

Sie nickte traurig. Natürlich war ihr klar, dass er Recht hatte, aber es schmerzte sie trotzdem, dass ihr eigener Mann, von dem sie wusste, wie gütig und freundlich er war, den Tod eines Bauern für unwichtig erklärte. Sie fragte ihn jedoch nur: »Und was hast du morgen vor?«

»Morgen, meine Liebe, reite ich nach Clanton Barton und spreche noch mal mit den Mönchen. Ich habe das Gefühl, dass sie mehr wissen, als sie mir gesagt haben.«

Das Ehepaar saß schweigend nebeneinander. Beide sahen ins Feuer und hingen ihren Gedanken nach. Plötzlich richtete Margret sich auf.

»Was ist?«, fragte Simon besorgt.

»Oh, Simon«, sagte sie und sah ihn mit vor Schreck geweiteten Augen an. »Was, wenn die beiden Männer von den gleichen Leuten umgebracht worden sind?«

»Was?«

»Brewer und der Abt wurden beide beraubt und umgebracht, und zwar auf die gleiche Weise. Beide sind sie verbrannt worden. Ich habe Angst, Simon.«

Kapitel 13

Am nächsten Morgen stand Simon schon früh auf und ritt mit Hugh im Schlepptau los. Margret schickte einen der Bediensteten zu Black, um den Jäger zu informieren, dass Simon nicht zu Hause sein würde. Außerdem sandte sie einen weiteren Mann nach Furnshill Manor, der Baldwin mitteilen sollte, dass der Vogt sich um die Klärung von Brewers Tod vorerst nicht mehr kümmern konnte. Schließlich bestand sie darauf, dass Simon nicht allein losritt, sondern Hugh mitnahm.

Im Grunde schämte sie sich wegen ihrer Ängste. Es war sehr unwahrscheinlich, dass jemand Simon überfallen würde, aber sie hatte nie vergessen, wie die Leiche ihres Vaters ausgesehen hatte, als die Männer sie nach Hause gebracht hatten. Fast wäre sie an dem Anblick zerbrochen, und um nichts in der Welt wollte sie einen solch furchtbaren Verlust noch einmal erleiden. Die entstellte Leiche ihres Vaters ... Sie wusste, dass sie den Verstand verlieren würde, wenn sie Simon eines Tages so zu ihr brächten. Sie teilte Simon diese Gedanken aber nicht mit, sondern überredete ihn nur mit sanfter Gewalt. »Ich weiß, dass er langsam ist, aber das ist mir egal. Falls diese Männer sich noch in der Gegend aufhalten, ist es sicherer so.«

»Aber meine Liebe, sie können überall sein. Vielleicht sind sie längst über alle Berge. Und Hugh hält mich nur auf.«

»Wir wissen nicht, wo sie sind, weil ihr ihnen nicht folgen konntet. Also können sie auch noch hier sein. Du nimmst Hugh mit, für alle Fälle.«

»Aber ...«

»Dann nimm ihn einfach mit, damit ich mich ein bisschen besser fühle.«

»Sicher, es ist nur so …«

»Damit ich weiß, dass dir im Notfall jemand hilft.«

Schließlich hatte er mit den Schultern gezuckt und aufgegeben. Margret war auf dem Hof bei ihren Bediensteten in Sicherheit, selbst wenn die Gesetzlosen hier auftauchen sollten. Simon konnte es sich wirklich erlauben, Hugh mitzunehmen. Der schien allerdings von dem gemeinsamen Ausflug noch weniger begeistert als sein Herr. Hugh war ein treuer Begleiter, und er hatte vor Jahren einmal bewiesen, dass er auch im Kampf seinen Mann stehen konnte, als Simon und er auf dem Wochenmarkt in Moretonhampstead von drei Dieben überfallen worden waren. Mit Erstaunen hatte Simon gesehen, wie der ansonsten so brummige und zurückhaltende Mann förmlich explodiert war und die drei Strolche mit bloßen Fäusten und dem Knüppel, den er einem der Räuber entrissen hatte, in die Flucht geschlagen hatte.

»Ich wusste gar nicht, dass du so kämpfen kannst«, hatte Simon verwundert gesagt.

Der Ausdruck grimmigen Stolzes, den der Sieg auf Hughs Gesicht gezaubert hatte, war sofort wie weggefegt, als schäme er sich fast für diese ungeahnten Talente, oder als fürchte er, sie von nun an öfter demonstrieren zu müssen als ihm lieb war. Erst als Simon nicht locker ließ, bequemte Hugh sich zu einer Erklärung. »Als kleiner Junge musste ich die Schafe hüten, und es kam öfter vor, dass größere Jungen versuchten, ein oder zwei zu stehlen, weil sie selber Tiere verloren haben. Und weil ich wusste, dass mir mein Vater die Haut vom Hintern prügeln würde, wenn ich ein Schaf verlöre, habe ich schnell gelernt, wie man sich wehrt.«

Trotzdem behagte ihm der Gedanke, überfallen und vielleicht mit dem Schwert angegriffen zu werden, keinesfalls. Auf dem Weg sah er sich immer wieder ängstlich um, was seine Gangart noch langsamer machte als gewöhnlich. Simon wurde langsam ungehalten.

Er wartete, bis sein Knecht zu ihm aufgeschlossen hatte. »Mach voran, Hugh. Was hast du denn?«

»Was?« Als Hugh ihn ansah, erkannte Simon, dass er tatsächlich Angst hatte.

»So habe ich dich ja noch nie gesehen. Was beunruhigt dich so?«

»Ich habe noch nie wirklich ernsthaft kämpfen müssen. Ich habe es auch noch nie mit Männern zu tun gehabt, die einen Menschen auf dem Scheiterhaufen verbrennen. Ich habe einfach Angst davor, dass sie uns begegnen.«

»Aber es sind nur zwei. Gegen zwei Männer werden wir uns schon verteidigen können.«

»Gegen zwei Ritter in Rüstung? Gegen zwei Männer, die nicht einmal die ewige Verdammnis fürchten, die ihnen sicher ist, weil sie einen Mann der Kirche getötet haben? Ihr glaubt, wir könnten uns gegen diese Männer verteidigen? Jesus Christus!«

Simon ritt weiter. Sicher, die Angst seines Knechts war verständlich, aber wenn schon sein eigener Mann sich so fürchtete, wie erging es dann den anderen Menschen in der Gegend? Wahrscheinlich trauten sie sich kaum noch auf die Straße.

In Gedanken versunken ritten sie schweigend weiter. Am Himmel trieben leichte Regenwolken dahin und verdeckten die Sonne. Immerhin lieferte das Simon einen guten Grund, das Tempo anzuziehen, und so legten sie die Strecke schneller zurück als erwartet.

Als sie in Clanton ankamen, sah der Vogt zu seiner Überraschung David, den jungen Mönch. Er lehnte in Gedanken versunken an einem Gatter, das zu den Feldern führte.

»Guten Morgen, David.«

»Guten Morgen, Vogt«, entgegnete der Mönch mit einer Stimme, in der Ratlosigkeit und tiefe Trauer mitschwangen.

»Geht es dir gut, David?«, fragte Simon. Er hatte Mitleid mit dem jungen Mann, der so mutlos wirkte.

Der Mönch sah fast trotzig zu ihm hinauf, als empfände er Simons Frage als puren Hohn. »Gut? Ob es mir gut geht? Nach dem, was wir gestern gesehen haben? Einen Abt, den man wie einen Ketzer getötet hat? Wie kann es mir da gut gehen?« Er senkte die Stimme und sagte voller Schmerz: »Alles schien friedlich, als wir aufbrachen, und nun ist der Abt tot. Jemand hat ihn auf grausamste Weise ums Leben gebracht. Nichts ist mehr wie vorher. Ich will nur noch eines, ich will in mein Kloster, nach Tychfield, aber nun muss ich nach Buckland, um in der Priorei der Trauerfeier beizuwohnen.« Plötzlich sah er zu Simon auf. »Es tut mir Leid, Vogt, wenn ich so mutlos wirke, aber ich verkrafte es einfach nicht, diesen Anblick, die verbrannte Leiche ...«

Der Vogt und sein Knecht stiegen von den Pferden und begleiteten den Mönch auf seines Weg zum Gehöft. »Habt Ihr denn schon einen Verdacht, warum der Abt getötet wurde?«, fragte David.

Simons Miene verdüsterte sich und er zog die Schultern hoch. »Ich weiß es nicht. Ich weiß nicht, wer den Mann entführt und getötet hat, und ich weiß auch nicht, warum es auf diese scheußliche Weise geschehen ist.«

Der Mönch sah ihn niedergeschlagen an.

»Sag mir eines, David«, fuhr Simon fort. »Wie gut kanntest du den Abt?«

»Eigentlich überhaupt nicht. Ich lernte ihn kennen, als er in Tychfield eintraf. Er befand sich auf dem Weg nach Buckland und ich sollte ihn begleiten und einige Waren und Geschenke mitnehmen. Während der Reise erwies er sich als wenig gesprächig. Er hing offenbar seinen eigenen Gedanken nach, und ich habe kaum ein Wort mit ihm gewechselt.«

»Aber du wirst doch irgendetwas über ihn wissen.«

»Nun, nicht viel. Er kam aus Frankreich, das weiß ich. Ich sah das Schreiben das Papstes.«

»Des Papstes?«, fragte Simon verblüfft. »Was wollte er dann in Buckland? Warum ist er nicht in Avignon am päpstlichen Hof geblieben?«

David sah den Vogt misstrauisch an. Offenbar wusste er ihn nicht recht einzuschätzen. »Vielleicht fand er es an der Zeit, Frankreich zu verlassen.«

»Was meinst du damit?«

»Nun, der neue Papst mochte den alten nicht, und so fielen auch die Günstlinge des alten bei ihm in Ungnade. Ich glaube, dass auch der Abt nicht sehr beliebt war, und dass der Papst ihm Buckland gab, damit er aus Frankreich verschwinden solle.«

»Tatsächlich?«

»Er hat nie davon gesprochen, aber ...« Er zögerte kurz, aber dann sprudelten seine Worte nur so hervor. »Also, ich glaube, so war es, ich glaube, er war ins Abseits geraten. Der neue Papst hatte von irgendetwas gehört, das der Abt getan hatte, und schob ihn gleichsam ab. Das hat den Abt wohl sehr tief getroffen. Er war sehr hochmütig.«

»Warum sagst du das über ihn?«

David lachte bitter. »Ich bin ein Mönch. Ich bin jung und noch nicht lange im Orden, aber dennoch ... Mönche sollen demütig sein. Er jedoch verhielt sich den anderen gegenüber wie ein Ritter, er beschimpfte uns und behandelte uns von oben herab. Es kam vor, dass er sich betrank und fremde Menschen beleidigte, einmal mussten wir sogar verhindern, dass er verprügelt wurde. Aber wenn Ihr mehr über ihn wissen wollt, sprecht mit Bruder Matthew. Er ist zusammen mit dem Abt aus Frankreich gekommen. Er weiß sicher einiges über ihn.«

»Wer ist Bruder Matthew?«

»Der alte, fröhliche – jetzt wirkt er allerdings nicht mehr so fröhlich. Der Ärmste! Ihn scheint die ganze Sache am meisten mitgenommen zu haben. Er kannte den Abt ja auch am längsten.«

»Waren sie befreundet?«

»Oh, ich glaube schon, das heißt ... eigentlich weiß ich es nicht.«

Den Rest des Weges legten sie schweigend zurück. David schien bereits zu bedauern, dass er überhaupt etwas gesagt hatte und blockte jeden Versuch, das Gespräch fortzuführen, ab. Simon war froh, als sie Clanton Barton erreichten. Vielleicht konnten die anderen ihm mehr sagen, vielleicht konnte er auf diese Weise Licht ins Dunkel bringen.

Doch als Simon das Innere des Hauses betrat, in dem das große Feuer loderte, kam es ihm vor, als sei sein Kopf völlig leer und als wisse er keine einzige Frage zu stellen. Es schien ihm grotesk, diese braven Mönche nach der Vergangenheit des Abtes auszufragen, aber es gab keine andere Möglichkeit. Er wollte einfach so viel wie möglich über den Mann herausfinden. Denn in der Vergangenheit musste es etwas geben, das mit dem Mord zusammenhing. Es gab nur zwei Möglichkeiten: Entweder hatten die Mörder ihr Opfer nicht gekannt – dann wäre es ein völlig sinnloses Verbrechen gewesen. Oder aber sie hatten es gekannt und aus einem ganz bestimmten Grund getötet. Die Frage lautete also: Wer wollte den Tod dieses Abtes? Der einzige Weg, das herauszufinden, schien, die Mönche zu befragen. Einer von ihnen musste doch etwas über den Mann wissen, den sie begleitet hatten.

»Ich nehme an, ihr wisst mittlerweile, dass wir die Leiche eures Abtes gefunden haben«, begann er, nachdem er sich auf einen Stuhl gesetzt hatte, in die Runde blickend. Die Mönche waren geradezu aufgeschreckt, als Simon den Raum betreten hatten, und nun sahen sie ihn an wie eine Herde ängstlicher Schafe. Simon seufzte. Leicht würde es nicht werden. »Jemand hat ihn an einen Baum gebunden und verbrannt, wahrscheinlich bei lebendigem Leibe. Er ist auch ausgeraubt worden, aber das erklärt die Tat natürlich nicht. Warum ist er auf diese Weise getötet worden, warum hat man ihn wie einen Ketzer verbrannt? Ich habe keine Ahnung warum, und ich brauche eure Hilfe.«

Er erhob sich und ging langsam hinter den auf dem Boden kauernden Mönchen auf und ab. Sie drehten sich zum ihm, aber er beachtete sie nicht. Während er weiterredete, schien es, als spräche er zu sich selbst und sei sich ihrer Anwesenheit gar nicht bewusst. »Er wurde aus eurer Mitte verschleppt, und dass man ihn in die Wälder brachte, könnte darauf hindeuten, dass man ein Lösegeld für ihn erpressen wollte. Aber es ist seltsam, dass es nur zwei Reiter waren. Räuber tun sich nicht zu zweit zusammen. Zu zweit kann man keine größeren Gruppen von Reisenden überfallen. Waren diese Männer also Teil einer Bande oder waren es gar keine gewöhnlichen Räuber? Wir haben keine anderen Spuren gefunden, und es deutet alles darauf hin, dass sie in der Tat keine Komplizen hatten.

Das sie den Abt in den Wald entführten, ist nachvollziehbar, natürlich würden sie nicht auf der Straße weiterreiten, und in den Wäldern kann man etwaigen Verfolgern gut entkommen. Aber man würde meinen, dass die Entführer dann geflohen waren, um den Abt in ein sicheres Versteck zu bringen und Lösegeld für ihn zu fordern. Doch diese Männer banden ihn an einen Baum und verbrannten ihn. Warum? Warum haben sie das getan?« Er hob den Kopf und sah auf die Mönche herunter.

Dann ging er langsam zu seinem Stuhl am Feuer zurück, setzte sich und schaute sie wieder an. »Ich möchte, dass ihr mir alles über den Abt erzählt, was ihr wisst. Wie hieß er, woher kam er, was wollte er in Buckland? Alles. Wer kannte ihn von euch am besten?«

Er hatte sich bemüht, die Frage möglichst neutral klingen zu lassen, aber sie starrten ihn alle derartig verängstigt an, als habe er soeben sie des Mordes an dem Abt beschuldigt. Sicherlich war es die Erkenntnis, dass die Untat nicht das Werk einfacher Räuber war, die sie so schockiert hatte, aber als auch nach einigem Warten niemand irgendetwas beitragen wollte, wurde Simon langsam ungeduldig.

Er schaute zu David hinüber und fragte in etwas barscherem Ton: »Einer von euch muss ihn doch näher gekannt haben. Was war er für ein Mann?«

»Er war ein stolzer Mann.« Die Worte klangen weder anklagend noch entschuldigend, als sei das beschriebene Charaktermerkmal ein verzeihlicher Fehler für jemanden, der in Gottes Armee einen solch hohen Posten innehatte. Der älteste Mönch der Gruppe hatte die Stimme erhoben, aber er war nicht mehr jener fröhliche Gottesdiener mit dem Schalk in den Augen, sondern ein alter, nachdenklicher Mann, der offenbar zögerte, sich vor seinen Brüdern zu äußern. Erst als Simon ihn ansah, hob er den Blick. Der Mönch überlegte kurz und fuhr dann fort: »In Frankreich war er Ritter, und er hatte dem Papst gute Dienste geleistet. Deshalb war er zum Günstling Papst Clemens' – Gott sei seiner Seele gnädig – aufgestiegen, und das hatte ihn hochmütig gemacht. Nach dem Tod des Papstes bot man ihm Buckland an, und er entschloss sich, hierher zu kommen und seine letzten Jahre in Frieden und Andacht zu verbringen.«

»Wie heißt du?«

»Mein Name ist Matthew.«

»Danke. Und wie hieß er?«

»Oliver de Penne.«

»Warum bot man ihm Buckland an? Warum nicht ein Kloster in seinem Heimatland? Warum wurde er ins Ausland geschickt?«, fragte Simon.

»Warum Buckland? Vielleicht hielt es der Papst für angebracht, ihn so weit wie möglich von allen Versuchungen fern zu halten.«

»Was meinst du damit, eine Frau?«

Der alte Mönch lächelte nachsichtig. »Es gibt viele Formen der Versuchung, Vogt. Ich weiß es nicht. Vielleicht eine Frau. Wer weiß?«

»Kannst du dir einen Grund vorstellen, warum er sich so sehr davor fürchtete, auf der Straße angegriffen zu werden?«

»Angegriffen?« Die Frage schien den alten Mann zu verblüffen.

»Ja. Als ich euch auf der Straße bei Furnshill begegnete, fiel mir auf, welch große Angst er vor einem Überfall hatte. Er bat mich immer wieder, ihn auf der Reise zu begleiten, und als ich ablehnte, wirkte er sehr verärgert, wie du weißt.«

»Möglich«, entgegnete der Mönch achselzuckend. »Viele Menschen ängstigen sich, wenn sie in einer Gegend sind, die sie nicht kennen. Ich bin sicher, dass er lediglich einen Mann dabeihaben wollte, der sich auskannte.«

Simon überlegte. »Vielleicht«, räumte er ein. Hatte er sich etwa geirrt? Aber er erinnerte sich noch gut an die Miene des Abtes, der sein Unheil bereits zu ahnen schien.

»Aber du sagtest, er sei Ritter gewesen, und ein stolzer obendrein«, sagte er zu Matthew. »Ein solcher Mann würde sich in einem fremden Land nicht fürchten. Er muss in der Welt herumgekommen sein.«

»Ah, Ihr habt Recht, Vogt, sicherlich.«

Simon schnaubte ärgerlich. »Erinnert sich sonst jemand an etwas, das mir weiterhelfen könnte?« Niemand rührte sich. Sie starrten ihn nur weiter schweigend an. Matthew blickte ungerührt zur Decke hinauf.

Simon hob verzweifelt die Hände. »Könnt ihr mir denn gar nichts erzählen? Es muss doch irgendeinen Hinweis geben, warum er auf diese Weise zu Tode kam. Irgendetwas in seiner Vergangenheit. Ich kann nicht glauben, dass er einfach so umgebracht wurde – es muss einen Grund geben.« Er bekam keine Antwort. »In diesem Fall kann ich hier nichts mehr tun. Ich wünsche euch noch einen schönen Tag.«

Er stürmte wütend in den Flur hinaus, blieb dann jedoch stehen. Er hatte Verständnis für die Mönche, aber er konnte auch nicht glauben, dass sie wirklich nichts wussten. Als er die Hand auf das Türschloss legte, hörte er, wie sein Name gerufen wurde und sah verwundert, dass David und Matthew ihm gefolgt waren. Er nickte kurz und hob fragend die Augenbrauen.

»Vogt, wir werden unsere Reise bald fortsetzen. Vorher möchte Bruder Matthew jedoch noch ein paar Worte mit Euch wechseln«, sagte David und ging wieder zurück.

Simon sagte nichts. Dem Mönch schien sein Schweigen nichts auszumachen, er sah Simon lediglich mit ernster Miene an.

»Sollen wir nach draußen gehen, Vogt?«, schlug er schließlich vor. »Man sollte es ausnutzen, wenn die Sonne scheint, besonders da sie das in letzter Zeit nur selten tut.«

Simon öffnete die Tür und ließ Matthew den Vortritt. Sie gingen langsam die Straße hinunter.

»Es gibt Dinge, Vogt«, begann der Mönch, »die man in Anwesenheit der anderen Brüder besser nicht zur Sprache bringt. Das Weltliche verwirrt sie nur. Auch David, der erst ein paar Jahre im Orden ist, hat nicht allzu viele Erfahrungen in der Welt dort draußen gesammelt. Diese Angelegenheit hat sie alle sehr verstört, wie Ihr gemerkt habt. Deshalb hielt ich sie auch davon ab, den Entführern zu folgen. David wollte ihnen nachjagen, aber ich überredete ihn, es nicht zu tun. Die Männer sagten, sie würden de Penne töten, und auch uns, wenn wir es wagen würden, ihnen zu folgen. Es schien vernünftiger, Hilfe zu holen.« Er seufzte. »Möglicherweise habe ich mich geirrt. Vielleicht hätten wir ihn retten können.« Er blieb stehen und schaute nachdenklich über das Moor. »Es ist eine großartige Landschaft, nicht wahr?«

Simon hatte nicht die Absicht, über die Schönheit der Natur zu plaudern. »Du glaubst also, die Vergangenheit des Abtes könnte die anderen schockieren?«, fragte er und nahm interessiert den argwöhnischen Glanz in den Augen des Mönchs wahr.

»Seine Vergangenheit? Nun …« Er zögerte. »Ja, möglicherweise, aber nicht aus dem Grund, den ihr annehmt.« Sie gingen weiter. »Wisst Ihr, für manche ist die Kirche eine ganz einfache Einrichtung. Sie glauben, sie dient dem Lob Gottes und der Läuterung der Menschen, die Gott ihr Leben widmen. Meine Brüder glauben das, und sie wollen auch nichts anderes glauben. Ich unterscheide mich von ihnen, weil ich erst spät berufen wurde. Ich bin viel herumgekommen, ich habe fremde Länder und Völker kennen gelernt.« Er lachte laut auf. »Eine Zeitlang war ich sogar so etwas wie ein Pirat.«

»Und?«, fragte Simon ungeduldig.

»Und deshalb, mein Freund, weiß ich, wie es in der Welt zugeht. Meine Brüder wissen es nicht. Ich bemühe mich stets, demütig zu sein und das Beste im Menschen zu sehen, aber ich neige immer wieder zu dem Zynismus, der mich in meiner Jugend prägte. Manchmal ist es nicht einfach. Als ich Mönch wurde, wusste ich, dass ich ein Leben in Demut ertragen kann und anderen gerne helfen würde, aber mir war auch klar, dass es mir schwer fallen würde, zu glauben, dass alle Anordnungen der Kirche gut und richtig seien. Sie kommen nicht alle direkt von Gott. Manche sind reines Menschenwerk. Die anderen Mönche akzeptieren jedoch alles, als sei es von Gott gewollt.«

»Ich weiß nicht, ob ich –«

»Verzeiht, wenn ich abschweife. Ihr habt ja Recht. Ich will damit sagen, dass meine Brüder nicht verstehen, wie es in Avignon zugeht. Ich habe viele Jahre in der Welt vor den Klostermauern verbracht, ich verstehe es. Als ich Mönch wurde, trat ich zuerst in einen sehr alten und ehrwürdigen Orden ein, wo es Pflicht war, Ehre und Ehrlichkeit hochzuhalten. In meinen jetzigen Orden bin ich erst vor kurzem eingetreten, mein Freund, aber ich habe davor viele Jahre in Avignon verbracht. Vogt, der Papst ist Gottes Stellvertreter auf Erden. Er sollte ein Beispiel für die Christenheit sein – gläubig, treu und ehrenhaft. Aber dem ist nicht immer so. Die Heilige Kirche wird von Menschen verwaltet und Menschen sind fehlbar. Die Kontrolle über den Heiligen Stuhl bringt eine Fülle von Macht und Reichtum mit sich, und es gibt viele in der Kirche, die sich Vorteile verschaffen wollen. Manch einem wird ein Posten zugeschanzt. Manch ein Fehltritt kann durch eine bestimmte Summe abgegolten werden. Und manchmal, wenn der Papst es zu erlauben beliebt, kann ein Herrscher einen Freund in Amt und Würden setzen. Aber wenn ein Papst stirbt und ein neuer kommt, dann kann es sein, dass diese Männer sich plötzlich all ihrer Privilegien beraubt sehen. Dann müssen sie sich irgendwo etwas Neues suchen.«

»Und du meinst, genau das ist de Penne passiert?«

Der Mönch lachte. »Zweifellos. Ich glaube, er war ein Günstling König Philips und des letzten Papstes. Eines Abends, als er wieder betrunken war, hat er mir fast alles erzählt. Er versank in Selbstmitleid, beklagte sein Schicksal und beschwerte sich darüber, wie übel man ihm mitgespielt habe. Er sagte, er sei Mitglied eines großen Ordens gewesen, habe Papst Clemens einen Dienst erwiesen und sei deshalb zu Ehren gekommen, aber der neue Papst könne ihn nicht leiden und hätte ihn vom päpstlichen Hofe verbannt. Daher sein Umzug nach Buckland.«

»Hat er dir erzählt, was für einen Dienst er dem Papst erwiesen hat?«

»Nein, mein Freund. Ich wollte es auch gar nicht wissen. Wenn man einige Zeit in Avignon verbracht hat, hört man auf, den Klageliedern und Lamenti derjenigen zu lauschen, die sich benachteiligt fühlen. Davon gibt es einfach zu viele. Und zu viele vergessen nur allzu schnell, dass sie das Gelübde der Keuschheit und Armut abgelegt haben.«

»Du glaubst also, es sollte eine Strafe sein? Er ist hierher verbannt worden?«, fragte Simon.

»Nun, ich sehe Eure Skepsis. Eine recht milde Strafe, nicht wahr? Buckland soll eine blühende Abtei sein, und sie liegt in einem wunderschönen Teil des Landes. Aber der Papst oder wer auch sonst immer sein Feind war, wollte ihn einfach nur aus den Augen haben. Nach seinem Aufstieg folgte der Niedergang.«

Simon schaute stirnrunzelnd auf den Boden. »Könnte ein Feind aus Avignon seine Mörder geschickt haben?«

»Nun, der Papst sicherlich nicht, davon bin ich überzeugt. Vielleicht einer seiner Bischöfe, aber auch das bezweifle ich.« Er zögerte erneut und blickte über die Moore, die in der Ferne schimmerten. »Nein, ich würde meinen, dass es ein zufälliges Aufeinandertreffen war, und dass die Räuber ihn getötet haben, weil er sie beschimpft oder beleidigt hat. Wie ich schon sagte, er war ein stolzer, hochmütiger Mann, vielleicht hat er sie beleidigt und sie haben daraufhin beschlossen, ihn dafür zu bestrafen.«

»Aber das kann ich nicht glauben, Bruder. Entweder es waren Wahnsinnige ... oder sie wussten ganz genau, was sie taten, und hatten von vorne herein vor, ihn auf diese Weise zu töten, vielleicht um irgendein Zeichen zu setzen.«

»Dann waren es wohl Wahnsinnige«, sagte Matthew scheinbar gelassen, aber Simon bemerkte eine gewisse Unruhe an ihm.

»Aber das ergibt doch alles keinen Sinn. Warum ausgerechnet einen Abt?«

»Es gibt viele Gründe zu töten, Vogt«, entgegnete der Mönch und drehte sich plötzlich zu ihm. Er sah ihn ernst, fast traurig an. »Vielleicht mehr Gründe, als Ihr ahnt. Einige kennt Ihr sicher auch – Angst, Hass, Neid. O ja, es gibt viele. Ich habe selbst schon getötet, und wenn ich den Mann von damals sehe, sehe ich einen Wahnsinnigen.« Ein Schatten fiel über sein Gesicht, als er an eine Zeit dachte, die lange zurücklag. »Ich war Soldat und habe viele Menschen getötet. Das Ende des Abtes war schrecklich ... aber ich habe noch Schlimmeres gesehen – und Schlimmeres getan. Deshalb bin ich dem Orden beigetreten, um zu vergessen und Buße zu tun. Keiner der Morde, die ich begangen habe, hatte irgendeinen Sinn.«

»Ihr glaubt also wirklich, es handelt sich um Wahnsinnige?«

»Ja. In der Zeitspanne, in der sie le Penne das angetan haben, waren sie wahnsinnig.«

»Wir müssen sie fangen und verhindern, dass sie es noch einmal tun.«

»Sicherlich«, entgegnete der Mönch und sah ihn eindringlich an. »Aber ich glaube nicht, dass sie es noch einmal tun werden, Vogt.«

»Warum nicht?« Simon war völlig verwirrt.

»Wer immer es getan hat, war wahnsinnig, aber jetzt ist er wieder gesund und wird es nie mehr tun. Glaubt mir. Eure Leute sind vor ihm sicher.«

Simon starrte ihn an. »Wie kannst du so etwas behaupten?« Nur mühsam konnte er seinen Zorn unterdrücken. »Ein Mann wurde auf grausame Weise ermordet und du willst mir weismachen, sein Mörder sei wahnsinnig, aber jetzt wieder geheilt? Und das soll ich glauben?«

Der Mönch zuckte nur mit den Schultern und nach einer Weile hatte sich Simon etwas beruhigt. »Du glaubst aber trotzdem, das es jemand auf den Abt abgesehen hatte?«, fragte er.

»Ich glaube, seine Zeit war gekommen, und der Herr beschloss, seinem Leben ein Ende zu machen. Ich glaube, dass der Herr einen Stellvertreter ausgewählt hat, der seinen Willen in die Tat umsetzen sollte. Während er den Willen des Herrn erfüllte, ergriff diesen Stellvertreter der

Wahnsinn. Aber nun, da Gottes Wille erfüllt ist, ist der Mörder wieder gesund. Und nun –« er schaute zum Himmel hinauf – »nun solltet Ihr Euch auf den Heimweg machen, bevor es zu spät wird.« Er ging zum Haus zurück.

»Bruder! Warte, bitte! Du weißt mehr, als du mir sagst. Warum glaubst du –«

»Nein, mein Sohn. Ich habe all das gesagt, was ich sagen wollte. Vergesst meine Worte nicht.«

Simon sah ihm nach. An der Tür drehte der Mönch sich um, als wolle er noch etwas sagen, doch dann schüttelte er den Kopf und verschwand im Haus. Simon zuckte mit den Schultern und ging zu den Pferden. Hugh stand daneben und schnitzte mit seinem Messer an einem Stück Holz. Als Simon sich näherte, steckte er das Messer hastig weg.

»Reiten wir zurück?«

»Allerdings.«

Sie stiegen auf und mit einem letzten, enttäuschten Blick auf das Gehöft gab Simon seinem Pferd die Sporen und sie ritten davon.

Sie befanden sich tief im Wald, als Godwen das Cottage zwischen den Bäumen entdeckte. »Gott sei Dank«, sagte er. »Das ist das Letzte. Danach können wir endlich nach Hause.«

Black hatte Godwen und Mark losgeschickt, um die Häuser auf den gerodeten Waldflächen aufzusuchen, die in der Nähe der Lichtung lagen, auf der sie den Abt gefunden hatten. Sie sollten nachfragen, ob Fremde vorbeigekommen seien, und sich davon überzeugen dass die Menschen dort alle wohlauf waren. Bislang hatten sie nichts erfahren oder herausgefunden, und Mark konnte es kaum mehr abwarten, bis sie ihre Pflicht endlich erfüllt hatten.

Die verblichenen, fleckigen Wände des Cottages leuchteten immer heller, je näher sie dem Haus kamen. Schließlich gaben die Bäume den Weg auf einen Vorhof und den Blick auf den kleinen Landbesitz um das Cottage herum frei. Eine Rauchsäule kringelte sich aus dem Kamin und verhieß Fremden Wärme und einen Platz zum Ausruhen.

Die Fenster lagen dicht unter dem Dach, sodass der Regen nicht direkt gegen die Felle schlagen konnten, die dahinter hingen. Die Tür war genau in der Mitte, und diese Symmetrie ließ das Haus stabil und verlässlich erscheinen. Als sie davor standen, war von den Bewohnern nichts zu sehen. Mark ritt über den Hof und sah sich um. Godwen seufzte. Mark war schlecht gelaunt, er hatte die schwarzen Brauen über düsteren braunen Augen runzelt. Der Mund unter der schmalen, schiefen Nase war verkniffen. Selbst sein Haar, das aussah wie eine Hecke im Frühling, wirkte unruhig.

»Keiner da, so wie's ausschaut«, meinte Mark. »Klopf an die Tür«, murmelte Godwen nur.

»Nicht nötig, meine Guten. Hier bin ich.«

Godwen drehte sich um und sah einen untersetzten Mann hinter Mark, der sein Pferd herumriss, weil er sich heftig erschrocken hatte. Grinsend ritt Godwen hinüber.

»Guten Tag.«

»Guten Tag. Was kann ich für euch tun?«

Der Blick unter buschigen Augenbrauen signalisierte, dass sich der Mann über die beiden amüsierte. Sein graues Haar war so verfilzt, dass es aussah wie Borke auf einem Baumstamm. Seine Kleidung bestand fast gänzlich aus Leder, vom Wams über den Waffenrock bis hin zu den leichten Stiefeln. Er hielt einen rostigen Spieß in der Hand. Mark schien es für den Augenblick die Sprache verschlagen zu haben, und so blieb es Godwen vorbehalten, sich vorzustellen und ihm den Grund ihres Besuches zu erklären. Der Mann hörte aufmerksam zu und nickte dann und wann.

Plötzlich unterbrach Mark seinen Kameraden. »Wenn du nichts gehört hast, dann sag es gleich, und wir können verschwinden«, herrschte er den Mann an. »Hast du irgendwas gehört? Oder gesehen? Sag schon!«

Godwen spürte förmlich, wie sich der klein gewachsene Mann bei Marks rüdem Ton in sich zurückzog. Fast schien es, als wolle er sich in sein Wams verkriechen.

»O nein, Sir, ich habe nichts gehört, da bin ich mir ganz sicher«, sagte er leise und Godwen glaubte, ein kurzes Aufblitzen in seinen schmalen, dunklen Augen gesehen zu haben.

»Gut. Das wär's. Komm, Godwen«, sagte Mark. Er riss sein Pferd herum und trabte davon, ohne sich umzusehen, als solle ihm der Gefährte folgen wie ein treuer Hund.

Der Waldbewohner sah ihm nach und wandte sich Godwen zu, der keinerlei Anstalten machte fortzureiten. »Reitest du nicht mit ihm?«

Godwin drehte sich um und sah Mark zwischen den Bäumen verschwinden. Er hatte keine Lust, sich auf dem Heimweg dessen Klagen anzuhören und sein mürrisches Gesicht zu sehen. »Er findet auch ohne mich nach Hause«, sagte er gelassen und sah auf den kleinen, in Leder gekleideten Mann hinunter.

Der schien einen Augenblick lang nachzudenken, bevor er Godwens Blick erwiderte und mit ernstem Gesicht nickte. »Ich glaube, du hast Recht. Er scheint zu wissen, was er will. Ich finde nur, dass er es zu eilig hat.«

»Ja, ich habe es allerdings nicht eilig. Kann ich dich noch etwas fragen?«

»Sicher«, entgegnete der Mann. »Was willst du wissen?«

Godwen sah zur Straße hinüber, die einige Meter entfernt am Haus vorbei führte. »Die Schreie des Mannes hast du nicht gehört, aber ist dir sonst etwas aufgefallen?«

»In dieser Nacht nicht, da ist niemand vorbeigekommen.«

»Ist vielleicht seitdem jemand vorbeigekommen? Jemand auf einem großen Pferd, den man für einen Ritter hätte halten können? Wahrscheinlich hatte er einen Knappen bei sich, auf einem kleineren Pferd.«

»Nein, zwei Männer hab' ich nicht gesehen, nur einen.«

»Einen?«

»Ja, vor zwei Tagen ist hier ein Ritter vorbeigekommen, mein Guter. Großer Mann. Aber allein.«

»Ritt er auf einem Schlachtross?«

»O nein, nein, er saß auf einer ganz hübschen, kleinen, grauen Stute.«

Kapitel 14

Am späten Nachmittag kehrten Simon und Hugh endlich wieder nach Hause zurück. Der lange Ritt hatte sie müde und reizbar gemacht, wobei der Vogt sich als noch mürrischer als sein Knecht erwiesen hatte. Simon war wütend auf sich selbst, er warf sich vor, versagt zu haben. Sicherlich hatte er irgendeinen wichtigen Hinweis übersehen, der das Rätsel gelöst und ihn zu den Mördern des Abtes geführt hätte. Das Gespräch mit dem Mönch, das ihn eher noch mehr verwirrt hatte, hatte seine Laune nicht gerade verbessert und so herrschte auf dem Heimweg ein recht schroffer Ton zwischen Herr und Knecht, wobei Hugh mit gleicher Münze zurückzahlte.

Die letzten Meter legten sie schweigend zurück, mit säuerlichen Mienen und starren Blicken. Hugh hatte ein paar Mal versucht, den verdrießlichen Vogt aufzumuntern, aber nachdem er jedes Mal gescheitert war, hatte er sich schmollend zurückgezogen und sich seinerseits weiteren Versöhnungsangeboten verweigert. Stattdessen hatte er ernsthaft darüber nachgedacht, ob es nicht ein riesiger, Fehler gewesen war, in Simons Dienste zu treten.

Vor dem Haus stand Blacks Pferd, und als Simon es erkannte, keimte wieder Hoffnung in ihm auf. Er saß hastig ab, warf Hugh die Zügel zu und lief ins Haus, um zu hören, was der Jäger zu berichten hatte.

Black saß vor dem Feuer, während Margret Essen kochte. Der Vogt ging auf seine Frau zu und gab ihr einen flüchtigen Kuss, bevor er sich neben dem Jäger auf die Bank setzte. »Was gibt es Neues?«, fragte er hoffnungsvoll.

»Nicht viel, fürchte ich«, antwortete Black bedauernd und trank einen großen Schluck aus dem Krug Ale, den er von Margret bekommen hatte. »Wir haben überall zwischen Crediton und Half Moon herumgefragt. Niemand kann sich an einen Mann auf einem Schlachtross oder an Reiter in Rüstung erinnern. Daraufhin habe ich einige Männer in den Süden geschickt, um dort auf den Höfen nachzuforschen, während ich mich um die Häuser hier in der Gegend gekümmert habe. Auch hier das Gleiche, aber ich erwarte noch zwei Burschen zurück, die sich unten am Moor umgehört haben. Die ganze Zeit über hatte ich die Augen offen und suche auch immer wieder die Straßen ab. Aber seit dem Regen sind alle Wege so schlammig, dass es so gut wie unmöglich ist, Spuren zu unterscheiden. Die Mörder scheinen wie vom Erdboden verschluckt. Habt Ihr neue Nachrichten von Tanner?«

»Nein, nichts. Ich – danke, meine Liebe.« Simon nahm den Krug Bier, den seine Frau ihm reichte, und trank einen tiefen Schluck. »Ich hoffe, dass wir bald etwas von ihm hören, aber wer weiß, wie lange es dauert, bis er mit seinen Leuten alle Straßen nach Westen abgesucht hat.«

»Stimmt. Das Problem ist auch, dass sie den Abt wahrscheinlich nachts getötet und sich dann im Dunkeln davongemacht haben. Vielleicht hat sie ja kein einziger Mensch gesehen«, vermutete der Jäger düster.

Simon nickte. »Ich weiß. Und wenn wir keine Spuren finden, werden wir nie erfahren, wer es getan hat.«

»Was machen wir, wenn Tanner auch nichts in Erfahrung bringt?«

»Wir machen weiter und dehnen die Suche auf entferntere Gegenden aus. Was bleibt uns übrig? Immerhin würde das bedeuten, dass sie hier keinen Schaden mehr anrichten, wenn sie auf und davon sind.«

»Na schön.« Missmutig hockte Black auf der Bank. Die Tatsache, dass er die Spuren nicht hatte finden können und bis zu Tanners Rückkehr nichts unternehmen konnte, schien ihn zutiefst zu entmutigen. Margret kam es lächerlich vor, dass er eine solch betrübte Miene machte, solange es noch Hoffnung gab. Auch Simon saß schweigend da und starrte in seinen Bierkrug.

Schließlich wurde ihr die Stille zu viel und sie versuchte, die Männer aus ihren trüben Gedanken zu reißen. »Was war mit den Mönchen?«, fragte sie und merkte, dass ihre Stimme dabei etwas gezwungen klang.

Black hob den Kopf und sagte: »Ja, ich habe gehört, dass Ihr noch einmal nach Clanton Barton geritten seid, um mit ihnen zu sprechen. Wussten sie etwas?«

»Eigentlich nicht viel«, antwortete Simon mit gerunzelter Stirn, während er noch einmal über das Gespräch mit dem alten Mönch nachdachte. Er erzählte, wie sein Besuch verlaufen war. »Immerhin kennen wir jetzt den Namen des Abtes. Er hieß Oliver de Penne.«

»Oliver de Penne? Nie gehört«, sagte Black kopfschüttelnd.

»Ich auch nicht. Aber wie sein Name verrät, ist er aus Frankreich herübergekommen.«

Wieder kehrte Schweigen ein. Der Jäger machte einen hoffnungslosen Eindruck, Simon sah ebenfalls nicht fröhlich aus, aber man merkte ihm an, dass er sich nicht unterkriegen lassen wollte, solange es noch Möglichkeiten gab, die Spuren der Mörder wiederzufinden. Margret schaute ihrem Mann ins Gesicht und als sie seine Entschlossenheit sah, war sie stolz auf ihn.

Margret hatte Simon nicht geheiratet, weil sie gehofft hatte, dass er einmal ein mächtiger Mann in der Grafschaft werden würde, sondern weil sie in ihm die gleiche geistige Kraft erkannte, die sie schon bei ihrem Vater bewundert hatte. Als Tochter eines Bauern war sie ganz pragmatisch erzogen worden. Ob es darum ging, wann die Ernte eingebracht werden sollte oder ob ein neuer Kuhstall gebaut werden musste, ihr Vater hatte ihr und allen anderen Kindern einen vernünftigen Rat mit auf den Weg gegeben: Denkt immer daran, was das Wichtigste ist. Er sagte auch, dass man nie handeln solle, bevor man sich nicht im Klaren sei, was man überhaupt wolle. Nur wenn das Ziel erkannt und bestimmt war, hatte es Sinn, sich auf den Weg zu machen.

Jetzt kam es ihr vor, als wollten ihr Mann und seine Helfer ein Haus bauen, bevor sie den Lehm dafür hatten. Ihnen fehlten die Informationen, also konnten sie auch keine Entscheidungen treffen. Und doch schien Black schon so gut wie aufgegeben zu haben. Dabei hatten sie noch gar nicht alle Möglichkeiten ausgelotet. Sie erhob sich und rührte das Essen im Kochtopf um.

»Was wissen wir eigentlich wirklich über diesen Abt, Simon?«, fragte sie nachdenklich.

»Seinen Namen – Oliver de Penne – und seine Stellung – Abt von Buckland. Wir wissen, dass er eine graue Stute geritten hat. Und dass er Geld bei sich hatte.«

»Was noch?«

»Er hat eine Zeit am päpstlichen Hof in Avignon verbracht. Es scheint, als sei er ein Günstling des alten Papstes gewesen, aber wenn Matthew Recht hat, war er bei dem neuen in Ungnade gefallen. Nach dem, was Matthew und David gesagt haben, handelte es sich um einen arroganten, unbeherrschten Mann. Sonst wissen wir nichts.«

»Aber er schien Angst vor einem Überfall zu haben.«

»Ja, große Angst.«

»Hm.« Nachdenklich rührte sie weiter. Sie lächelte ihrem Mann aufmunternd zu und fragte: »Er ist in den Wald gebracht worden, dorthin, wo niemand seine Schreie hören konnte, und ist verbrannt worden?«

»Ja.«

Der Jäger zog die Augen zu engen Schlitzen zusammen, so angestrengt dachte er nach. Dann sprach er leise und zögernd, als habe er Angst, man könne seine Überlegungen als Unsinn abtun. »Vogt ... ich weiß nicht, aber wir können doch nicht mehr davon ausgehen, dass es gewöhnliche Räuber waren, die dem Abt das angetan haben. Das ergäbe keinen Sinn, stimmt's?

Was wäre, wenn hinter dem Mord eine ganz bestimmte Absicht steckt? Es kommt mir so seltsam vor, dass der Abt auf eine Weise getötet wurde, in der man in Frankreich Ketzer tötet, nämlich auf dem Scheiterhaufen.«

»Ja. Gott sei Dank sind wir hier in England noch nicht so tief gesunken. Der König würde die Inquisition niemals in dieses Land lassen.«

»Aber vielleicht hat es etwas damit zu tun. Er kam doch aus Frankreich.«

»Möglich ist es«, antwortete Simon und sah den Jäger nachdenklich an.

»Es sieht fast so aus, als habe der Mörder mit dem Tod etwas deutlich machen wollen, wenn Ihr wisst, was ich meine.«

»Du meinst, sein Tod sollte ein Art Mahnung sein?«

»Ich weiß nicht, vielleicht ist das ein Grund.«

Simon war verwirrt. Er wünschte sich Baldwin an seine Seite. Vielleicht konnte der Ritter helfen. Er war doch selbst erst vor kurzem aus Frankreich heimgekehrt. Plötzlich kam ihm ein völlig unerwarteter Gedanke. Konnte es sein, dass Baldwin sogar in diese Sache verwickelt war? Er war aus Frankreich gekommen, er hatte mit Edward einen ständigen Schatten an seiner Seite, er war Ritter – hatte er mit dem Tod des Abtes irgendetwas zu tun? Hatte er den Abt gekannt?

Aber dann fiel ihm mit einer gewissen Erleichterung ein, dass er den Namen Baldwins bei seiner ersten Begegnung mit den Mönchen ja erwähnt hatte. Dem Abt wäre sicherlich anzumerken gewesen, wenn er den Herrn von Furnshill gekannt hätte. Aber er hatte überhaupt kein Interesse gezeigt und nur von dessen neuen Besitzungen gesprochen.

Simon schaute zu seiner Frau hinüber. Margret war intelligent und sie wollte seine Arbeit verstehen. Das hatte er an der Art und Weise gemerkt, wie sie das Gespräch in Gang gebracht hatte, als Black so trübsinnig dasaß. Ihre Fragen hatten auch den Jäger etwas aufgemuntert. Ein Lächeln huschte über Simons Gesicht.

Margret rührte zufrieden das Essen um. Es hatte gewirkt – zumindest hatte Black wieder angefangen zu denken. Und es war gar nicht schwer gewesen. Sie warf einen leicht selbstgefälligen Blick auf ihren Ehemann und sah zu ihrer Überraschung, dass er sie mit einem fast ironischen Lächeln betrachtete, als könne er ihre Gedanken lesen. Sie schaute ihn mit strenger Miene an, musste sich jedoch ein Lächeln verkneifen.

»Aber was war der Grund, de Penne auf diese Weise aus dem Leben scheiden zu lassen?«, sinnierte Black.

»Ich weiß es nicht«, meinte Simon. »Wenn ihn hier niemand kannte, kommen wir nicht weiter.«

»Da fällt mir Brewer ein. Warum der getötet wurde, wissen wir auch noch nicht.«

»Wegen seines Geldes, da bin ich mir sicher. Cenred hat gesagt, dass niemand im Dorf ihn mochte, dass sie ihn sogar hassten.«

»Wir sind uns sicher, dass er reich war, aber wir wissen nicht, ob er Geld im Hause hatte.«

»Genau.«

Simon rieb sich über die Stirn. »Ach Gott, auch dieser Mord ist irgendwie seltsam.«

Ein lautes Klopfen an der Tür unterbrach ihr Gespräch. Margret hörte auf zu rühren, und alle drei starrten schweigend auf das Fell, das den Flur vom Wohnraum abtrennte. Simon, der auf eine Nachricht von Tanner hoffte, wäre am liebsten aufgesprungen und dem Besucher entgegengelaufen. Aber Hugh kam in Begleitung eines jungen Mannes herein, ein dunkler, schlanker Jüngling, der nach einem Ritt durch die Pfützen auf den Straßen über und über mit Schlammspritzern bedeckt war. Man sah ihm an, wie sehr er sich beeilt hatte. Dies war kein Mann aus dem Suchtrupp. Er sah unsicher zu Black und Simon hinüber, bis Simon ihn zum Sprechen aufforderte.

»Sir? Vogt? Sir Baldwin Furnshill schickt mich. Ich soll seine besten Grüße ausrichten; er bittet Euch und Eure Gemahlin für heute Abend auf seine Burg.«

Simon sah, wie erfreut das Gesicht seiner Frau aufleuchtete und vergaß für den Augenblick das Gespräch mit dem Jäger. Scheinbar gleichgültig sagte er zu ihr: »Ich weiß nicht recht, Margret. Würdest du gerne hingehen?«

Sie sah ihn mit ungläubigem Staunen an. Er wusste allzu gut, dass sie den neuen Herrn von Furnshill unbedingt kennen lernen wollte, besonders jetzt, da sie einiges über diesen seltsamen Ritter gehört hatte. Sie beachtete Simon einfach nicht und wandte sich an den Botenjungen. »Richte deinem Herren aus, dass wir uns darauf freuen, ihm heute Abend Gesellschaft zu leisten. Bereite ihn aber darauf vor, dass der Vogt ein wenig verwirrt scheint. Es ist wohl das Alter, das seinen Tribut fordert«, sagte sie und kehrte kopfschüttelnd über die Torheit ihres Gatten an die Feuerstelle zurück, wo sie den Topf vom Feuer nahm.

Simon lächelte zufrieden. Es gab keinen besseren Gesprächspartner als Baldwin bezüglich des Mordes an dem Abt. Der Ritter hatte sich so auffällig für den Tod Brewers interessiert. Konnte er auch bei diesem Mord helfen?

Später, Edith blieb in der Obhut einer Dienstmagd, ritten sie auf der Straße von Sandford nach Cadbury, Hugh wie immer ein Stück hinter ihnen. Margret sah Simon besorgt an und meinte: »Glaubst du wirklich nicht, dass die Morde von ein und demselben Täter begangen worden sein könnten? Es scheint ein solch seltsamer Zufall zu sein, dass bei beiden Feuer eine Rolle gespielt hat.«

»Das ist aber auch das Einzige, was die beiden Morde gemeinsam haben«, erwiderte Simon.

»Trotzdem. Wie lange ist es her, dass jemand durch Feuer umgekommen ist?«

»Sicher sehr lange, und wenn beide Männer zu Hause gestorben wären, würde ich das in Erwägung ziehen. Auch wenn beide auf der Straße überfallen und danach verbrannt worden wären, wäre ich überzeugt davon, dass es eine Verbindung gäbe. Aber so? Der eine Mann ist in seinem Bett gestorben, der andere auf dem Scheiterhaufen. Der Abt wurde mit Sicherheit beraubt, bei Brewer wissen wir nicht einmal das.«

Schweigend ritten sie nebeneinander her. Konnte es sein, überlegte Simon, dass eine kleinere Räuberbande so weit nach Süden vorgedrungen war? Hatten diese Räuber zuerst Brewer überfallen und anschließend den Abt? Und ihn dann – vielleicht aus Neid auf seinen Reichtum – auf völlig sinnlose Weise getötet?

Margret sah, wie er die Hand hob und sich das Ohr rieb, stets ein sicherer Hinweis darauf, dass er ratlos war. Er blickte auf die Straße wie ein Mann, der sich verirrt hat und überhaupt nicht mehr weiß, wohin der Weg führt. Aber sie wusste auch, dass sich das bald ändern würde.

Als sie eine Hügelspitze erreicht hatten, hielten sie die Pferde an und warteten auf Hugh, der langsam hinter ihr ihnen hergetrottet war. Von hier aus hatte man eine wunderbare Aussicht, und Simon genoss die Landschaft, beugte sich vor und atmete die frische Luft ein.

Margret beobachtete ihn lächelnd. Sie liebte seine ruhige und männliche Art, und es rührte sie, wie zärtlich er mit Edith umging. Dennoch machte sie sich Sorgen. Seit die Morde geschehen waren, konnte er an nichts anderes mehr denken. Auch in der Vergangenheit hatte er mit juristischen Zwistigkeiten zu tun gehabt, ein Diebstahl im Dorf oder ein Streit um die Felder, aber im Grunde war ihr Leben ruhig und friedlich verlaufen. In diesem Teil des Landes geschahen nicht viele Verbrechen. Nun fürchtete sie, die Täter könnten erneut zuschlagen, könnten einen weiteren sinnlosen Mord begehen. Aber die größte Angst hatte sie davor, wie diese neue Verantwortung ihren Mann verändern könnte.

Sie war stolz darauf, dass ihr Mann den neuen Posten bekommen hatte, und sie hätte seinen Ehrgeiz niemals gezügelt. Letzten Endes war sie zufrieden damit, ihre Tochter zu erziehen und für den Zusammenhalt der Familie zu sorgen. Aber nun sah sie mit Besorgnis, wie diese Verbrechen an ihm nagten. Er war seitdem in sich gekehrt, und sie hatte das ungute Gefühl, als würde er sie nicht mehr so in alles einbeziehen wie früher. Würde das aufhören, wenn er die Mörder gefangen hatte? Sie hoffte es. Hoffentlich würde bald alles aufgeklärt sein, damit sie in ihr neues Heim ziehen und die ganze Angelegenheit vergessen könnten. Aber bis dahin konnte noch viel Zeit vergehen.

Als Hugh zu ihnen aufschloss und Simon sich zu ihm umdrehte, bemerkte er Margrets grüblerische Miene. Er lächelte und sagte: »Also los. Ich habe Hunger.«

Baldwin Furnshill ging mit seinem Mastiff langsam die Straße entlang, die zu seinem Haus führte. Sein Bruder hatte ihm einen beachtlichen Zwinger hinterlassen, und er trug nun nicht nur die Verantwortung für die Länderein, sondern auch für über zwanzig Hunde.

Gut, dass ich Hunde schon immer gemocht habe, dachte er. In den letzten Jahren hatte er die Gesellschaft dieser Tiere sehr vermisst, nicht nur auf der Jagd. Er genoss die Zuneigung, die ein Hund dem Menschen entgegenbrachte, liebte das Leuchten der Augen und die Freude, die der ganze Körper ausdrückte, wenn der Herr sich näherte. Jetzt, da er sich einsam fühlte, hatte er zumindest die uneingeschränkte Bewunderung seiner Hunde, die vergleichsweise wenig Gegenleistung verlangten.

Er strich dem riesigen Hund über das raue Fell. Obwohl er noch nicht lange hier war, schien diese Hündin sich besonders an ihn zu halten. Sie hatte seinen Bruder abgöttisch geliebt und war nach seinem Tod untröstlich gewesen. Sie hatte die auf dem Boden liegende Leiche immer wieder mit der Schnauze angestoßen und schließlich ein herzzerreißendes Klagegeheul angestimmt.

Aber kaum war der andere Furnshill eingetroffen, schien sie begriffen zu haben, dass dies ihr neuer Herr sein würde. Baldwin hatte den Eindruck, dass sie ihm vom ersten Augenblick an ihre ganze Liebe und Zuneigung schenkte. Vielleicht erkannte sie instinktiv, dass er mit ihrem toten Herrn verwandt war, vielleicht war es auch eine äußere Ähnlichkeit. Jedenfalls freute er sich, dass sie ihn sogleich akzeptiert hatte, als würde sich damit auf eine gewisse Weise auch sein Anrecht auf das Erbe bestätigen. Schon nach wenigen Tagen liebte er ihr hässliches, faltiges Gesicht mit dem riesigen, ständig offen stehenden und sabbernden Maul und den ruhigen braunen Augen. Wo immer er auch war, ob im Haus oder draußen, die Hündin hielt sich ständig in seiner Nähe auf, als müsse sie aufpassen, dass der neue Herr nicht wieder verschwand.

Von der Straße aus konnte Baldwin etwa eine Meile nach Süden schauen. So entdeckte er Simon und seine kleine

Gruppe schon von weitem und beobachtete erwartungsfroh, wie sie den Abhang hinaufritten, der zu seinem Anwesen führte.

Eigentlich war er Fremden gegenüber stets misstrauisch gewesen und fand es schwierig, sich auf Menschen einzulassen. Es dauerte lange, bis er einem anderen freundschaftliche Gefühle entgegenbrachte. Zuerst musste er jemanden gut kennen, und selbst darin wies er Freundschaftsbekundungen meist zurück.

Aber der Vogt hatte in ihm vom ersten Tag an Vertrauen erweckt, ein Gefühl, das er fast vergessen hatte. Er fragte sich, ob diese neue Sanftheit damit zu tun hatte, dass er nun ein richtiges Zuhause hatte. Oder wurde er einfach alt? War ihm das Leben als Ritter zu beschwerlich geworden, sehnte er sich deshalb nach Freunden? Möglich war es, aber glauben mochte er es nicht. Er spürte, dass es eher daran lag, dass Simon in seinem Auftreten eine absolute Ehrlichkeit ausstrahlte. Doch dann schüttelte er den Kopf. Seine Vergangenheit konnte er dem Vogt dennoch nicht anvertrauen, es gab Dinge, die er auch ihm nicht erzählen würde. Selbst ein guter Freund hatte vielleicht Schwierigkeiten gehabt, das eine oder andere zu akzeptieren. Wie sollte es Simon können, den er erst so kurze Zeit kannte? Nein, das war noch zu früh.

Er strich der Hündin über den Kopf und ging zum Haus zurück, als die Besucher näher kamen. Der Mastiff trottete zufrieden hinter ihm her. Ein freundliches Lächeln breitete sich auf Baldwins Gesicht aus, er streckte die Arme aus und begrüßte seine Gäste.

»Willkommen!«

Auch Simon musste lächeln. Es fiel schwer, sich nicht von der Herzlichkeit ihres Gastgebers anstecken zu lassen, wenn der sich über ihren Besuch so sehr freute. Kaum war der Vogt vom Pferd gestiegen, eilte Baldwin auf ihn zu und schüttelte ihm die Hand, noch bevor Simon die Gelegenheit hatte, seiner Frau zu helfen.

»Willkommen, Simon, Willkommen, Mistress Puttock«, sagte Baldwin. Es entging ihm allerdings nicht, dass Simon offensichtlich in tiefer Sorge war. Er wandte sich an Margret.

»Mylady, Euer Diener.« Er verneigte sich tief, um den Worten die Tat folgen zu lassen. Margret lächelte, als Baldwin ihr vom Pferd half und nickte dem Ritter kokett zu.

Sie sah auf den ersten Blick, dass der neue Freund ihres Gatten viel in der Welt herumgekommen war. Die aufrechte, stolze Haltung und die klaren dunklen Augen zeigten es, die gebräunte Haut ließ darauf schließen, dass er den größten Teil seines Lebens in südlichen Gefilden verbracht hatte, dort wo die Sonne, wie sie wusste, heißer schien. Sein eckiges, ernstes Gesicht und seinen aufmerksamen Blick fand sie auf merkwürdige Weise faszinierend, und sie verstand sofort, warum ihr Mann so begeistert von diesem Ritter war. Irgendwie erinnerte er sie an jemanden, den sie von früher kannte, und nach wenigen Augenblicken, in denen er sie seinerseits eingehend gemustert hatte, fiel ihr auch ein, wo es gewesen war.

In ihrer Jugend hatte es regelmäßige Pilgerfahrten nach Crediton gegeben, wo in der Kirche der Schrein des Heiligen Bonifatius, des berühmten Missionars, der das Christentum zu den germanischen Völkern gebracht hatte, angebetet wurde. Dabei hatte sie einmal einen Mann gesehen, der Baldwin sehr geähnelt hatte.

Es war ein Mönch gewesen, ein großer, starker Mann in einer weißen Kutte. Beim Gesang in der Kirche war ihr sein starker, ausländischer Akzent aufgefallen. Er hatte die Prozession angeführt und sofort ihren Blick auf sich gezogen. Sie war der langen Reihe der schmutzigen, schäbig gekleideten Pilger gefolgt, weil sie ihn aus der Nähe sehen wollte, sie hatte den Gebeten und Gesängen gelauscht und war schließlich ganz nach vorne gelaufen.

Als sie ihn von nahem sah, kam ihr der Gedanke, dass Jesus so ausgesehen haben mochte. Der Mönch war ganz anders als die asketischen Bücherwürmer, die sie manchmal in der Kirche oder der Kapelle sah. Er sah eher aus wie ein Krieger. An seiner Hüfte hing an einem schweren Ledergürtel ein langes, breites Schwert. Als er ein hölzernes

Kreuz in die Höhe hielt, waren die Ärmel seiner Kutte nach oben gerutscht und gaben seine muskulösen Oberarme frei. Auch Bauern, die auf dem Feld arbeiteten, oder Holzfäller hatten kräftige Muskeln. Aber, davon war sie überzeugt, dieser Mann hatte seine Kraft im Kampf für Gott eingesetzt, in den Schlachten gegen Ketzer und Nichtgläubige. Sein Blick war wie in Trance in die Ferne gerichtet, fast als sei er nicht von dieser Welt, als sei er aus dem Himmel gekommen, um die Massen aufzurichten.

Bei diesen Gedanken ergriff sie Furcht vor dieser fast übernatürlichen Gestalt, und sie wollte sich gerade umdrehen und davonlaufen, als sein Blick auf sie fiel. Und darin lag etwas so Unerwartetes, dass sie mit offenem Mund stehen blieb und ihn anstarrte. Er zwinkerte ihr zu, und als er ihre Reaktion sah, schien es für einen Augenblick, als wolle er laut auflachen, aber dann riss er sich zusammen und ging weiter, nicht ohne ihr mit einem diebischen Grinsen noch einmal zugezwinkert zu haben. Sie hatte ihm nachgesehen, bis er verschwunden war.

Dieser ernste, aber gütige Ritter erinnerte sie an das Bild von früher. Seine Züge waren ebenso dunkel und fast Furcht einflößend, aber auch hier sah sie den gleichen Humor und die Fähigkeit, sich nicht jederzeit ernst nehmen zu müssen. Sie sah die Falten, die der Schmerz in sein Gesicht gegraben hatte, fand sie jedoch weniger ausgeprägt, als sie sich es nach den Schilderungen ihres Mannes vorgestellt hatte.

Sie lächelte erneut und ließ sich auch den Blick des Ritters gefallen, in dem offene Anerkennung lag. Simon sah mit Freude, dass seine Frau offenbar ebenso von Baldwin eingenommen war wie er selbst.

»Mylady, Euer Ehemann erweist Euch nicht genug Ehre, wenn er Euch beschreibt. Lasst uns hineingehen.« Mit diesen Worten nahm er sie beim Arm und führte sie in das Gebäude, nachdem er seinen Stallburschen befohlen hatte, sich um die Pferde zu kümmern.

Sie begaben sich in die große Halle, wo sich der Tisch vor Speisen nur so bog. Der Mastiff legte sich mit hoffnungsvollem Blick neben den Kamin. Draußen war es noch hell, und so erleuchteten neben dem Feuer auch die Sonnenstrahlen, die durch das Westfenster schienen, den Raum. Edgar briet ein Lamm auf einem Spieß, aber selbst dabei schien er immer alles im Auge zu behalten. Bevor sie sich setzten, schenkte Baldwin ihnen einen Becher mit heißem Ale ein und sie stießen auf Simons neuen Posten in Lydford an. Selbst Hugh entspannte sich etwas, als er sah, mit welch herzlicher Gastfreundschaft der Ritter seine Herrschaften aufnahm.

»Es scheint, als hättest du es dir in deinem neuen Heim bereits gemütlich gemacht«, sagte Simon, als sie am Tisch saßen.

Baldwin deutete auf das Essen und streichelte dem Mastiff, der sich sofort neben ihn gesetzt hatte, den Kopf. »Ja, es ist herrlich, wieder zu Hause zu sein, in der alten Heimat.«

»Selbst nach all den Reisen?«

»Oh, ich habe viele Länder gesehen und mich in einigen auch länger aufgehalten, aber nichts ist mit dem Ort vergleichbar, an dem man geboren ist. Für mich ist dies das schönste Land der Welt.«

»Wo seid Ihr überall gewesen, Sir?«, fragte Margret. »Und was habt Ihr dort erlebt?«

»Ich bin in der ganzen Welt herumgekommen, Mylady. Ich war in Frankreich, Spanien, ja sogar in Rom. Ich habe meine Heimat vor über fünfundzwanzig Jahren verlassen und war seitdem ständig auf Reisen.«

»Ihr müsst viele seltsame Dinge gesehen haben.«

»O ja, aber nichts, was so seltsam gewesen wäre wie einiges, was es in Devon gibt. Die Moore sind wirklich einzigartig, daran habe ich immer wieder denken müssen. Dartmoor ist faszinierend. Es besteht aus so vielen verschiedenen Teilen – das Moor selbst, die Wälder, die Felder, der Treibsand. Gestern bin ich bei einem Ausritt durch Moretonhampstead gekommen. Ich hatte vergessen, wie wunderschön diese Gegend ist.«

Simon beugte sich etwas vor. »Aber in einigen der Länder, die ihr bereist habt, muss es doch erstaunliche und geheimnisvolle Dinge gegeben haben.« Er wollte den Ritter dazu bringen, noch mehr über seine Reisen zu erzählen.

»Ach, sicherlich, aber auf einem Hügel über Drewsteignton zu stehen und sich den Wind durchs Haar wehen zu lassen, ist mir mehr wert als alles andere auf der Welt. Margret, möchtet Ihr noch etwas Lamm? Oder vielleicht Kaninchen?«

Simon seufzte innerlich auf. Es war deutlich, dass sich der Ritter noch immer dagegen sperrte, Näheres über seine Reisen zu berichten, und dass er das Thema lieber wechseln wollte.

»Habt Ihr auch schon von dem Mord gehört, Baldwin?«, fragte Margret, nachdem sie sich Fleisch genommen hatte. Simon blickte auf.

»Ja, natürlich, ich war ja mit Simon in Blackway.«

»Ich meine den Mord an dem Abt.«

»Abt?«, fragte der Ritter und sah Simon fragend an. »Ach so, deshalb warst du nicht da, du hast mir ja eine Nachricht geschickt.«

»Simon führt die Jagd auf die Männer an«, ergänzte Margret. »Sie haben einen Abt auf der Straße überfallen, er war mit einer Gruppe von Mönchen auf dem Weg nach Buckland. Sie verschleppten ihn und verbrannten ihn auf einem Scheiterhaufen, nur wenige Meilen von Copplestone entfernt.«

»Furchtbar. Aber zweifellos wird Simon die Schuldigen fassen«, sagte Baldwin und sah Simon scheinbar gleichgültig an. Der Vogt meinte, ein kurzes Aufflackern in Baldwins Augen gesehen zu haben, aber er mochte sich irren. Der Ritter schien an der Sache nicht besonders interessiert zu sein. Er reichte Simon ein Stück Hasenbraten und fragte ihn: »Hast du irgendetwas Neues über den Tod von Brewer erfahren?«

»Ja, ich habe mit dem Hegemeister gesprochen.« Simon seufzte. Heute Abend wollte er nicht mehr über Tod und Mord sprechen, es wäre schön gewesen, sich einfach nur zu unterhalten. »Er glaubt, jemanden gesehen zu haben, in der Nacht, in der Brewer starb, in den Wäldern gegenüber von seinem Haus, aber er wusste nicht wen, oder wann es war. Oh, und ich habe mit Ultons Angebeteter gesprochen. Sie sagt, er sei an dem Abend früher gegangen, weil sie einen Streit hatten. Es ist möglich, dass er zum fraglichen Zeitpunkt im Dorf war.«

Baldwin überlegte. »Warum hätte Ulton sagen sollen, dass er bei ihr war, wenn er nicht sicher sein konnte, dass sie seine Version bestätigen würde? Glaubte er, sie würde lügen, um ihn zu schützen?«

Margret zerteilte elegant ein Stück Huhn und leckte sich die Finger. »Dann hätte er sie doch sicherlich vorher darum gebeten.« Sie sah den Ritter fragend an.

»Ja, das hätte er, wenn er bereits den Plan gehabt hätte, Brewer in jener Nacht zu ermorden. Wenn er den Mann umbringen wollte, hätte er sich der Unterstützung der Frau versichert. Was hältst du von diesem Cenred, Simon?«

Der Vogt wischte sich den Mund ab. »Er schien mir ehrlich. Ich hatte nicht den Eindruck, dass er mir etwas vorenthielt. Als er von der Gestalt sprach, die er gesehen zu haben glaubte, erwähnte er auch, dass er Angst hatte.«

»Angst?«

»Ja, du weißt schon, die alten Geschichten von Old Crockern.«

»Oh, ich verstehe. Also hätten wir noch diesen Ulton. Ich muss darüber nachdenken. Warum glaubst du –«

»Baldwin«, unterbrach Simon ihn ungeduldig. »Ich habe alle Hände voll zu tun, um den Mord an dem Abt aufzuklären. Um einen Bauern wie Brewer kann ich mich jetzt nicht kümmern.«

»Aber wenn er ermordet wurde, muss sein Mörder gefasst werden«, sagte Baldwin leicht verschnupft. »Er mag nicht von nobler Herkunft sein, aber sein Tod muss dennoch gesühnt werden.«

»Ja, aber ich habe ein Amt. Ich muss vor allem die Mörder des Abtes finden. Das hat Vorrang.«

»Natürlich«, entgegnete Baldwin. »Aber vergessen wir

diese Dinge für heute Abend. Wie wäre es noch mit einem Stück Lamm, Margret?«

Simon war froh, nicht mehr über die Morde sprechen zu müssen, was ihm den Abend verdorben hätte.

Baldwin fühlte sich als Gastgeber offensichtlich in seinem Element, und er sprach über viele Dinge, über die Simon, wenn überhaupt, nur wenig wusste. Er berichtete von den Handelswegen, von den Schiffen, die Güter von Venedig und Rom bis hin nach Palästina brachten. Er erzählte von den Stoffen aus Gaza und den Süßwaren aus den alten Küstenstädten. Er schien eine Menge vom Schiffsverkehr zu verstehen und berichtete von den Kaufmannskriegen der italienischen Städte. Doch irgendwann, als er von den Reichtümern erzählte, die dort angesammelt wurden, hielt er plötzlich inne, als habe er bereits zu viel gesagt. Stattdessen sprach er von den Problemen, die es im Norden mit den Schotten gab.

Es verblüffte Simon, dass der Ritter so viel über die Schotten wusste. Seit Robert Bruces Bruder Edward sich zum König von Irland hatte krönen lassen, hatten die britischen Armeen sich immer wieder in Konflikte ziehen lassen, die schließlich in der Belagerung von Carrickfergus endeten. Zur gleichen Zeit hatten die Schotten die benachbarten Grafschaften überfallen und waren sogar bis Yorkshire vorgedrungen, plündernd und mordend. Mit seiner tiefen Stimme berichtete Baldwin von den Ereignissen im Norden, so ernst, als habe er sie selbst erlebt.

Eines fiel dem Vogt während des Essens auf – Baldwin trank sehr wenig. Der Knappe füllte die Becher immer wieder auf, aber auch, als die Abenddämmerung hereinbrach und Edgar einen Teppich vor das Fenster hängte, trank Baldwin fast nur Wasser und dann und wann einen kleinen Schluck Wein. Simon wunderte sich, denn er selbst und alle, die er kannte, sprachen Bier oder Wein kräftig zu, und es war selten, dass sich jemand so zurückhielt.

Nach dem Essen bat Baldwin sie an den Kamin, während seine Diener den Tisch abräumten. Margret bemerkte, dass die Rauchentwicklung wesentlich geringer war als bei ihnen zu Hause, wo der Qualm einfach durch einen Turmaufsatz ins Dach stieg. Vielleicht gab es in ihrem neuen Heim auf Lydford Castle auch einen solchen Kamin.

Simon und Hugh trugen eine Bank an das Feuer, und der Vogt setzte sich darauf. Seine Frau nahm neben ihm Platz. Hugh verzog sich in eine Ecke, reckte sich und war kurz darauf eingeschlafen. Baldwin setzte sich zu dem Ehepaar.

Margret betrachtete Baldwin, der einen Schluck Wein trank. Er hatte etwas sehr Nobles an sich, wie er so dasaß, den Ellenbogen auf die Stuhllehne gestützt, den Blick ins Feuer gerichtet. Es freute sie, dass er offenbar nicht mehr so vor sich hinbrütete, wie Simon es kürzlich beschrieben hatte. Sie spürte, dass es sehr viel damit zu tun haben musste, dass er in seine Heimat zurückgekehrt war, in die Gegend, die er so sehr liebte. Trotzdem fragte sie sich, warum der Mann eine solche Abneigung dagegen hatte, von seiner Vergangenheit zu sprechen.

Sie hörte den beiden Männern zu, die sich mit gedämpften Stimmen unterhielten. Das Feuer wärmte ihre Glieder, während ihr Blick auf den beiden ruhte. Simon wirkte viel entspannter, so wie er vor den Verbrechen gewesen war, ruhig und besonnen. Auch ihr Gastgeber machte einen zufriedenen Eindruck. Er sah Simon wohlwollend an und nickte manchmal, wenn der etwas zu ihm sagte.

Die beiden Männer plauderten zwanglos miteinander. Der Ritter war ein guter Zuhörer, und Simon merkte, dass er immer mehr von sich erzählte, von seinem Stolz über den neuen Posten, von seinem Wunsch nach weiteren Kindern, besonders nach einem Sohn, und von seinen Hoffnungen und Träumen für die Zukunft. Die Wärme und das Stimmengemurmel hatten eine hypnotische Wirkung auf Margret, die plötzlich so schläfrig wurde, dass sie ihren Kopf an Simons Schulter legen musste. Ihr Atem wurde immer gleichmäßiger, bis sie sich ihrer Müdigkeit ergab und an Simons Seite einschlief. Ihr Mann legte den Arm um sie und unterhielt sich weiter mit Baldwin. Mittlerweile war der Knappe des Ritters von seinen Arbeiten in der

Küche zurückgekehrt und stellte sich an die Tür. Selbst er machte einen recht entspannten Eindruck.

»Wie sehen deine Pläne aus, Baldwin? Wirst du dich nach einer Frau umsehen?«

Der Ritter nickte ernst, ohne den Blick von den Flammen abzuwenden. »Ja, ich würde gerne so bald wie möglich heiraten. Ich bin wie du, Simon, ich möchte mein Anwesen und meinen Besitz einem Sohn hinterlassen. Ich bin genug in der Welt herumgereist; jetzt bin ich nur noch müde. Ich möchte mein Leben in Frieden genießen, möchte mich um die Leute kümmern, die auf meinem Land leben, und nie mehr weit von hier fort müssen.«

»Das hört sich an, als hättest du auf deinen Reisen schlechte Erfahrungen gemacht.«

»Wirklich?« Er schien überrascht. »Nein, das kann man nicht sagen. Ich bedaure die Zeit auch keineswegs. Als mein Bruder die Ländereien unseres Vaters erbte, musste ich eine Entscheidung treffen, und es schien mir das Beste, für einige Zeit fortzugehen. Am Anfang habe ich es auch wirklich genossen. Sehr sogar. Er lächelte nachdenklich, doch dann verfinsterte sich seine Miene. »Aber die Dinge änderten sich. Wenn du ein Ritter ohne Lehnsherr bist, bist du ein Nichts, nur ein Mann mit einem Schwert, und manchmal auch ohne.« Er klang verbittert.

»Ist dein Lehnsherr gestorben?«

Baldwin warf ihm einen schnellen, fast misstrauischen Blick zu, doch dann lächelte er, als mache er sich über sich selbst lustig. »Ja. Ja, er ist gestorben. Wir haben unseren letzten Kampf gemeinsam bestritten. Aber genug von diesen traurigen Geschichten.« Er erhob sich und streckte sich langsam, als seien seine Gliedmaßen vom Sitzen eingerostet. »Ich werde nun zu Bett gehen. Gute Nacht, Simon, bis morgen, und schlaf gut.« Er verließ die Halle und begab sich in sein Schlafgemach. Sein Knappe folgte ihm und suchte dann sein eigenes Quartier am anderen Ende der Halle auf.

Simon sah dem Ritter nach, dann erhob er sich und ließ seine Frau sachte auf die Bank gleiten, auf der sie gesessen hatten. Es war besser, nicht auf dem Boden zu schlafen, denn es kam immer wieder vor, dass Ratten in den Räumen herumliefen. Er zog eine zweite Bank vom Tisch heran, stellte sie neben die andere und legte sich darauf. Dann machte er es sich bequem und schaute noch eine Weile ins Feuer.

Kurz bevor er einschlief, kam ihm noch ein Gedanke. Warum hatte Baldwin sich so wenig für den Mord an dem Abt interessiert, über den die ganze Gegend in hellem Aufruhr war, wo er doch solchen Anteil am Tode Brewers genommen hatte? Doch dann schalt er sich für sein Misstrauen, drehte sich auf die Seite und war bald darauf eingeschlafen.

Als Simon am Morgen erwachte, fiel bereits das Sonnenlicht durch die nicht mehr verhangenen Fenster. Margret und Hugh waren nirgends zu sehen, er lag allein in der Halle. Mit steifen Gliedern erhob er sich und ging hinaus zum Brunnen, zog einen Eimer mit Wasser nach oben und goss sich den Inhalt über den Kopf. Das eiskalte Nass ließ ihn erschaudern, aber immerhin war er mit einem Schlag hellwach.

Aus irgendeinem Grund wachte er immer öfter benommen und träge auf, wenn er am Abend reichlich gegessen und getrunken hatte. Er erinnerte sich, dass sein Vater das gleiche Problem gehabt hatte, aber Simon war noch keine dreißig Jahre alt. Heute Morgen fühlte er sich besonders elend. Sein Magen rebellierte so heftig, als müsse er sich gleich übergeben, sein Kopf war schwer wie Blei, und hinter seinen Schläfen hämmerte ein kleiner Trupp von Bergarbeitern. Was den Geschmack in seinem Mund betraf … er fuhr sich mit der Zunge über die Lippen und nahm sich vor, nie wieder so viel zu trinken. Langsam ging er um das Haus herum, wo ein Eichenstamm lag, der darauf wartete, zu Feuerholz zerhackt zu werden. Vorsichtig ließ er sich darauf nieder und schaute auf die Straße hinunter, während er hoffte, dass sein Kopf klarer wurde und sich das leichte Zittern in den Händen legte.

Er saß noch immer dort, als Baldwin lächelnd aus dem Haus kam und sich zu ihm setzte.

»Wie geht es dir heute Morgen? Ein herrlicher Tag, nicht wahr?«, sagte der Ritter.

Simon blinzelte ihn an. »Ja, herrlich«, erwiderte er. »Ein bisschen hell, oder?«

Baldwin lachte amüsiert. »So wie du jetzt habe ich mich auch immer gefühlt, wenn ich zu viel getrunken hatte. Dann lernte ich mich zu mäßigen, und ich fühlte mich besser. Du solltest es auch einmal versuchen.«

»Wenn es dir nichts ausmacht, ziehe ich es vor, Wein als Gegenmittel einzusetzen. Sonst fällt mir noch der Kopf vom Hals«, sagte Simon und zuckte zusammen, als der Ritter auch diese Bemerkung mit herzlichem Gelächter quittierte.

Sie gingen wieder hinein. Die Diener hatten bereits den Tisch gedeckt, an dem Margret saß und in ihrem Essen herumstocherte. Sie machte nicht den Eindruck, als sei sie besonders hungrig, sondern als esse sie nur, weil sie nicht unhöflich oder undankbar erscheinen wollte. Trotz seines Katers musste Simon grinsen. Er kannte dieses Gesicht. Heute würde sie den ganzen Tag unleidlich sein – ihr Kopf schmerzte offenbar noch mehr als seiner. Mit Schrecken dachte er, an die lautstarke Begrüßung, die Edith ihnen stets zuteil werden ließ, wenn sie längere Zeit fortgewesen waren. Margret saß geistesabwesend da und ihr Gesicht war ganz blass. Er setzte sich neben sie, und auch wenn er sich noch recht schwächlich fühlte, sah die Welt nach einem guten Schluck Wein und ein paar Stücken kalten Braten und Brot schon wieder besser aus.

Sie beendeten gerade die Mahlzeit, als sie draußen das Geklapper von Pferdehufen hörten. Baldwin hob aufmerksam den Kopf. Kurz darauf trat der Besucher ein, und Simon hätte vor Verblüffung fast das Brot fallen lassen. Es war der Mönch Matthew.

Auch wenn er noch immer nicht ganz nüchtern war, erkannte er, wie verwirrt der Mönch schien. Zunächst ging Matthew mit festem Schritt auf den Ritter zu, und Simon glaubte, in seinem Blick Zorn und Entrüstung zu sehen, gepaart mit Zweifel und Unsicherheit. Fast schien es, als wolle er Baldwin irgendetwas vorwerfen, würde es aber nicht wagen. Simon spürte ein deutliches Unbehagen.

Doch dann bemerkte der Mönch die Gäste und verlangsamte seine Schritte. Nachdem er den Vogt entdeckt hatte, schien er sein Eintreten bereits zu bedauern. Zögernden Schrittes ging er weiter und blieb mit ernstem Gesicht vor ihnen stehen.

»Sir Baldwin«, sagte er in einem Tonfall, als spreche er mit seinesgleichen, was Simon äußerst erstaunte. »Ich wünsche einen guten Morgen und bitte um Verzeihung, wenn ich Euch beim Frühstück störe.«

Baldwin erhob sich lächelnd und bot dem Mönch einen Platz an. »Leiste uns Gesellschaft, Bruder. Willst du etwas essen?«

»Danke nein«, antwortete der Mönch und setzte sich Simon gegenüber. »Vogt, ich fürchte, ich habe eine schlechte Nachricht für Euch.«

Simon hob die Augenbrauen. »Was ist geschehen?«

»Gestern Abend kam einer Eurer Männer nach Clanton Barton und fragte nach Euch. Es scheint, als hätten Eure Leute noch keinen Erfolg bei der Suche nach den Mördern des Abtes gehabt. Aber sie erfuhren, dass es gestern in der Nähe von Oakhampton einen weiteren Überfall gegeben hat. Der Bote sagte, dass einige Reisende getötet worden sind. Andere konnten fliehen. Euer Constable ist in die Stadt geritten und bittet Euch, zu ihm zu kommen. Schon wieder haben Menschen ihr Leben lassen müssen, Vogt.«

Fast hätte Simon laut geflucht. Er legte den Kopf in die Hände und versuchte, seine Gedanken zu sammeln. Schließlich sagte er mit fester Stimme: »Hat er gesagt, wo genau der Überfall stattgefunden hat?«

»Ja, dicht bei Ashbury, westlich von Oakhampton.«

»Und der Angriff ähnelte dem ersten?« Simon schaute auf und sah den Mönch eindringlich an. »Wurden Geiseln genommen, hat man etwa wieder Menschen verbrannt?«

Der Mönch wich seinem Blick aus, und als er sprach,

klang seine Stimme rau und gepresst. »Der Bote sagt, dass die Männer getötet wurden. Einige sind in ihren Karren verbrannt. Einige der Frauen sind verschleppt worden.«

»Hat er gesagt, um wie viele Angreifer es sich handelte?«

»Nein, es tut mir Leid, Vogt, das ist alles, was ich weiß. Der Constable bittet Euch, so schnell wie möglich einen Suchtrupp zusammenzustellen.«

Hugh holte die Pferde und Baldwin beauftragte zwei seiner Knechte mit der Begleitung seiner Besucher. Dann ging er zu dem Mönch und Simon nach draußen in das gleißende Sonnenlicht.

»Reichen zwei?«, fragte der Ritter. »Wenn du willst, kann ich dir noch mehr mitgeben, Simon.«

»Nein, zwei sind genug. Könntest du noch einen Mann für mich zu Blacks Haus schicken? Dann müsste ich nicht einen von meinen dafür abstellen.«

»Ja, natürlich.«

»Gut. Der Mann soll Black von den Wegelagerern berichten. Er soll einen neuen Trupp zusammenstellen und sich in vier Stunden mit mir in Copplestone treffen. Wir werden so schnell wie möglich nach Oakhampton reiten.«

Als er auf sein Pferd steigen wollte, kam Simon plötzlich ein Gedanke. Er ging zu Matthew, der neben der Tür stand, und sprach leise mit ihm, damit Margret nicht hörte, was er sagte. »Matthew, weißt du, warum Constable Tanner mich so dringlich zu sich bittet? Der Überfall hat westlich von Oakhampton stattgefunden, eigentlich ist es Sache der Bewohner dort.«

»Ja, Vogt«, entgegnete der Mönch. »Er fürchtet, dass die Gesetzlosen auf dem Weg nach Crediton sein könnten.«

Unglaublich, welch einen Unterschied ein Pferd und Geld ausmachten, dachte Rodney, als er die Schänke verließ. Noch vor wenigen Tagen war er völlig mittellos gewesen, gezwungen zu Fuß zu gehen, nachdem sein Pferd unerwartet verendet war, und nun konnte er sich plötzlich wieder eine Unterkunft, Essen und einen Stall leisten. Seine neue Stute schien sich von den Schrecken der Nacht, in der er sie gefunden hatte, erholt zu haben, er hatte gut gegessen und noch besser geschlafen. In wenigen Tagen würde er bei seinem Bruder sein. Das Leben sah schon wieder erheblich besser aus.

Er verließ das kleine Dörfchen Inwardleigh und ritt langsam Richtung Westen. Der Tag war hell und klar, es wehte eine sanfte Brise, und selbst die Stute schien zu spüren, wie gut es dem Reiter ging. Vielleicht war es auch ihr vorher schlechter gegangen.

Die Straße stieg steil bis zu einer fast baumlosen Hochebene an. Dort lief sie als langes dunkles Band weiter.

Es fiel ihm schwer, die Augen offen zu halten. Der Rhythmus des Pferdes wirkte einschläfernd, aber er hatte auch gar keine Lust, sich auf den Weg zu konzentrieren, sein Bauch war voll, die Sonne schien ihm auf den Rücken und seine Stute trug ihn mühelos dahin.

Dann und wann zuckte das Pferd und Rodney schreckte auf, aber wenn das Tempo wieder gleichmäßig wurde, sank sein Kopf langsam nach vorne und er döste vor sich hin.

So war es auch auf dem Ritt nach Bannockburn gewesen, erinnerte er sich. Sie waren alle müde, nach dem langen Ritt, tagelang hatten sie halb schlafend im Sattel gesessen, auf dem Weg in einen Kampf, von dem sie annahmen, dass sie ihn ohne Schwierigkeiten gewinnen würden. Was konnten die Schotten schon ausrichten? Gegen die vereinten Kräfte Englands waren sie machtlos, gegen die Soldaten, die Wales besiegt hatten, die mit Frankreich gekämpft und die Schotten bereits zuvor vernichtend geschlagen hatten.

Die Schotten schlugen sie. Als die englische Armee König Edwards die Straße von Falkirk nach Stirling erreichte, war sie völlig erschöpft. Sie waren den Schotten jedoch zahlenmäßig hoch überlegen, und als der Feind auf sie zumarschierte, trieb der Earl of Gloucester die Soldaten voran. Rodney hatte seinen Ruf gehört. »Vorwärts, Männer, vorwärts!«

Er lächelte versonnen. Was war das für ein Anblick gewesen! Wie Wellen, wie ein Erdrutsch, ein glorreicher, nicht enden wollender Strom von Männern und Pferden, waren sie auf den Feind zugaloppiert. Der Boden hatte gebebt.

Aber als die Schlacht begann, zeigten sich die Schotten gut vorbereitet. Der Angriff mit den riesigen Schlachtrossen wurde in einem Speerhagel erstickt. Die Schotten hatten Löcher in die Erde gegraben, sodass viele Pferde strauchelten, und sie griffen in keilförmigen Formationen an, durch ihre Schilde an den Seiten geschützt. Die Engländer konnten den brüllenden Schotten nicht beikommen, und als schließlich die schottischen Reiter angriffen, mussten sie den Rückzug antreten.

Sie wären wohl fast alle entkommen, wenn nicht plötzlich eine weitere schottische Kavallerie aufgetaucht wäre, die sich bis dahin zurückgehalten hatte. Aus dem geordneten Rückzug wurde eine wilde Flucht. Ritter und Knappen rannten ihn panischem Schrecken davon und gerieten dabei in die Sümpfe am Ufer des Bannock. Als sie durch den Schlamm stapften, erkannten die feindlichen Bogenschützen die Gelegenheit.

Die englischen Reiter konnten ihren Kameraden nicht zu Hilfe kommen, sie wären auch im Boden versunken. Sie flohen und sahen mit Schrecken, wie ihre Freunde starben. Doch auch auf sie lauerte der Tod und wie verzweifelt sie auch versuchten, sich mit den Pferden einen Weg zu bahnen, die wenigsten schafften es.

Rodney war einer dieser wenigen. Zusammen mit seinem Lehnsherrn gelang es ihm, ans andere Flussufer zu kommen. Von dort aus hatten sie auf die andere Seite gestarrt, wo sich ihnen ein grauenvoller Anblick bot. Die schottischen Soldaten liefen zwischen den Pferden hin und her und schlitzten ihnen die Bäuche auf, und die Tiere stürzten oder bäumten sich verzweifelt auf und warfen ihre Reiter ab. Die Schotten schlugen auf die Liegenden ein, und wenn es einem Ritter überhaupt gelang, wieder aufzustehen, stürzten sich gleich mehrere Soldaten auf ihn, verwundeten ihn mit ihren langen Piken und versetzten ihm den Gnadenstoß, wenn er wehrlos auf der Erde lag.

Rodney war wie gelähmt ins Lager zurückgekehrt. So wenige hatten überlebt, so wenigen war die Flucht vor dieser Meute gelungen.

Er sah alles noch immer deutlich vor sich, auch wie die Schotten den Körper seines jungen Knappen Alfred in den vom Blut bereits rot gefärbten Fluss geworfen hatten, nachdem sie ihm den Kopf abgeschlagen hatten. Die Leiche war an ihm vorbeigetrieben. Er hörte das Gebrüll und das Gelächter, sah das Aufblitzen der Messer, von denen das Blut der Getöteten tropfte.

»Guten Morgen, Sir. Wo soll es denn hingehen?«

Er schreckte hoch und erkannte zu seinem Entsetzen, dass er von grimmig aussehenden Männern umringt war. Er hatte sie überhaupt nicht bemerkt. Hatte er geschlafen?

Und dann sah er, dass sie Messer und Schwerter gezogen hatten, und er sah ihre abschätzenden Blicke, die seinen Wert und seinen Preis taxierten.

Kapitel 15

Gegen Mittag waren sie wieder in Sandford, und Simon und Hugh liefen ins Haus, um Proviant einzupacken. Margret blieb zunächst draußen bei den Pferden, überließ die Zügel dann aber einem von Baldwins Männern und folgte Simon.

Der Ritt nach Hause hatte ihn müde gemacht, aber sie machte sich nicht so sehr seinetwegen Sorgen – sie wusste, dass er im Schutze des Suchtrupps einigermaßen sicher sein würde. Vielmehr fürchtete sie die Folgen, die der Überfall der Räuber für die ganze Gegend haben würde. Die ständigen Überfälle und die Angst davor brachten brave, gesetzestreue Menschen dazu, ihre vier Wände kaum noch zu verlassen. Die Mörder hielten Händler und Bauern davon ab, zu reisen. War ein Opfer zu arm, um ein zusätzliches Lösegeld zu erpressen, wurde es oft umgebracht. Reiche Händler wurden als Geiseln genommen.

Margret betrat das Haus und setzte sich auf einen Stuhl beim Feuer. Sie hörte die Stimmen ihres Mannes und Hughs, die Nahrung und Wasservorräte einpackten, und dann vernahm sie ein leises Schluchzen an der Tür. Sie drehte sich um. Ihre Tochter Edith stand tränenüberströmt da, und sie nahm sie auf den Schoß und tröstete sie. Aus Mitleid mit ihrer Tochter konnte auch sie die Tränen kaum zurückhalten.

»Vater geht wieder fort, nicht wahr?«

»Ja, aber er kommt bald wieder, Edith. Du musst dir keine Sorgen machen«, sagte sie und wischte sich den Tränenschleier von den Augen.

»Vielleicht passiert ihm etwas!«, schluchzte Edith. »Ich will nicht, dass er geht!« Margret wusste nicht, was sie sagen sollte, denn die Angst ihrer Tochter hatte ihre eigene

Sorge geweckt. Sie kannte die Risiken nur zu gut und war nicht in der Lage, ihrer Tochter etwas vorzulügen. Schweigend saßen sie da, das Mädchen weinte, während die Mutter in das Feuer starrte.

Simon tauchte in der Tür auf, um sich von seiner Frau zu verabschieden. Er trug zwei Taschen bei sich und hatte das Schwert wieder angeschnallt. Er schaute Margret und Edith fast verlegen an, als habe er sie bei einem geheimen Gespräch gestört. Er kannte den Grund für Ediths Tränen, aber auch er wusste nicht, wie er sie hätte aufmuntern können. Er stellte die Beutel ab und ging zu ihnen, und als seine Tochter mit großen verzweifelten Augen zu ihm hochsah, spürte er einen Stich in der Brust, und er kniete sich nieder und umarmte alle beide.

»Was hast du denn?«, fragte er.

»Ich will nicht, dass du gehst, ich will, dass du bleibst!«, stieß Edith zwischen zwei Schluchzern hervor.

»Ich bin bald wieder zurück, Liebes. In ein, zwei Tagen bin ich wieder da.«

»Aber wenn dir etwas passiert!«

Er lachte leise auf. »Mir passiert schon nichts. Ich habe ganz viele Männer dabei, die auf mich aufpassen.«

Sie wandte sich von ihm ab und legte den Kopf an Margrets Schulter. Er ließ sie zögerlich los und fast wären auch ihm die Tränen gekommen. Margret strich ihrer Tochter übers Haar und sah mit einem Lächeln zu ihm auf.

»Unseren Umzug nach Lydford müssen wir wohl verschieben, bis diese Sache erledigt ist«, sagte er. »Kannst du den Männern sagen, dass es noch ein bis zwei Wochen dauern wird?«

Sie sah ihn fragend an.

»Ich weiß nicht, wie lange wir brauchen werden, bis wir diese Männer gefasst haben. Danach kümmere ich mich um alles.«

»Schon gut, Simon«, erwiderte sie ruhig. »Fangt sie, so schnell es geht, aber sei vorsichtig. Mach dir keine Sorgen, schnapp sie dir und komm bald wieder zu uns zurück.« Er nickte und gab ihr einen flüchtigen Kuss, bevor er seine

Sachen nahm. Noch einmal lächelte er ihr zu, dann war er verschwunden.

Erst als sie sicher war, dass er fort war, ließ auch sie ihren Tränen freien Lauf.

Hugh wartete bereits mit den beiden Männern von Furnshill. Eilig band Simon die Taschen an seinen Sattel, stieg auf sein Pferd und führte die Männer zur Straße nach Copplestone.

Sie legten ein flottes Tempo vor und dieses Mal ignorierte der Vogt Hughs Proteste. Bald hatten sie Copplestone erreicht, wo sie in der Stadtmitte auf eine zwölf Mann starke Truppe trafen, die bereits auf sie gewartet hatte. Black war noch nicht da. Er hatte sich offenbar selbst darum gekümmert, die übrigen Männer zu alarmieren und würde bald mit den letzten eintreffen.

Sie blieben auf ihren Pferden sitzen, während sie warteten. Der Wirt der Schänke brachte ihnen Bier, und als sie ihre Humpen an die Lippen setzten, wirkten sie fast wie eine fröhliche Landpartie. Zuerst hatte Simon befürchtet, der eine oder andere könne zu viel trinken, aber als er die Männer beobachtete, zerstreuten sich seine Ängste. Sie redeten und lachten zu laut, aber sie tranken nur langsam, und plötzlich erkannte er, wie nervös sie alle waren. Ein Schluck Bier würde ihnen den nötigen Mut geben. Schließlich war es fast so, als ritten sie in eine Schlacht. Er lehnte sich zurück.

Die Männer waren allesamt ruhige, stämmige Bauern, die das raue Klima der Moorlandschaft gewohnt waren. Obwohl Simon von nur wenigen die Namen wusste, so kannte er sie doch fast alle vom Sehen. Sie saßen natürlich nicht auf schweren Schlachtrossen, sondern auf Ponys, aber die Tiere waren wendig und ausdauernd. Ihr Futter bestand aus dem kurzen Gras, das überall wuchs, sodass sie nicht zusätzlich versorgt werden mussten.

Die Männer warteten angespannt. Sie wollten die Sache so schnell wie möglich hinter sich bringen, um wieder in ihre Häuser zurückkehren zu können. Aber sie fürchteten nicht so sehr um ihre eigene Gesundheit. Sie wollten helfen, die Verbrecher zu finden, das sah man ihnen an. In ihrem lauten Gelächter und ihren Rufen schwang eine gedämpfte Erregung mit. Sie wollten die Gesetzlosen fangen und die Gefahr bannen, die von ihnen für die ganze Gegend ausging.

Wenn Räuberbanden einfielen, griffen sie abgelegene Höfe an, und oft töteten sie die Männer und vergewaltigten die Frauen. Die Männer des Suchtrupps wussten, was bei North Petherton geschehen war, wo mehrere Höfe von skrupellosen Mördern völlig zerstört worden waren. Auf ihre eigene, ganz unpathetische Art hatten sie sich vorgenommen, dass dieser Wahnsinn nicht in ihrer Gegend wüten sollte. Deshalb wollten sie der Bande den Garaus machen.

Black traf erst nach einer Stunde ein. Er hatte sechs weitere Männer mitgebracht. Er nickte Simon zu und ließ sich einen Krug Bier geben, den er in einem Zug leerte. Nachdem er sich mit dem Handrücken den Mund abgewischt hatte, ritt er zu Simon hinüber.

»Es tut mir Leid, dass es so lange gedauert hat, aber ein paar von den Männern waren noch bei der Feldarbeit.«

»Schon gut.« Simon sah zum Himmel hinauf. »Aber jetzt sollten wir uns beeilen, nach Oakhampton zu kommen.«

Black nickte und gab den Befehl an die Männer weiter. Sie reichten dem Wirt ihre Krüge und bald darauf befanden sie sich in einer lockeren Formation auf dem Weg zu ihrem Ziel. Simon und Black führten die Gruppe an und bestimmten das Tempo.

Sie ritten recht schnell und passierten den Weg nach Clanton Barton so hurtig, dass Simon kaum bemerkte, wie sie den Greenfield-Hof passierten. Er drehte sich um und sah zu dem Gebäude hinüber, als könne er durch dessen Mauern sehen. Waren die Mönche bereits abgereist?

»Ich habe mir Gedanken darüber gemacht«, sagte Black zu ihm, »ob diese Gesellen, die wir jetzt jagen, auch den Abt umgebracht haben könnten. Ich meine, sie könnten doch zu dieser Bande gehören. Vielleicht zwei Späher, die

die Gegend auskundschaften sollten, und als sie dem Abt begegneten, nutzten sie die Gelegenheit.«

Simons Miene blieb unbeweglich. »Ich weiß es nicht. Möglicherweise.«

Sie ritten in scharfem Tempo weiter. Vor Anbruch der Dunkelheit würden sie Oakhampton nicht mehr erreichen, aber Simon wollte so weit wie möglich kommen, an geeigneter Stelle ein Nachtlager aufschlagen und den Weg dann am Morgen fortsetzen. Die Straße wand sich durch die Moore und führte sie dabei durch dichte Wälder, immer weiter nach Süden. Kurz nachdem sie Bow hinter sich gelassen hatten, begann es zu dunkeln und Black sah sich nach einem Lagerplatz um.

Als die Finsternis sich fast ganz herabgesenkt hatte, kamen sie an einen kleinen Bach und Black ließ sie anhalten. Schnell wurden die Pferde getränkt und angebunden. Dann entfachten die Männer Lagerfeuer und machten es sich bequem. In Decken oder Umhänge gehüllt aßen und tranken sie, um sich bald darauf zum Schlafen niederzulegen.

Simon saß etwas abseits von den anderen. Er war völlig ausgelaugt. Der Kater war verschwunden, aber nach den Stunden im Sattel fühlte sich sein ganzer Körper steif und wund an, und er hatte das Gefühl, als sei er um Jahre gealtert, seit er Furnshill Manor verlassen hatte. Er wickelte sich fest in seinen Umhang, setzte sich an einen Baum am Bach und fiel in einen unruhigen Schlaf.

Am nächsten Morgen machten sie sich noch vor dem Sonnenaufgang wieder auf den Weg. Die graue Kälte hing ihnen in den Knochen, als sie wieder den sanften Windungen der Straße folgten.

Sie hatten gerade einmal zwei Meilen zurückgelegt, als Black mit skeptischem Blick nach vorne schaute. Auf sein Handzeichen hin blieben die Männer stehen, und in diesem Augenblick meinte Simon, in der Ferne Hufschläge zu hören. Er ritt mit Black ein Stück voran und legte sicherheitshalber die Hand auf seinen Schwertknauf. Die Männer warteten schweigend, während das Geräusch näher kam. Wer hatte es zu dieser frühen Stunde so eilig?

Kurz darauf sahen sie einen Reiter, der um eine Kurve galoppierte, ein junger Mann auf einem kleinen, scheckigen Pferd. Als er die Männer erblickte, zog er rasch die Zügel an und er beäugte die grimmige Truppe argwöhnisch.

»Guten Morgen«, sagte Black. »Du reitest schnell.«

»Ich muss eine Nachricht überbringen«, sagte der Jüngling schroff.

»Für wen? Wohin willst du?«

Der Junge sah Black trotzig an, aber nachdem sein Blick über die anderen Männer geglitten war, antwortete er: »Nach Crediton.«

Simon brachte sein Pferd näher heran. »Du brauchst dich nicht vor uns zu fürchten, mein Freund. Wir sind ein Suchtrupp auf dem Weg nach Oakhampton, um eine Bande von Räubern zu verfolgen.«

Der Jüngling atmete erleichtert auf. »Gott sei Dank! Zu euch wollte ich ja, aber mir war nicht klar, dass ihr schon so nah seid – einen Augenblick hielt ich euch für die Gesetzlosen! Schnell, kommt mit mir, es hat einen Überfall gegeben.«

»Nun ja, deshalb sind wir ja hier, ein Bote hat uns gestern Abend davon berichtet.«

»Gestern Abend? Aber da hat der Überfall stattgefunden.«

Unter den Männern entstand besorgtes Gemurmel, das jedoch sofort erstarb, als Black sich umdrehte. Simon beugte sich vor.

»Wo? Was ist geschehen?«, fragte er eindringlich.

»Eine Gruppe Kaufleute aus Cornwall war unterwegs nach Taunton. Etwa sechs Meilen von Oakhampton entfernt lauerte man ihnen auf und raubte sie aus. Viele wurden getötet. Zweien gelang es, zu unserem Hof zu flüchten, der in der Nähe liegt. Ein Junge und ein Mädchen. Sie sind noch immer bei uns. Mein Vater sagte, ich solle nach Crediton reiten und Hilfe holen, weil ein anderer Trupp bereits weiter westlich suche, also habe ich mich auf den Weg gemacht –«

»Schon gut, schon gut«, sagte Simon abwesend. Er sah Black an. »Noch ein Überfall.«

»Ja«, erwiderte der Jäger. »Vielleicht weiß Tanner noch gar nichts davon. Wir sind sicher diejenigen, die am nächsten sind.«

»Dann müssen wir uns ansehen, was geschehen ist.«

»Euer Hof – liegt er auf dem Weg nach Oakhampton?«

»Ja, Sir.« Der Junge nickte eifrig.

»Dann führe uns dorthin.«

Sie galoppierten los. Die Aussicht, den Räubern so dicht auf den Fersen zu sein, spornte alle an, und nach einer knappen Stunde hatten sie ihr Ziel erreicht.

Vor dem Haus sprang der Junge vom Pferd und lief hinein. Simon hieß die anderen Männer warten, während er und Black dem Jüngling folgten.

Das Gebäude war alt, sein Strohdach hätte dringend ausgebessert werden müssen. Drinnen sah es jedoch gemütlich aus und das prasselnde Feuer verbreitete einen warmen Glanz. Vor der Feuerstelle saßen ein Junge und ein Mädchen.

Der junge Überbringer der Botschaft stand unschlüssig an der Tür, als wisse er nicht genau, ob er die Männer überhaupt hereinlassen sollte. Als Simon das Gesicht des Mädchens sah, wusste er warum, und zuckte innerlich zusammen. Sie war höchstens zwanzig Jahre alt, von starker, aber schlanker Gestalt, und sie hatte Angst. Man sah es an der Art, wie sie auf dem Boden kauerte, man sah es an dem bleichen Gesicht unter den langen, schwarzen Haaren, an dem starren, ängstlichen Blick, mit dem sie die Neuankömmlinge ansah, an dem zitternden Kinn und den zusammengekniffenen Lippen. Ihr Leid war fast greifbar, und nur zu gerne wäre Simon zu ihr gegangen und hätte sie getröstet.

Der Junge saß schweigend da und schien die Fremden kaum wahrzunehmen. Er hatte strohblondes Haar und starrte mit leeren Blick vor sich hin. Er schien keine Angst mehr zu haben, es sah vielmehr aus, als sei er vor Schreck wie gelähmt.

Ein älteres Paar betrat hinter Simon und Black den Raum, und während der Mann Simon fast flehentlich ansah, eilte die Frau zu den beiden jungen Leuten.

»Es tut mir Leid, aber sie sind …«, sagte der Mann zögernd. Die ältere Frau hatte die jüngere mittlerweile in den Arm genommen und wiegte sie. Das Mädchen klammerte sich an sie wie ein ängstliches Kind an die Mutter. »Kommt bitte mit nach draußen«, sagte der Mann, »lasst uns nicht hier drinnen reden.« Simon und Black sahen einander an und folgten ihm hinaus.

»Was ist geschehen?«, fragte Simon. »Wir wissen nur, was dein Sohn uns erzählt hat.«

Der alte Mann sah ihn traurig an. »Ihr habt gesehen, in welchem Zustand sich die beiden befinden. Gestern Nacht klopften sie an unsere Tür. Aus dem Jungen haben wir noch kein einziges Wort herausbekommen, er will einfach nicht sprechen. Das Mädchen ist seine Schwester. Sie ritten mit ihren Eltern in einer Gruppe nach Taunton und lagerten etwa zwei Meilen von hier entfernt.« Er deute nach Südwesten, hin zur grauen Linie der Moore. »Sie hatten ihr Lager gerade aufgeschlagen und bereiteten ein Essen zu, als sie überfallen wurden.«

»Wann war das?«

»Sie kann nur sagen, dass es schon dunkel war. Sie sagt, die Wegelagerer wären gekommen und hätten alle Männer getötet und einige der Frauen auch. Ich glaube, ein paar Frauen haben sie mitgenommen. Sie haben sie wohl auch …«

»Du meinst, sie sind vergewaltigt worden?« fragte Simon, in dem blanker Zorn aufstieg, wenn er daran dachte, was die beiden Zeugen miterlebt haben mussten.

Blacks Gesicht hatte sich ebenfalls verfinstert. »Haben sie das Mädchen auch geschändet?« Simon dachte daran, dass die Frau des Jägers nicht viel älter sein konnte als dieses Mädchen.

Der Bauer nickte. »Sie hat es meiner Frau erzählt.« Seine Augen füllten sich mit Tränen. »Wenn ich die Stube betrete, verstummt sie und klammert sich an meine Frau. Sie hat entsetzliche Angst vor Männern, und als sie euch Gentlemen gesehen hat … Meine Frau meint, dass sie noch nie jemanden so verstört erlebt hat.«

»Hat sie die Männer beschrieben, die sie überfallen haben?«, fragte Simon. Black fluchte leise.

»Nein. Aber sie sagte, einer habe ausgesehen wie ein Ritter in Rüstung, was immer sie damit sagen will. Vielleicht hat er nur einen Helm getragen oder einen Brustpanzer. Die anderen scheinen ganz gewöhnliche Männer gewesen zu sein.«

Black und Simon tauschten einen Blick aus und der Jäger nickte grimmig.

Simon wandte sich wieder an den Bauern. »Kann uns dein Sohn zu der Stelle führen? Weiß er, wo es passiert ist?«

»O ja, sicher kann er euch dorthin bringen.«

Black und Simon stiegen auf ihre Pferde, und als der Bauernsohn bereit war, ritten sie in südwestlicher Richtung auf die Moore zu.

Simon dachte daran, was ihnen der Bauer über den Überfall erzählt hatte, und er fühlte eine nie gekannte Wut in sich aufsteigen. Wie grausam die Räuberbanden sein konnten, wusste er, aber der Anblick des im Innersten getroffenen Mädchens hatte es ihm erst deutlich gemacht. Dass sie auf Black und ihn so panisch reagiert hatte, zeigte, wie sehr sie leiden musste. Er stellte sich immer wieder die gleichen Fragen: Wer konnte so etwas tun? Wer konnte einem so jungen Mädchen solch ein Leid zufügen? Wer konnte so viel Elend heraufbeschwören und danach mit sich selbst noch im Reinen sein?

Die Wut über das Verbrechen schien ihm neue Kraft zu geben, und als er einen Blick zur Seite warf, konnte er erkennen, dass Black diesen Zorn ebenfalls spürte, auch wenn er scheinbar gelassen neben ihm ritt. Er sah es an der Art und Weise, wie Black in die Wälder schaute, als freue er sich geradezu darauf, den Tätern zu begegnen und sie zur Rechenschaft zu ziehen.

Da sie ihr schnelles Tempo beibehielten, hatten sie die zwei Meilen bis zum Ort des Geschehens zurückgelegt; der

Sohn des Bauern deutete auf eine Stelle links von der Straße, wo zwischen den Bäumen Rauch aufstieg.

»Dort muss es sein«, sagte er. Simon sah ihm an, wie sehr er den Anblick fürchtete, der sich ihnen gleich bieten würde.

»Du hast uns hierher geführt«, sagte Simon zu ihm. »Ich danke dir. Reite jetzt nach Hause zurück. Wir werden uns melden, wenn wir wissen, was passiert ist.«

Erleichtert nickte der Junge, wendete sein Pferd und ritt davon. Simon und sein Spurensucher sahen ihm nach und machten sich dann auf den Weg. Aufmerksam behielten sie die Bäume an den Seiten der Straße im Auge.

»Vogt?«, sagte Black nach einer Weile leise.

»Ja?«

»Ich nehme nicht an, dass Ihr mich auch nach Hause schicken wollt?«

Simon wandte den Blick zu dem Mann, der neben ihm ritt, und sie sahen einander an, als würden sie vollkommen verstehen, wie der andere sich fühlte, und wie auf ein geheimes Kommando gaben sie ihren Pferden die Sporen und ritten auf die Rauchsäule zu wie die Kavallerie in die Schlacht.

Kapitel 16

Doch je näher sie dem Lager kamen, desto beklommener wurde Simon zu Mute. Er stellte sich vor, was sie zwischen den Bäumen finden würden, und wünschte sich, Black würde vorreiten, als könne das seinen eigenen Schmerz und den Schock mildern. Seine Augen suchten überall Halt, sein Blick streifte die Bäume, die Straße, den Himmel, als könne er sich damit gegen den Anblick des Lagers wappnen.

Black ritt schweigend neben ihm. Mit einer Hand hielt er die Zügel, die andere lag locker auf dem Sattel. Er wusste, dass es das erste Mal war, dass Simon mit eigenen Augen sehen würde, wie die Räuberbanden wüteten. Für ihn war es anders. Bevor er das Handwerk des Jägers und Bauern von seinem Vater übernommen hatte, war Black viel gereist. Er hatte Händlern beim Transport ihrer Waren geholfen.

Bei einer dieser Reisen war er einmal an einem Lager vorbeigekommen, das Banditen überfallen hatten. Er war damals zweiundzwanzig, und er hatte Dinge sehen müssen, die er sich in seinen schlimmsten Träumen nicht ausgemalt hätte. Der Schock war so groß, dass es ihm noch Tage danach im wahrsten Sinne des Wortes die Sprache verschlagen hatte. Wochenlang war er nachts aus dem Schlaf aufgeschreckt. Damals hatte man ihn nicht mit in den Suchtrupp aufgenommen, weil er offensichtlich keine große Hilfe darstellte und sich auch als Fremder in der Gegend nicht auskannte. Trotzdem war er dem Suchtrupp nachgeritten, weil er sehen wollte, wie die Männer an den Mördern Rache nahmen.

Sie hatten die Bande nicht gefunden. Nach tagelanger Verfolgung hatte der Suchtrupp die Spuren tief in den Wäldern verloren und hatte frustriert umkehren müssen. Deshalb war Blacks Enttäuschung darüber, die Mörder des Abtes bisher nicht gefunden zu haben, auch so groß. Dieses Mal wollte Black es wissen. Sie würden ihm nicht entkommen. Er würde sie jagen und zur Rechenschaft ziehen, nicht nur als Rache für diesen Überfall, sondern auch für den Mord an dem Abt und für die toten Männer und Frauen, die er als junger Bursche gesehen hatte.

Simon geriet immer mehr in Panik. Der Anblick des toten Abtes hatte ihn bereits über die Maße schockiert, aber was sie hier vorfinden würden, musste noch viel schlimmer sein.

Als er sich umdrehte, sah er, dass er nicht der Einzige war, dem es graute. Die anderen Männer, die in ihrem Leben schon Verletzte oder Tote gesehen hatten, ritten plötzlich dichter zusammen und ließen die Köpfe hängen. Sie schienen einander helfen zu wollen, denn sie wussten, dass sie diese Sache gemeinsam besser ertragen konnten.

Simon wandte sich wieder um. Wenn diese Männer sich der Aufgabe stellten, konnte er es auch. Trotzdem fühlte er sich in seiner Furcht allein.

Der Weg wand sich durch den Wald, und durch die Lücken zwischen den Bäumen sah Simon die dunklen, düsteren Erhebungen der Moore. Sie ritten also in südlicher Richtung. Black untersuchte bereits das Wirrwarr der Spuren auf dem Boden. Als er spürte, dass Simon ihn beobachtete, drehte er sich kurz um, sagte aber nichts, sondern wandte sich wieder seiner Fährtensuche zu.

Das Erste, was Simon auffiel, war der Geruch – nicht der bittere, schale Gestank eines alten Feuers, sondern der Duft von frischem Rauch. Fragend sah er den Jäger an. Die Wegelagerer waren doch sicher über alle Berge. Sie waren doch nicht etwa am Ort ihres letzten Überfalls geblieben?

Blacks Mienenspiel gab ihm keine Antwort. Der Jäger starrte lediglich finster nach vorn. Gemeinsam ritten sie in das Lager.

Zunächst sahen sie nur die rauchenden Karren. Sie standen auf einer kleinen Lichtung, die von schlanken, jungen

Bäumen gesäumt wurde. Auch wenn das Gras niedergetrampelt worden war, so wirkte das Bild, das sich den Männern bot, auf den ersten Blick friedlich, ja fast heiter. Es sah aus, als hätten sich die Menschen in ihren farbenfrohen Kleidern zum Schlafen auf den Boden gelegt. Das Grün der Bäume spiegelte sich in dem Bach, der am anderen Ende der Lichtung vorbeisprudelte. Sie hatten eine Oase der Ruhe betreten und Simon hatte das Gefühl, er müsse nur laut rufen und all die Männer und Frauen würden sich gähnend erheben. Aber er wusste, dass niemand mehr aufstehen würde. Die Menschen waren alle tot.

Der Rauch stieg von zwei Karren auf, die dicht nebeneinander standen. Zwei weitere standen etwas entfernt, und ihre Ladung, ein bunter Kleiderhaufen, lag auf dem Boden verstreut. Als Simon die erste Leiche vor sich liegen sah, eine Frau, die erschlagen worden war, spürte er, wie ihm die Tränen in die Augen stiegen. Daneben lag ein Mann, der die Arme ausgestreckt hatte, als wolle er sie umarmen. An seinem Hinterkopf klaffte eine tiefe Wunde.

Simon hatte das Gefühl, als würde er aus sich heraustreten, als sei er gar nicht hier und schaue durch die Augen eines anderen. Es schien, als habe sich sein Verstand beim Anblick dieses Grauens vom Körper getrennt und sich zurückgezogen, um ihn vor den Auswirkungen des Schreckens zu schützen.

Er wandte den Blick ab und ging auf die Karren zu. Als er sich näherte, sah er etwas, das ihm das Blut in den Adern gefrieren ließ. Von der Fläche des offenen, qualmenden Karrens baumelten zwei verbrannte, schwarze Arme herab. Er starrte die menschlichen Überreste erschrocken an.

Black war vom Pferd gestiegen. Er hatte den Männern befohlen zu warten und ging nun die Lichtung ab. Er beugte sich über die Leichen, suchte den Boden ab, besah sich die Karren und kniete ab und zu nieder, wenn eine Spur ihm besonders interessant schien. Schließlich kam er auf den Vogt zu.

»Sir«, sagte er mit fester, leiser Stimme. »Es waren mindestens fünf. Sie müssen vor einigen Stunden gekommen sein und sind auch schon recht lange wieder fort. Die Spuren sind bereits etwas älter.«

»Was ist passiert? Warum haben sie alle umgebracht?«, fragte Simon fassungslos.

»Sie haben das Geld gestohlen und die Lebensmittel.« Black zuckte mit den Schultern. »Das hier war reine Mordlust.« Er deutete mit einer scheinbar gleichgültigen Geste auf die Leichen.

»In welche Richtung sind sie geflohen?«

»Nach Süden. In die Moore. Die Spur ist eindeutig.«

»Dann folgen wir ihnen.« Simons Blick fiel wieder auf den Karren.

»Sir, wir müssen zuerst den Bauern benachrichtigen, damit er noch zusätzliche Leute von Oakhampton herschicken kann.«

»Ja, ja, natürlich. Wir lassen zwei Männer hier und schicken einen zum Hof. Die anderen kommen mit uns.«

Der Jäger wählte zwei Männer aus, die das Lager bewachen sollten und sandte den Jüngsten der Truppe zum Bauernhof. Dann stieg er auf sein Pferd und führte die Truppe den Bach entlang und dann über eine Anhöhe, auf die Moore zu.

Zunächst kamen sie nur langsam voran, weil die Spuren durch die Bäume führten. Die Mörder hatten sich nicht die Mühe gemacht, ihre Fährten zu verwischen und es möglichen Verfolgern so schwer wie möglich zu machen. Sie waren dort entlanggeritten, wo die Bäume am weitesten auseinander standen und die Reiter sich nicht unter Ästen oder Zweigen ducken mussten. Schließlich kamen sie an ein offenes Moor, wo die Spuren so deutlich den Weg wiesen, als seien es aufgemalte Pfeile.

Während sie weiterritten, versuchte Simon seine Gefühle zu ordnen. Es fiel ihm schwer, die Brutalität des Angriffs zu begreifen. Die Zahl der Opfer, die Art und Weise, wie sie getötet worden waren, all das machte ihn nicht nur zornig, sondern auch unsicher und ängstlich. Er wünschte sich zum wiederholten Mal, er hätte Margret an seiner Seite, die ihm zuhörte, während er seine Gefühle vor ihr ausbreitete.

Es kam ihm vor, als müsse ihm gleich der Kopf platzen, als könne er dem Schrecken, dem er ausgesetzt war, nicht mehr standhalten. Aber er wollte verstehen, warum so etwas geschehen konnte, warum Menschen so sinnlose Morde begingen. Bis dahin würde er keinen Frieden finden, denn wenn es keinen Sinn gab, warum erlaubte Gott es dann? Gott in seiner Weisheit würde eine solche Barbarei doch sicher nicht zulassen.

Er schloss zu Black auf. »Black, verstehst du, warum Menschen so etwas tun?«

Der Jäger hielt die Augen auf die Spur gerichtet. »Ich weiß es nicht. Ich habe so etwas vor vielen Jahren schon einmal gesehen, oben im Norden.«

»Und habt ihr dort herausgefunden, was der Grund war?«

»Nein, die Mörder sind nicht gefasst worden.«

Simon sah stirnrunzelnd auf den Boden. »Ich komme einfach nicht darüber hinweg. Es waren doch nur Händler. Kein Problem, sie zu überwältigen und zu fesseln. Dann hätten sich die Räuber nehmen können, was sie wollten.«

Der Jäger zuckte mit den Schultern. »Ich weiß es nicht. Entweder waren sie verrückt oder sie wollten keine Zeugen zurücklassen, die sie irgendwann einmal erkennen könnten. Aber dieses Mal werden wir dafür sorgen, dass sie es nicht noch einmal tun.«

»Glaubst du, sie werden weitere Überfälle begehen?«

»Sicherlich. Solange sie das Gefühl haben, nicht gefasst werden zu können, machen sie weiter.«

Simon sah in die Ferne. »Was glaubst du, wohin sie wollen?«

»Das kommt darauf an, ob sie wissen, dass wir ihnen folgen. Wenn nicht, gehen sie vielleicht nach Crediton oder Oakhampton oder nach Moretonhampstead. Wenn sie wissen, dass jemand hinter ihnen her ist, halten sie sich vielleicht weiter südlich. Es kann natürlich auch sein, dass sie uns auflauern, wenn sie sich stark genug fühlen. Diese verdammten Hunde!«

Der Fluch schreckte Simon auf, denn bislang hatte der

Jäger auch nach den schrecklichen Dingen, die sie gesehen hatten, scheinbar ungerührt seine Arbeit getan. Aber auch dieser kaum zu erschütternde Mann war tief getroffen.

Simon ließ ihn voranreiten und verlangsamte sein Tempo, bis er mitten zwischen den anderen Männern ritt. Er fühlte sich beunruhigter denn je.

Sie waren der Spur über eine Stunde gefolgt, als sie an eine Straße kamen. Black zügelte sein Pferd und bedeutete den anderen zu warten. Er stieg ab und begutachtete das Gras mit gebeugtem Kopf, wie ein Hund, der schnüffelnd eine Fährte aufnimmt. Plötzlich stieß er einen leisen Triumphschrei aus. Simon ritt zu ihm.

»Was ist?«

»Dieses Mal waren sie nicht so schlau. Seht!« Er deutete auf das Gras am Straßenrand. Hier begann bereits das Moor, hier wuchsen Heidekraut und Stechginster und zauberten purpurne und hellgelbe Farbtupfer in die Landschaft. Das graugrüne Gras war zertrampelt und hatte sich in dunklen Matsch verwandelt. Hier konnte auch Simon deutlich die Abdrücke der Hufe erkennen. Black sah ihn triumphierend an. »Jetzt kann ich ihnen bis in die Hölle folgen, wenn es sein muss. Hier im Moor können sie ihre Spuren nicht mehr verwischen.«

Von hinten ertönte ein Ruf. Sie drehten sich um. Hugh wies die Straße hinauf nach Westen, und sie sahen eine Gruppe, die in raschem Galopp auf sie zu geritten kam.

Der Jäger rannte zu seinem Pferd und wollte sich schon in den Sattel schwingen.

»Black, warte!«, rief Simon. »Die Räuberbande würde wohl kaum so unverfroren mitten auf der Straße des Königs reiten. Wenn sie uns angreifen wollten, dann würden sie einen Hinterhalt legen und nicht so offen angaloppiert kommen, als würden sie ausreiten.«

Die Männer des Suchtrupps warteten, und die Pferde schienen die Anspannung ihrer Reiter zu spüren, sie schnaubten und stampften mit den Hufen auf.

Als sie die Herannahenden erkannten, gab Simon mit

einem Jubelruf seinem Pferd die Sporen. Es waren Tanner und seine Leute.

Später, als langsam die Dunkelheit hereinbrach und selbst Black einwilligte, die Suche zu unterbrechen, schlugen sie bei einem gewaltigen Felsbrocken ein Lager auf.

Die Spuren hatten fast gerade nach Süden geführt. Unterwegs waren sie an einigen kleinen Weilern vorbeigekommen und hatten mehrere kleine Bäche überquert. Jedes Mal fürchteten sie, die Räuber könnten versucht haben, sie an diesen Stellen in die Irre zu leiten, aber die Spuren gingen immer wieder auf der anderen Seite weiter, als würden die Verbrecher sich für unverwundbar halten und keinen Angriff fürchten. Fast hätte man meinen können, die Bande wollte geradezu herausfordern, dass man ihr folgte und manchmal beschlich Simon das unbehagliche Gefühl, dass dies tatsächlich der Fall sein könnte. Sollten sie in einen Hinterhalt gelockt werden?

Als die Pferde versorgt waren, machten es sich die Männer an den Feuern bequem und streckten die müden Glieder aus. Das Knacken der Holzscheite bildete die Hintergrundmusik für das leise Gemurmel der Bauern. Black und Tanner gesellten sich zu Simon und seinem Knecht.

Simon lag auf dem Boden, den Kopf auf die Hand gestützt. »Nun berichte, Constable, was habt ihr erreicht, seit wir uns getrennt haben?«

Tanner legte die Stirn in Falten. »Wir haben zuerst die Straße nach Barnstaple abgesucht, und dort haben wir jeden befragt, aber niemand wusste etwas. Das Schwierige ist, dass von dieser Straße so viele andere abzweigen. Wir sind jeden Pfad abgegangen, aber wenn wir nach einer halben Meile nicht das Geringste gefunden hatten, kehrten wir um und setzten unseren Weg fort. Auch in den Wäldern haben wir immer wieder nach Spuren gesucht, aber ich bin sicher, dass sie auf der Straße geblieben sind.

Am ersten Tag kamen wir bis Lapford. Wir lagerten vor dem Dorf und ritten am nächsten Morgen weiter. An diesem Tag sind wir bis nach Elstone gekommen, aber wir fanden keinerlei Hinweise. Weil mir die Männer erschöpft schienen, schickte ich einen Teil von ihnen wieder zurück. Ich hatte noch immer den Verdacht, dass sich die Bande querfeldein durchgeschlagen haben könnte, also habe ich mit einer Gruppe noch einmal alle kleineren Straßen abgesucht. Ich wollte bis zur Oakhampton Road und dann zurück nach Crediton, aber am Ende des zweiten Tages erfuhren wir von den Wegelagerern im Westen von Oakhampton, und ich dachte, dass es sich um die gleichen Banditen handeln könnte, die auch den Abt getötet haben. Den Spuren nach schien es, als seien sie in Richtung Crediton geritten, also schickte ich einen meiner Leute los, um Euch zu benachrichtigen, und schlug selbst den Weg nach Süden ein.

Seitdem suchen wir sie hier, aber wir haben mit Leuten gesprochen, die meinen, sie seien in Richtung Osten unterwegs. Gestern Abend hörten wir von dem neuesten Überfall, und wir beschlossen, Euch zu helfen. Und hier sind wir.«

»Es war gut, dass du einen Mann geschickt hast«, meinte Simon. »Ich war nicht zu Hause, aber er hat einen der Mönche beauftragt, mich zu suchen.«

»Wirklich?« Tanner sah ihn überrascht an. »Ich hatte ihm nicht gesagt, dass es besonders dringend sei, ich wollte Euch nur wissen lassen, wo wir waren.«

John Black schien die Geschichte zu langweilen und er beschrieb in kurzen Worten das schreckliche Bild, das sich ihnen geboten hatte. »Es war grauenhaft, Stephen. Überall lagen Leichen und zwei von ihnen haben sie sogar in ihren Karren verbrannt.«

»Aber warum?«, fragte Simon so laut, dass ihn die anderen erstaunt ansahen. »Warum mussten sie sie verbrennen?«

Tanner zuckte mit den Schultern. »Das kommt manchmal vor, Vogt. Sie benutzen Feuer, um zu foltern, um herauszufinden, ob es irgendwo noch mehr Geld gibt oder um irgendwelche Beweise zu vernichten. Und manchmal verbrennen sie Menschen einfach nur zum Spaß.«

»Jedenfalls scheint es zu dem Mord am Abt zu passen«, sagte Black. »Und zu dem an Brewer auch.«

»Nein«, sagte Simon kurz angebunden, erhob sich und rieb sich die schmerzenden Knie.

»Wieso nicht?«, fragte Black. »Natürlich passt es zusammen, Raub und sinnloses Morden, die Taten von Männern, denen es offenbar Spaß macht, ihre Opfer zu verbrennen.«

»Es passt trotzdem nicht zusammen. Brewer ist in seinem Haus umgekommen, die anderen beiden Taten sind Straßenüberfalle.«

»Er hat Recht. Brewer wurde von jemand anderem getötet. Der Abt könnte jedoch von diesen Gesetzlosen verbrannt worden sein«, meinte Hugh, der bislang schweigend dagesessen hatte, in seinen Umhang gehüllt.

»Sprich weiter, Hugh«, forderte Simon ihn auf. Hugh blickte seinen Herren skeptisch an, als sei er sich unschlüssig, ob seine Meinung wirklich erwünscht war. Aber als er sah, wie konzentriert und ernst Simon ihn ansah, führte er seine Gedanken fort.

»Nun, der Bauer soll doch bereits schon tot gewesen sein, bevor das Feuer ausbrach. Der Abt und die Reisenden wurden bei lebendigem Leibe verbrannt. Diese Gesetzlosen nehmen, was sie kriegen können, und dann töten sie.«

»Aber sie hätten für den Abt noch ein Lösegeld erpressen können«, entgegnete Simon. »Warum ihn töten und zuvor foltern? Wollten sie wissen, in welcher seiner zwei Satteltaschen das Geld steckte? Die Gesetzlosen hätten doch sicher auch die Mönche getötet und nicht nur den Abt. Nein, ich finde, die Verbrechen sind nicht zu vergleichen.«

Hugh ergriff erneut das Wort. »Es könnten ja auch zwei Bandenmitglieder gewesen sein, die den Abt verschleppt haben. Wahrscheinlich haben sie einfach nur die günstige Gelegenheit genutzt.«

»Trotzdem bleibt die Frage, warum er sterben musste«, beharrte Simon.

»Wie ich schon oft gesagt habe, jemand hat sie gesehen und sie mussten verschwinden«, knurrte Tanner.

»Sie mussten verschwinden?« Simon sah den Constable leicht spöttisch an. »Die zwei Männer hätten den Abt doch einfach mitnehmen können, sie hätten ihn gar nicht töten brauchen. Und so eilig können sie es wohl kaum gehabt haben, wenn sie ihn auf dem Scheiterhaufen verbrannten. Außerdem, wenn sie jemand gesehen hat, warum hat dann niemand Alarm geschlagen? Ich meine, wenn ich mitten im Wald eine verbrannte Leiche finden würde, würde ich nach Hause laufen und Hilfe holen.«

»Vielleicht waren sie nicht in Sichtweite der Mörder«, wandte Black ein.

Hugh mischte sich ein und sagte mit einer etwas angestrengten Stimme. »Und der Abt ist also still und leise auf dem Scheiterhaufen verbrannt und hat keinen Ton von sich gegeben?«

Black stand mit einem etwas geringschätzigem Lächeln auf. »Also, ich habe auch keine Ahnung, warum sie ihn verbrannt haben, aber ich weiß eines: Die Männer, die wir jetzt jagen, haben sowohl die Reisenden als auch den Abt ermordet, und vielleicht auch Brewer. Alles andere ergibt keinen Sinn. Und da wir sie morgen fangen wollen, werde ich jetzt schlafen gehen.«

Während Black zu seiner Decke ging, dachte Tanner nach. Ihm war es vollkommen egal, wer den Tod des Bauern verursacht hatte, er dachte an die Menschen, die von der Räuberbande bedroht wurden. In dieser Gegend gab es unzählige Schlupflöcher, von denen aus eine Bande immer wieder Überfälle auf einsam gelegene Höfe oder Hütten starten konnte. In den Kriegszeiten hatte er genug davon gesehen, Räuber hatten ganze Landstriche verwüstet, sodass sich kein Mensch mehr auf die Straßen wagte. Tanners einziges Ziel war, diese Räuber zu fassen und zu bestrafen. Für den Vogt schien der Mord an dem Abt und der an Brewer ebenso wichtig. Tanner teilte diese Meinung nicht. Aber er konnte den jungen Vogt verstehen. Simon hatte heute zum ersten Mal gesehen, wie diese Räuber wüteten. Er erhob sich, wünschte Simon eine gute Nacht und ging schlafen.

»Du glaubst also auch, dass jemand anderes für den Tod des Bauern verantwortlich ist, Hugh?«, sagte Simon, als Tanner außer Hörweite war.

Hugh nickte düster. »Ja, die Bande hat vielleicht den Abt ermordet, aber nicht Brewer. Aber auch in diesem Fall wissen wir nicht, warum.«

»Das spielt keine Rolle, weil wir den oder die Mörder finden werden, davon bin ich überzeugt«, sagte Simon entschlossen. »Es sind schon zu viele Menschen gestorben, und die Mörder werden für ihre Taten büßen.«

Kapitel 17

Mit steifen, schmerzenden Gliedern erwachten die Männer am nächsten Morgen. Der Tag war klar und hell. Simon fühlte sich schrecklich. Er hatte kaum geschlafen. Jedes Mal, wenn er kurz davor war einzunicken, hatte ihn das Grübeln über den Tod des Abtes wach gehalten.

Er hätte gerne geglaubt, was seine Männer so naiv annahmen; dass ein und dieselben Täter Brewer ermordet hatten, dann de Penne, und schließlich auch die Reisenden. Aber er konnte es nicht. Es schien nicht glaubhaft, dass Räuber einen Mann wie den Abt entführt und getötet hatten, ohne den Versuch unternommen zu haben, ein Lösegeld zu erpressen.

Er erhob sich und rieb sich die Oberschenkel. Die anderen Männer packten ihre Sachen zusammen und machten ihre Pferde bereit.

Simon war müde und fühlte sich ausgelaugt, er fror, seine Kleidung war feucht. Sein Rücken schmerzte ebenso wie seine Beine, und er spürte die Stelle an den Rippen, wo ihn ein spitzer, von den Pferdehufen hochgeschleuderter Stein getroffen hatte. Vor allem aber wurmte es ihn, dass er bei der Lösung der wichtigen Fragen noch kaum einen Schritt weiter gekommen war.

Er hockte sich vor das Feuer, aber die Asche war bereits erkaltet und spendete keine Wärme mehr. Er dachte an sein Heim, an sein Bett und an Margret und fragte sich, was er hier eigentlich machte.

»Vogt!«

Er drehte sich um. Black kam auf ihn zu. Simon glaubte ein leichtes Lächeln auf seinen Lippen zu erkennen, als er sah, mit welch unglücklicher Miene er dastand. »Die Männer sind soweit«, sagte er. Er zögerte kurz. »Wenn Ihr Euch entsprechend fühlt, können wir losreiten«, fügte er trocken hinzu.

»Danke, Master Black«, sagte Simon sarkastisch, erhob sich und ging mit ihm zu den Pferden. Hugh hatte bereits aufgesattelt und murmelte einen brummigen Morgengruß. Als Simon auf sein Pferd stieg, taten ihm alle Knochen weh, und mit verkniffenem Gesicht folgte er Black den Abhang hinunter, um die Verfolgung wieder aufzunehmen.

Sie ritten hintereinander. Der Jäger begutachtete immer wieder die Spuren und achtete besonders darauf, ob irgendwelche Reiter die Gruppe der Räuber verlassen hatten. Manchmal hielt er an, um sich eine bestimmte Stelle genauer anzusehen. Wenn er dann nach kurzer Zeit winkte, ritten sie weiter.

Simon, Hugh und Tanner hielten sich in einer kleinen Gruppe hinter dem Jäger. Die ersten Meilen fielen dem Vogt besonders schwer, er hatte das Gefühl, als hätten sich seine Muskeln über Nacht verknotet. Einige Male glaubte er fast, absitzen zu müssen, so sehr schmerzten seine Beine, aber nachdem er eine Stunde durchgehalten hatte, wurde er lockerer und saß bequemer im Sattel. Nach einer weiteren Stunde war er fast wieder der alte – auch wenn er nun Stellen an seinem Körper kannte, von denen er nie geglaubt hätte, dass sie schmerzen könnten.

In den frühen Morgenstunden ging es zügig voran, aber je weiter sie kamen, desto öfter untersuchte Black die Spuren, und es ging wieder langsamer vorwärts. Nach drei Stunden schnaubte Simon ungeduldig und schloss zu seinem Spurensucher auf.

»Black, geht es nicht schneller?«, fragte er unwirsch.

»Nein. Nicht, wenn wir alle auf einmal erwischen wollen.«

»Wieso? Die Spur ist doch eindeutig. Es reicht doch, wenn du dich ab und zu vergewisserst, dass wir ihr noch folgen.«

»Das könnten wir natürlich machen, aber dann verpassen wir vielleicht eine Stelle, an der ein Teil der Gruppe die anderen verlassen hat. Das darf nicht passieren.«

Simon schaute entnervt zum Himmel hinauf. Bei diesem Tempo würden sie die Männer nie einholen. »Nun, wenn wir die Hauptgruppe erwischen –«

»Nein«, entgegnete Black bestimmt und sah zu ihm hinauf. »Dieses Risiko können wir nicht eingehen. Was, wenn wir nur die Hälfte erwischen? Selbst wenn uns nur zwei entkommen, könnten sie morgen einen Hof überfallen und eine ganze Familie töten. Das geht nicht. Wir müssen alle auf einmal fangen.«

Simon nickte seufzend und ließ ihn gewähren. Er hatte dieses langsame Tempo satt. Er wollte wissen, wie weit sie noch von den Mördern entfernt waren, er wollte sie stellen und festnehmen und wenn nötig auch an Ort und Stelle töten, falls sie sich zur Wehr setzten. Doch dann bezwang er seine Ungeduld und reihte sich wieder ein.

Vier Stunden, nachdem sie aus dem Lager aufgebrochen waren, kamen sie an einem kleineren Wasserlauf vorbei. Black hielt an, und Tanner und Simon schlossen geschwind zu ihm auf.

»Was gibt es?«

»Schaut«, antwortete der Jäger nur.

Vor ihnen lag eine Senke, in der Steine zu einem kleinen Kreis aufgestellt und aufeinander getürmt waren. In der Mitte sah man einige schwarze Stellen, die von abgebrannten Lagerfeuern stammten. Die drei ritten vorsichtig darauf zu und blieben an der ersten stehen. Black beugte sich herunter und schließlich sprang er vom Pferd – mühelos, wie Simon neidisch registrierte, als habe er nicht tagelang im Sattel gesessen –, kniete sich nieder, roch an der Asche und befühlte sie. Dabei murmelte er vor sich hin.

»Und?«, fragte Tanner, der die Antwort genau wie Simon nicht abwarten konnte.

Als Black aufsah, lag in seinem Blick ein verdächtiges Glitzern. »Hier haben sie letzte Nacht ein Lager aufgeschlagen. Die Asche ist noch warm.« Er hockte sich hin und ließ den Blick umherschweifen, bis er plötzlich stutzte. Während die anderen noch seinem Blick folgten, war er bereits aufgesprungen und losgelaufen.

Es sah aus, als habe etwas, das unter der provisorischen Mauer lag und aussah wie ein Lumpenbündel, seine Aufmerksamkeit erregt. Simon sah die anderen fragend an, und Hugh schien ebenso verwirrt wie er, aber Tanner fluchte und trieb sein Pferd mit finsterer Miene an. Die anderen folgten ihm.

Nach ein paar Metern erkannte Simon, dass das, was er für ein armseliges Bündel gehalten hatte, ein halbnackter Körper war. Die Leiche einer jungen Frau.

Sie konnte kaum älter als fünfzehn sein und hatte langes, dunkles Haar, das lockig und wirr in ihr Gesicht hing. Ihr Körper wies zahllose blaue Flecken auf, und sie hatte Striemen auf der Haut. Die Sohlen ihrer nackten Füße waren blutverkrustet und mit Schorf bedeckt. Als Black sanft ihre Hände umdrehte, sahen sie, dass sie nicht von harter, körperlicher Arbeit gezeichnet waren. Es musste sich um eine Tochter der Kaufleute handeln.

Mit Entsetzen und heiligem Zorn starrten die Männer auf die schmächtige Gestalt. Der Jäger suchte nach weiteren Spuren der Männer, die dieses Verbrechen begangen hatten. Er untersuchte das in Fetzen gerissene Kleid und den Boden, schien aber nichts Auffälliges zu finden. Als er sich erhob, sah Simon eine neue Entschlusskraft in seinen Zügen. Es schien, als habe der schweigsame und durch nichts aus der Ruhe zu bringende Jäger eine endgültige Entscheidung getroffen. Er würde den Männern den Garaus machen, bevor sie weitere derartige Verbrechen begehen konnten.

Simon befahl einem Mann, die Leiche zurückzubringen. Der Vogt machte sich Sorgen. Wie würden seine Männer jetzt reagieren, wenn sie auf die Mörder stießen? Er wollte nicht, dass sie alle abgeschlachtet wurden. Aber als sein Blick noch einmal auf die Leiche fiel, kam ihm der Gedanke, dass dieses Mädchen nicht viel älter als seine eigene Tochter war, und plötzlich war es ihm egal, was seine Männer machen würden, wenn sie die Bande fingen.

Gegen Mittag legten sie an einem Bach eine Pause ein. Sie tränkten ihre Pferde und ließen sie ein wenig ausruhen, während die Männer etwas aßen. Tanners Leute hatten sich auf der Straße mit genügend Proviant versorgen können, aber Simon war klar, dass die Vorräte seiner Gruppe rasch zur Neige gingen. Sie würden höchstens noch zwei Tage im Moor bleiben können. Die Männer schwiegen. Waren sie auf dem Ritt noch guter Laune gewesen, hatte der Anblick der kleinen, traurigen Gestalt, halb von der Mauer verdeckt, ihren Zorn und den Wunsch nach Rache entfacht. Simon spürte ihre Stimmung, während er ein Stück Brot und Pökelfleisch aß. Sie wollten die Mörder fassen, und er wusste, dass es schwierig sein würde, sie unter Kontrolle zu halten, wenn sie die Bande eingeholt hatten.

Dabei hätte er die Täter am liebsten eigenhändig hingerichtet, so sehr erfüllten ihn ihre Taten mit Abscheu. Auch die Morde an Brewer und den Abt hatten seinen Zorn erregt, aber nachdem er den kleinen, geschändeten Körper gesehen hatte, der achtlos weggeworfen worden war, erfüllte ihn glühender Hass.

Die anderen Männern aßen mit abwesenden Blicken. Jeder schien in seiner eigenen Welt zu sein. Es wurde kaum etwas gesprochen, nur wenige gemurmelte Worte ausgetauscht. Die meisten schienen darüber nachzudenken, was sie mit den Männern machen würden, wenn sie sie gefunden hatten.

Als Black aufstand, drehten sich viele überrascht zu ihm, als habe er sie aus ihren Gedanken aufgeschreckt, aber dann erhoben sie sich und machten sich wieder auf den Weg.

Die Spur führte sie nun eher in südöstliche Richtung, auf die östlichen Grenzen des Moors zu. Auf dem Grün, das den Boden bedeckte, waren die Spuren gut zu sehen. Wenn sie durch Gebiete ritten, an denen Heidekraut oder Ginster wuchsen, bat Black zwei Männer zu sich, die nach links und rechts Ausschau hielten, ob plötzlich irgendwelche Spuren in eine andere Richtung abzweigten, aber es änderte sich nichts. Die Mörderbande blieb zusammen und schien es weiterhin nicht für nötig zu halten, ihre Spuren zu verwischen.

Am Ende des Tages – sie hatten soeben einen Hügel erklommen, der von alten Steinen umringt war wie ein König von seinen Wachen – hob Black wieder einmal die Hand. Simon hörte, wie ein leiser Pfiff aus seinem Mund drang. Der Vogt kam neben ihn, aber der Jäger sagte nichts, sondern schaute nur auf einen in der Ferne liegenden Hügel. Simon folgte seinem Blick. Deutlich konnte er die Spur erkennen, die dunkel durch das Grün führte und fast wie eine Erdspalte aussah. Er heftete den Blick darauf und folgte ihr, bis er sie sah – die kleine Gruppe von Männern auf Pferden, die sich den Hügel hinauf kämpfte. Vor ihnen führte keine Spur weiter – es waren die Gesuchten!

Er sah Black an, der sich den Anflug eines Grinsens erlaubte, bevor er sein Pferd herumriss und zu den anderen Männern zurückritt.

»Wir haben sie! Sie sind dicht vor uns, vielleicht ein oder zwei Meilen entfernt. Sie haben gerade den nächsten Hügel erreicht.«

Ein Raunen ging durch die Truppe, als würde jeden Augenblick Jubel ausbrechen, aber Tanner erstickte jede Gefühlsäußerung im Keim.

»Still jetzt!«, sagte er und wartete, bis alles ruhig war. »John? Was sollen wir tun?«

»Für den Augenblick folgen wir ihnen weiter. Sie scheinen sich völlig sicher zu fühlen. Ich gehe mit einem zweiten Spurensucher voraus und pirsche mich so nahe wie möglich an sie heran. Ihr folgt uns.« Er schaute zum Himmel hinauf und zur Sonne im Westen, die wie ein rötlich glänzender Ball aussah. Bald würde es dunkel werden. Black sah den Vogt und Tanner an. »Es ist schon spät. Sie werden bald ihr Lager aufschlagen. Wir folgen ihnen und warten, bis sie beim Essen sitzen, und dann greifen wir an, sobald –«

Tanner hob den Arm. »Wir sollten lieber bis zum Morgengrauen warten. Habt ihr jemals eine Gruppe bewaffneter Männer im Dunkeln angegriffen? Das kann allzu schnell in größter Verwirrung enden. Es ist besser, jetzt zu schlafen und ausgeruht in den Kampf zu gehen.«

»Aber was ist, wenn sie heute Nacht weiterziehen? Wir könnten sie verlieren«, sagte Simon, dem der Gedanke, sie so lange in Ruhe zu lassen, nicht behagte.

»Warum sollten sie das tun, wo sie doch offensichtlich überzeugt sind, dass ihnen niemand folgt?«

Simon schaute zu Black hinüber. Der Jäger hatte den Blick gesenkt, doch dann hob er den Kopf und sah Tanner an. »Du hast Recht. Fasten und ich werden ihnen hinterhergehen und ihr folgt uns langsam. Wenn wir uns davon überzeugt haben, dass sie schlafen, kehren wir zu euch zurück. Easten? Ach, da bist du. Komm, auf geht's.« Er wirbelte sein Pferd herum und ritt voran, Fasten hinter ihm her. Die Truppe sah den beiden nach, die behände den Hügel hinuntergaloppierten.

»Also schön«, sagte Simon. »Machen wir uns auf den Weg.«

Lange nach Einbruch der Dunkelheit schlugen sie ein Lager auf, in einer kleinen Senke auf einer Hügelspitze. Hier oben gab es keine Bäume, aus deren Zweigen und Ästen man Feuerholz hätte machen können, und die Männer waren nur durch ihre Kleidung und die Mulde vor der Nachtkälte geschützt.

Simon und Hugh versorgten ihre Pferde und richteten im Schutz einiger kümmerlicher Büsche ein Nachtlager her. Tanner gesellte sich zu ihnen und sie teilten Brot, Fleisch und ein wenig Wasser. Schweigend saßen sie so eine Weile beieinander und jeder dachte an die Ereignisse, die der Morgen mit sich bringen würde.

»Stephen«, begann Simon, als sie gegessen hatten. »Du hast doch schon gekämpft, weißt du, was uns morgen erwartet?«

»Ich weiß es nicht«, entgegnete Tanner unschlüssig. »Ich habe in Schlachten gekämpft, die wir gewonnen haben, obwohl wir unterlegen waren, aber es gab auch die umgekehrte Situation. Unsere Truppe ist zwar groß genug, auf einen von ihnen kommen zwei von uns, aber wenn sie im Kampf ausgebildet sind, können sie uns trotzdem besiegen. Ich weiß nicht.«

Simon ließ den Blick über die Männer gleiten und überlegte, wer von ihnen Kampferfahrung hatte. Seines Wissen nach hatten mindestens acht schon in einer Schlacht gekämpft. Nur acht! Nervös biss er sich auf die Lippen. »Konntest du sehen, wie groß die Bande ist?«

»Nicht ganz, nein. Ich habe neun gezählt, aber es kann sein, dass einer oder mehrere bereits auf der anderen Seite des Hügels waren«, sagte Tanner nachdenklich. Als er jedoch Simons nervösen Gesichtsausdruck bemerkte, lachte er laut auf und klopfte ihm auf die Schulter. »Macht Euch keine Sorgen, Vogt. Es macht diesen Männern nichts aus, andere umzubringen, aber unser Angriff wird sie völlig überraschen. Wenn Black zurückkommt, werden wir erfahren, wie viele es genau sind.«

Kaum hatte er das gesagt, hörten sie den Hufschlag herannahender Pferde. Sie waren bereits aufgesprungen und hatten ihre Schwerter gezogen, als die lakonische Stimme des Jägers erklang.

»Oh, da schleicht man sich zum Räuberlager, und wenn man zurückkommt, wollen einen die eigenen Gefährten aufspießen. Wo steckt Tanner?«

»Hier drüben, John, beim Vogt«, rief Tanner und steckte schleunigst sein Schwert in die Scheide zurück. Sie setzten sich wieder und warteten, bis der Jäger sein Pferd versorgt hatte und zu ihnen kam.

»Also, wir sind ihnen bis zu ihrem Lager gefolgt, es liegt in einer Senke auf der Spitze eines Hügels, wie dieses hier. Es ist etwa zwei Meilen von hier entfernt, und sie werden die Nacht dort verbringen, wie es scheint. Sie haben Lagerfeuer entfacht und trinken. Offenbar haben sie bei dem Überfall auf die Kaufleute auch Bier erbeutet. Ich schätze, sie werden morgen nicht allzu früh aufstehen. Wir sind um das ganze Lager herumgeschlichen. Sie haben nicht einmal einen Wachtposten aufgestellt, wir dürften also keine Probleme haben.«

»Wie viele sind es, John?«, fragte Tanner.

»Wir haben neun gezählt«, antwortete Black. Er zögerte kurz, bevor er sich an Simon wandte und ihn ruhig ansah. »Einer scheint ein Ritter zu sein. Er trägt einen Kettenpanzer.«

Als Simon von einem leichten Stoß gegen den Fuß erwachte, war es noch stockfinster. Fluchend richtete er sich auf und rieb sich die Augen. Er brauchte immer recht lange, um wach zu werden, auch zu Hause. Jetzt hatte er das Gefühl, schon zu lange draußen geschlafen zu haben. Die Kälte saß so tief in seinen Knochen, dass er glaubte, nie mehr warm zu werden.

Er sah sich um. Tanner und Black liefen umher und weckten diejenigen, die noch schliefen, mit einem nicht allzu sanften Tritt. Die Männer, die bereits wach waren, kümmerten sich um ihre Waffen. Sie polierten Schwerter oder schärften Messer, sie schwangen Hämmer und Knüppel und versuchten dabei, die über Nacht steif gewordenen Muskeln zu lockern.

Ein seltsamer, unheimlicher Anblick, dachte Simon, all diese Männer, deren schwarze Silhouetten in dem noch dunkleren Hintergrund der Felsen aufzugehen schienen. Er sah, welch seltsame Muster sie webten, als sie prüfend ausholten oder ihre Waffen durch die Luft schwangen. Manchmal sah er das Metall einer Axt als matten Schimmer in der Finsternis. Die Männer sprachen kaum miteinander; alles was man hörte, waren die Klänge der Waffen, das Kratzen eines Messers, das an einem Stein geschliffen wurde, das Zischen der Luft, durch die ein Hammer sauste. Simon hatte den Eindruck, einer Armee von Geistern zuzuschauen – und erschauderte bei diesem Gedanken. Wie viele dieser Männer würden heute wirklich zu Geistern werden?

Er verbannte den Gedanken aus seinem Kopf und erhob sich schnell, um beim Satteln der Pferde zu helfen. Ein paar Männer murmelten etwas vor sich hin, als er an ihnen vorbeikam, die meisten nickten nur. Als er sein eigenes Pferd gesattelt hatte, waren die meisten anderen bereits fertig.

Black und Tanner kamen aus dem Zwielicht auf Simon zugeritten.

»John meint, wir können direkt auf das Lager zureiten«, sagte Tanner. »Sie sitzen in der Mulde ziemlich fest, und wenn wir rasch genug angreifen, könnten wir sie überwältigen, bevor sie wissen, was überhaupt geschieht.«

»Ja, das sollte gehen. Es gibt nur einen Zugang, der fast wie ein Tor ist, auf der Südseite.«

»Wir müssen also um ihr Lager herumreiten?«, fragte Simon. »Dann hören sie uns bestimmt.«

»Nein«, entgegnete Black. »Der Boden ist sehr weich, wenn wir uns langsam vorwärts bewegen, sollte es gehen.«

Simon sah sie an. »Sollen wir denn überhaupt reiten? Wäre es nicht besser, die Pferde irgendwo stehen zu lassen und zu Fuß anzugreifen? Vielleicht wird es im Lager zu eng mit all den Pferden, sodass sie uns nicht von ihnen herunterziehen können.«

Sie sahen einander an. Tanner nickte. »Gut, aber ich finde, wir sollten ein paar von unseren Männern auf Pferden bereit halten, damit sie uns helfen können, wenn es Schwierigkeiten gibt.« Simon stimmte zu und schwang sich in den Sattel.

Gemeinsam ritten sie in die Mitte ihres Lagers und erklärten den Männern den Angriffsplan. Tanner hatte fünf Leute mitgebracht, die von dem ursprünglichen Suchtrupp nach den Mördern des Abtes übrig geblieben waren, und Simon und Black hatten siebzehn rekrutiert, sodass sie insgesamt zweiundzwanzig waren.

Tanner erklärte alles genau. Er wollte, dass sechzehn Männer in das Lager einfielen, und die verbliebenen sechs auf Pferden davor warteten. Wenn sich der Kampf zu ihren Ungunsten entwickeln sollte, konnten diese Männer zur Verstärkung kommen. Sie sollten so viele Banditen wie möglich gefangen nehmen, um sie vor Gericht zu bringen, egal, was sie von den Verbrechern hielten. Er sprach mit harscher Stimme, als hätte auch er lieber anders gehandelt, dürfe es aber nicht. Er teilte sie ein, und sie stiegen auf ihre Pferde und ritten nach Süden, wohin sie die Spur führte.

Als sie sich über eine dunkle Ebene bewegten, erkannte Simon hier und da die verkrüppelten Umrisse der Bäume in der Ferne, die wie versteinerte Skelette von Urtieren in den vom Wind durchfegten Mooren standen. Doch meistens sah er nichts außer den sachte dahinrollenden Konturen der Hügel.

Die beiden Männer an der Spitze ritten in einigem Abstand zur Hauptgruppe, die dicht zusammenblieb. Niemand sagte etwas, die Nerven der Männer waren angespannt, während sie angestrengt lauschten. So hörte man nur das Schnauben der Pferde, das Ächzen der Sättel und dann und wann das Klingen von Metall. Selten stießen zwei Waffen zusammen; dann gab es ein lauteres Geräusch, gefolgt von einem leisen Fluch. Abgesehen davon durchquerte die Gruppe die Ebene lautlos.

Sie folgten einem Bach, der sich sanft zwischen den Hügeln dahinschlängelte, wobei die Reiter darauf achteten, die Pferde vom Wasser fern zu halten und nur auf der weichen Ufererde zu bleiben. Langsam begann ein unheimlicher, grauer Glanz den Horizont zu erhellen. Kein Tierlaut lenkte die Männer ab, weder das Rufen einer Eule noch das Bellen eines Fuchses. Man hörte nur das Murmeln des Baches.

Als sie einen Hügel umrundeten, kam Black zu den anderen zurück.

»Wir sind jetzt nur noch eine halbe Meile vom Lager entfernt, es liegt auf der Spitze dieses Hügels. Lasst eure Pferde hier, wir gehen ab jetzt zu Fuß.«

Langsam stiegen die Männer ab. Tanner zog sein Schwert und zeigte grinsend die Zähne. »Also, Männer, auf geht's.«

Kapitel 18

Black führte sie den Hügel hinauf. In der langsam aufkommenden Dämmerung bewegte er sich vorsichtig und mit leisen Schritten. Sein Schwert glänzte matt.

Simon schlich beklommen hinter dem Jäger her. Der Gedanke an den bevorstehenden Kampf machte ihm Angst, und er musste sich an die Dinge erinnern, die diese Männer getan hatten, um sie zu verdrängen. Er hatte ein leeres Gefühl im Magen, und seine Muskeln waren wie eingefroren. Die Mörder würden sich kaum kampflos ergeben. Sie wussten, dass sie der Galgen erwartete, wenn sie vor Gericht gestellt wurden. Deshalb würden sie auf Leben oder Tod kämpfen. Simons Männer durften ihnen keine Chance lassen.

Sie gingen weiter. Als sie den Hügel zur Hälfte erklommen hatten, hielt Black warnend die Hand hoch und die Männer verharrten. Simon blieb fast das Herz stehen, als er sah, dass weiter oben jemand bei einem Baum stand. Wenn der Mann die Truppe sah, würde er Alarm schlagen und sie hätten keine Chance mehr, die Gesetzlosen zu überraschen. Der Mann blieb eine Weile stehen, doch dann drehte er sich plötzlich um und ging davon. Simon atmete auf. Der Räuber hatte sich lediglich an dem Baum erleichtert. Black ließ die Hand sinken und sie setzten ihren Weg fort. Mit jedem Schritt wuchsen Nervosität und Anspannung.

Sie kamen an eine tiefe Spalte im Felsen, auf deren Grund ein Rinnsal lief. Vorsichtig gingen sie hindurch, auf die vielen Steine achtend, die dort lagen. Eine unvorsichtige Bewegung, und eine zu tief gehaltene Klinge würde dagegen schlagen und die Verbrecher warnen. Immer wieder hielten sie an und lauschten.

Es war ein mühsamer Weg, den Simon nie vergessen würde. Sie mussten über Felsen steigen und auf das Geröll achten, mussten geduckt gehen und doch schnell genug, um das Lager noch im Schutz der Dämmerung erreichen. Simon ertappte sich dabei, dass seine Gedanken ihn wieder nach Hause führten, hin zu seiner Frau und seiner Tochter und zu dem neuen Leben in der Burg im Moor. Seltsamerweise half ihm das, seine Furcht zu vergessen und er ging sicherer durch das Geröll als zuvor.

Als er sah, dass sich die Hand des Jägers wieder erhob, sah er fast erleichtert, dass sie das Ende der Felsspalte erreicht hatten. Der heller werdende Himmel ließ die Umrisse der Hügelspitze nun gut erkennen. Simon stutzte. Er hatte erwartet, den Rauch eines Feuers zu sehen. Einen Augenblick bildete er sich ein, sie seien ganz allein hier oben und alles, war er hörte, war das schwere Atmen der Männer hinter sich und das Blut, das in seinen Schläfen pochte.

Plötzlich war Black verschwunden. Es schien eine Ewigkeit zu dauern, bis er wieder auftauchte, auch wenn es nur wenige Minuten waren. Er stand am Ende der Felsspalte und winkte sie herauf.

Simon kletterte den Spalt hinauf und wartete mit Black zusammen auf die anderen Männer. Als es alle geschafft hatten, führte der Jäger sie rasch durch das Gras und schließlich hatten sie die Mulde erreicht, deren äußere Begrenzung leicht erhöht war, fast wie ein Schutzwall. Black drückte sich dagegen und forderte die Männer auf, ihm nachzugehen. Nach einer Weile hörte Simon das Wiehern eines Pferdes, und er packte sein Schwert fester, während er Black folgte.

Im Osten wurde es langsam heller, die Wolken am Himmel wurden sichtbar und es fiel ihnen leichter, voranzukommen. Alles war vollkommen still, das einzige Geräusch waren ihre Schritte auf dem weichen Boden. Kein Lufthauch wehte. Simons Anspannung stieg, als er erneut das Handsignal sah. Er war sicher, dass es das letzte vor dem Angriff sein würde. Sie hatten den Eingang fast erreicht, der sich als dunkler Fleck in den Felsen abzeichnete. Black drehte sich noch einmal um und warf den Männern einen Blick zu, dann beugte er sich vor und spähte in das Lager. Plötzlich war er verschwunden und Simon holte tief Luft, erbat Gottes Beistand und stürzte hinter ihm her.

Wenn er später an das verrückte Durcheinander des Kampfes zurückdachte, kam es ihm stets vor, als seien jene wenigen Minuten kein zusammenhängendes Ereignis, sondern eine falsch zusammengesetzte Abfolge von Bruchstücken. Die Männer stürmten das Lager, und dann schien es, als würde jeder Einzelne dort seine eigene Schlacht schlagen, jeder mit seinem eigenen Gegner, wie in einer Szene auf einem riesigen Wandteppich, die für sich genommen nur einen Teil des Ganzen bildet. Und wie einen Wandteppich konnte man das ganze Bild nur erkennen, wenn man zurücktrat und das Ganze aus der Distanz betrachtete. Aber das war unmöglich.

Für Simon blieb der gesamte Kampf ein einziges Bild der Verwirrung. Die in kleinen Gruppen oder zu zweit kämpfenden Männer schienen unwirklich, nichts ergab Sinn oder hatte irgendeine Struktur. Der einzige Gedanke, den er fassen konnte, war, dass sie gewinnen mussten.

Black, der als Erster das Lager gestürmt hatte, lief fast in einen jungen Mann hinein, der plötzlich gähnend vor ihm stand. Er starrte die Angreifer ungläubig an. Ohne sein Tempo zu verringern, rannte Black auf ihn zu und hieb ihm die Faust in den Magen. Der junge Mann krümmte sich vor Schmerzen und stürzte zu Boden. Ein anderer hockte am Feuer und versuchte, sich an der Asche die Hände zu wärmen. Auch er sah Black, der auf ihn zukam, nur in ungläubigem Entsetzen an. Simon griff einen der Schlafenden an, aber als er sich ihm näherte, erwachte der Mann, rollte sich zur Seite und griff nach einem Knüppel. Simons hastiger erster Hieb ging ins Leere.

Jetzt kämpften alle Männer im Lager. Simon sah, wie einer der Räuber niedergestreckt wurde, aber im nächsten Augenblick wäre er fast selbst von dem Knüppel des eben noch Schlafenden getroffen wurde. Nur knapp zischte der Schlag an seiner Schläfe vorbei. Simon richtete das Schwert auf seinen Gegner, den er erst jetzt richtig sah.

Der Blick des Mannes wanderte nervös zwischen Simon und dem übrigen Kampfgeschehen hin und her. Er leckte sich die Lippen, und sein Mienenspiel verriet nichts als blankes Entsetzen. Er sprang nach vorn und versuchte erneut, den Knüppel aus Simons Kopf niedersausen zu lassen. Dieses Mal wich der Vogt geschickt aus, er umkreiste den Räuber und knurrte: »Ergib dich! Ihr habt keine Chance.«

Ein schneller Blick hatte dem Vogt gezeigt, dass seine Reiter wohl gar nicht mehr eingreifen mussten. Schon jetzt kämpften nur noch vier Gesetzlose, von denen gerade einer mit einem Schrei zusammenbrach. Der Mann griff sich an die Seite, wo sich eine riesige Wunde geöffnet hatte, so tief, dass man die Rippenknochen sehen konnte. Nun waren nur noch drei übrig geblieben.

Einer von ihnen war ein Bär von einem Mann, muskelbepackt und breitschultrig, offenbar der Ritter, von dem Black berichtet hatte. Dichtes, dunkles Haar fiel ihm über die Stirn. Seine kleinen Augen blitzten zornig auf, während er mit dem Schwert in der einen, dem Dolch in der anderen Hand herumwirbelte. Fasten hatte er bereits getroffen, der junge Mann lag bewegungslos auf dem Boden. Black und zwei andere Männer umringten den Hünen und versuchten, ihn zu erwischen, aber er wich ihnen stets geschickt aus, als würde er all ihre Angriffsversuche schon im voraus erahnen. Unter anderen Umständen hätte es sogar etwas Faszinierendes gehabt, wie dieser riesige Mann zwischen den Angreifern umhertanzte, aber jeder Gedanke daran wurde im Keim erstickt, denn schon hatte er einen weiteren Mann getroffen. Der Bauer ging in die Knie und hielt sich hustend die Brust, bevor er zur Seite fiel und kurz erschauderte. Dann lag er ganz ruhig da und ein großer roter Fleck breitete sich auf seiner Brust aus.

Simon hatte für eine Sekunde nicht aufgepasst, und sein Gegner nutzte diese Gelegenheit und stürzte sich mit geschwungener Keule auf ihn. Simon konnte den Knüppel mit dem Schwert abwehren, und dabei kam der Räuber ins Straucheln, er stolperte und fiel dabei geradewegs in Simons Schwert hinein.

Als er an sich herabsah, schien er völlig überrascht, dass plötzlich ein Eisen in seiner Brust steckte. Er blickte Simon an, und in seinen Zügen fanden sich weder Schmerz noch Zorn, sondern nur ein Ausdruck allerhöchster Verwunderung. Doch dann entwich das Leben aus seinen Zügen, und er fiel vor dem Vogt zu Boden.

Simon starrte die Leiche kopfschüttelnd an. Warum hatte sich der Mann nicht ergeben? Aber schnell wurde dieser Gedanke von einem Gefühl des Triumphs abgelöst, von dem Stolz, diesen Kampf auf Leben und Tod – seinen ersten – gewonnen zu haben. Er drehte sich um und wollte seinen Gefährten zur Hilfe eilen, die noch immer mit dem großen Mann zu tun hatten. Mit dem Schwert in der Hand näherte er sich der Gruppe.

Der Ritter war der Letzte auf der anderen Seite, der noch kämpfte. Mit heiserer Stimme brüllte er wütend die Männer an, die ihn wie Jagdhunde umkreisten, während er um sich hieb.

»Halt! Schluss mit diesem Wahnsinn«, rief Simon, aber der Ritter kämpfte einfach weiter und zwang sie immer weiter zurückzuweichen. Er focht wie in Trance und schien von Mordlust gepackt. Mit blitzschnellen Bewegungen trieb er die beiden Männer zurück, die ihre Überlegenheit längst nicht mehr nutzen konnten, sondern nur noch um ihr Leben kämpften.

Doch dann verließ den Ritter das Glück. Mit einem gewaltigen Hieb schlug er Blacks Gefährten die Waffe aus der Hand und bohrte ihm sein Schwert so tief in den Bauch, das es dort fast zu verschwinden schien. Während sein Opfer auf die Waffe starrte, griff Black den Ritter von der Seite an und stieß ihm sein Schwert in den Rücken. Der Ritter brüllte auf, und für einen kurzen Augenblick schien es, als würde er die Verletzung einfach ignorieren und sich mit bloßen Händen auf Black stürzen. Doch dann fiel er auf die

Knie und griff hilflos nach hinten, in dem vergeblichen Versuch, das Schwert aus seinem Körper zu ziehen.

Simon wollte gerade auf Black zugehen, als ihn von hinten ein harter Schlag auf den Kopf traf. Er taumelte und fiel, aber nicht auf den Boden, so kam es ihm vor, sondern in einen schwarzen Abgrund, der sich im grünen Rasen vor ihm auftat. Mit einer seltsamen Erleichterung ließ er sich in diesen kühlen, weichen Abgrund fallen, der ihn aufnahm.

Als er wieder zu sich kam, fand er sich außerhalb des Lagers wieder. Jemand hatte eine Decke über ihn gelegt, damit er sich nicht verkühlte. Es war jetzt ganz hell, der Himmel leuchtete in einem kräftigen Blau und nur wenige Wolken zogen vorbei. Simon beobachtete sie eine Weile und erst langsam wurde ihm klar, wie sehr er sich darüber freuen konnte, dass er noch lebte.

Black und Tanner kamen auf ihn zu. Er wollte sich aufrichten und sie beglückwünschen, aber als er das versuchte, war es, als sei sein ganzer Körper eine geleeartige Masse geworden, und er fiel einfach zur Seite. Mehr verblüfft als erschrocken blieb er liegen. Dann hörte er Gelächter, Schritte, die näher kamen, er wurde sachte aufgerichtet und an die Felsen gelehnt. Als er die Augen wieder öffnete, hockten ein besorgter Black und ein lächelnder Tanner vor ihm.

Tanner schien unverletzt, aber Black hatte einen blutigen Stofffetzen um den Unterarm gebunden.

»Was ist passiert? Ich ging auf Black zu und plötzlich wurde alles dunkel ...«

»Einer der Gesetzlosen hat Euch einen Schlag mit dem Knüppel verpasst und Ihr wurdet ohnmächtig. Er hatte sich versteckt, wollte zu den Pferden auf die anderen Seite des Lagers, und Ihr standet ihm wohl im Weg. Aber macht Euch keine Sorgen, wir haben auch ihn erwischt.«

»Wie lange war ich ...«

»Nicht lange, Vogt, nur eine halbe Stunde. Seht, die Sonne ist eben erst aufgegangen«, sagte Tanner grinsend.

»Wie sieht es mit unseren Männern aus?«

»Der alte Cottey, Fasten und zwei andere sind tot«, antwortete Black fast sachlich. »Drei sind verwundet, aber niemand ernsthaft, es sind nur Kratzer. Mich hat dieser Riese erwischt, der aus der Hölle gekommen sein muss, hätte mir fast den Unterarm aufgeschlitzt, und Ihr habt einen Schlag auf den Kopf bekommen. Das ist alles.«

Simon schüttelte bestürzt den Kopf. »Vier Tote! Mein Gott!«

»Grämt Euch nicht, Vogt«, sagte Tanner. »Wir haben uns gut geschlagen, schließlich haben wir gegen einen Ritter gekämpft, so wie es aussieht, und die wenigsten von uns sind ausgebildete Soldaten. Eigentlich können wir von Glück sagen, dass wir nicht mehr Männer verloren haben. Der Hurensohn allein hat schon zwei getötet und einen verwundet. Ohne ihn wäre es noch besser für uns gelaufen.«

»Ja, und jede Schlacht fordert ihren Preis«, fügte Black hinzu. »Aber wie geht es Euch? Es sieht nicht so schlimm aus, aber so wir Ihr zu Boden gingt, muss es schon ein harter Schlag gewesen sein.«

Simon betastete vorsichtig seinen Schädel. Dort, wo der Knüppel gelandet war, hatte sich eine beachtliche Beule gebildet, das Haar war mit Blut verklebt »Ich glaube, es geht mir gut«, sagte er unschlüssig. »Ich habe nur Kopfschmerzen.«

Tanner sah sich Simons Hinterkopf mit leichtem Stirnrunzeln an. »Ja, das sollte gut verheilen. Es ist kein Schmutz in der Wunde, und wenn Ihr Euch erst einmal richtig ausgeschlafen habt, dürfte es keine Probleme mehr geben.«

»Wie viele haben wir gefangen?«, fragte Simon.

»Niemand ist entkommen«, entgegnete Black. »Ich hatte richtig gelegen, es waren neun. Vier werden ihre Verbrechen am Galgen büßen, was die anderen betrifft, nun ...«

»Ich will die Gefangenen sehen«, sagte Simon und wollte sich aufrappeln.

»Nein, nicht bevor es Euch besser geht.« Das blasse Gesicht des Vogts machte Tanner Sorgen.

»Nein, ich will sie jetzt sehen. Ich will wissen, was das

für Menschen sind«, sagte Simon bestimmt. Er stützte sich am Felsen ab und richtete sich langsam auf.

Tanner und Black sahen einander an, bis der Jäger fast unmerklich mit den Schultern zuckte. Gemeinsam führten sie Simon in das Lager zurück.

Die vier Gefangenen standen am anderen Ende gefesselt zusammen. Zwei Bauern bewachten sie mit gezogenen Schwertern. Simon ließ sich zu ihnen bringen und stand leicht schwankend vor der Gruppe. Er starrte sie an, als könne er in ihren Gesichtern lesen, was sie zu ihren Taten getrieben hatte. Der Ritter lag an einen Felsen gelehnt und sah Simon finster an.

»Er macht es nicht mehr lange«, sagte Black leise.

Simon ging auf ihn zu und sah erschreckt den bitteren Hass auf seinen Zügen. Auch ihm war klar, dass der Ritter eine Reise nach Oakhampton nicht überleben würde. Das Blut tropfte ihm bereits aus dem Mundwinkel, und als die drei Männer vor ihm standen, hörten sie, wie es in seiner Kehle gurgelte, während er mühsam nach Atem rang.

»Wollt ihr euch an meinem Anblick weiden? Das Opfer verspotten?« Er spuckte die Worte hervor, als wären sie in Gift getränkt, aber die Anstrengung hatte einen Hustenanfall zur Folge, der seinen Körper zittern ließ wie im Fieberwahn. Als er sie wieder ansah, war sein Gesicht so wachsbleich wie das eines Leichnams, und sein schwarzes Haar sah aus wie mit Pech auf den Kopf gemalt. Die Narbe loderte noch rosa, aber selbst sie schien mit der schwindenden Lebenskraft des Ritters zu verblassen. Seine Augen glänzten fiebrig.

Simon hockte sich neben den Verwundeten und fragte ihn: »Wie heißt du?«

Der Ritter musste erneut husten und spuckte Blut auf den Rasen. Eine Sekunde sah er den roten Fleck nachdenklich an.

Dann drehte er sich zu Simon. »Warum? Damit Ihr meinen Namen entehren könnt?«

»Wir wollen wissen, wer für diese Morde verantwortlich ist, das ist alles.«

»Morde?« Der Ritter sah Simon verächtlich in die Augen. »Ich bin ein Ritter. Ich nehme mir, was ich brauche, und wenn mich jemand daran hindern will, kämpfe ich.«

»Mit Kaufleuten? Konntet ihr keine stärkeren Gegner finden?«, gab Simon mit kalter Stimme zurück; der Ritter wich seinem Blick aus. »Du bist nicht aus dieser Gegend, woher kommst du?«

»Aus dem Osten, aus Hungerford.« Er hustete, und sein Körper wurde von kurzen, heftigen Zuckungen geschüttelt. Mit schmerzverzerrtem Gesicht wartete er, bis ihm das Atmen wieder leichter fiel. Als er sprach, tauchten rote Blutbläschen zwischen seinen Lippen auf, die zerplatzten, als er den Mund öffnete. Seine Lebenskraft schwand dahin.

»Mein Name ist Rodney.«

»Wann hast du dich dieser Bande angeschlossen? Wenn du ein Ritter warst, wie bist du dann zum Raubritter geworden?«, fragte Simon und glaubte einen Hauch von Wehmut in den dunklen Augen zu sehen.

»Ich verlor nach dem Tode meines Lehnsherren meine Stellung. Ich war auf dem Weg nach Cornwall, als mir diese Männer auflauerten, und sie ließen mir die Wahl – zu sterben oder mich ihnen anzuschließen. Ich entschied mich für das Leben.« Seine Lippen zuckten, als er die Ironie seiner Worte bemerkte. »Ich war direkt in ihren Hinterhalt hineingeritten, und sie hätten mich getötet, es waren einfach zu viele. Ich versuchte, mich zu wehren, aber es war zwecklos. Ich habe mich ihnen nicht ergeben, aber ich gab ihnen mein Wort, dass ich bei ihnen bleiben würde und sie ließen mich leben. Es war ein Handel.«

Der Vogt nickte. Er hatte von verarmten Rittern gehört, die sich umherziehenden Banden angeschlossen hatten, um irgendwie zu überleben.

Der Husten wurde lauter und quälte den Ritter immer mehr. Er war noch bleicher geworden und begann zu schwitzen. Seine Stimme klang so, als sei seine Kehle durchlöchert. »Wir töteten, um an Lebensmittel und Geld zu kommen ... die Kaufleute von gestern waren sehr reich ... es waren ja nur Krämer ... Was soll ein Ritter ohne Lehnsherrn tun? Ohne Land, ohne Geld? Ich hatte alles verloren, als ich den Räubern begegnete. Warum sich ihnen nicht anschließen? Was hätte ich machen sollen? Wenn ich es bis Cornwall geschafft hätte ...«

»Aber warum hast du den Abt ermordet?«

»Welchen Abt?« Die Antwort löste einen erneuten Hustenanfall aus, und während Simon wartete, bis der Ritter weitersprechen konnte, betrachtete er ihn mit einer Mischung aus Mitleid und Abscheu. Er bedauerte, dass der Ritter so qualvoll sterben musste, aber es hatte ihn empört, mit welcher Verachtung er von seinen Opfern sprach. Offenbar glaubte er, dass der Besitz eines Schwertes einem Ritter das Recht gab zu töten, wann immer er wollte.

Als der Anfall nachließ, sagte Simon. »Der Abt, den ihr in den Wäldern getötet – verbrannt – habt. Warum habt ihr das getan?«

»Ich? Ich soll einen Mann Gottes getötet haben?« Der Ritter schien ehrlich erbost über die Frage. Er starrte Simon so finster an, dass diesem unbehaglich wurde, auch wenn er den Mann nicht mehr zu fürchten brauchte.

»Du und dein Kumpan, ihr habt ihn verschleppt und verbrannt«, wiederholte Simon, der sich längst nicht mehr sicher war.

»Wer wagt es, zu behaupten –«

Kaum hatte er die Stimme erhoben, als ein Schwall Blut aus seinem Mund und seiner Nase strömte und die Worte davonschwemmte. Er fiel auf die Seite und griff sich an die Kehle. Zuckend schnappte er nach Luft. Als er Simon ansah, lag jedoch keine Angst in seinem Blick, sondern nur ein ungeheurer Zorn über die falsche Anschuldigung. Der Vogt erwiderte seinen Blick. Sein Mitleid hatte sich erschöpft, und er fragte sich nur, wie lange der Todeskampf wohl noch dauern würde. Er dachte an die verbrannten Opfer, die verkohlten Arme, die von dem Karren heruntergehangen hatten, und an das kleine Mädchen, dessen Leiche die Räuber weggeworfen hatten wie ein Lumpenbündel. Nein, der Ritter tat ihm nicht Leid.

Das Ende kam schnell, und nachdem Rodney sein Leben ausgehaucht hatte, sah Simon die Leiche noch einmal verächtlich an, bevor er sich an Black und Tanner wandte. »Begrabt die toten Gesetzlosen. Wir nehmen unsere Toten mit zurück, aber diese Mörder sollen in ungeweihter Erde ruhen.«

Während Black seine Befehle gab, betrachtete der Vogt die Leiche des Ritters. Er hatte so viele Menschen getötet, den Mord an dem Abt jedoch verneint. Warum? Gott kannte seine Verbrechen, und Rodney hatte gewusst, dass sein Ende nahte. Warum hätte er leugnen sollen? Hatte er die Wahrheit gesagt, hatte er mit dem Mord an de Penne nichts zu tun?

Er drehte sich um und ging zu den Gefangenen. Der jüngste, ein blässlicher, dürrer Mann mit hellem Haar, der nicht älter als vierundzwanzig sein mochte, trat unter Simons Blick unruhig von einem Fuß auf den anderen, und als Black mit seinen Anweisungen fertig war, winkte Simon den jungen Mann zu sich, der nervös zu seinen Mitgefangenen schaute, bevor er unsicher vortrat und einige Schritte von Simon entfernt stehen blieb.

Tanner sah ihn amüsiert an. »Wie seid Ihr auf ihn gekommen?«, fragte er. Als Simon ihn verständnislos ansah, fügte der Constable hinzu: »Das ist Kerl, der Euch eins überzogen hat.«

Als der Jüngling näher kam, sah Simon, dass er nicht nur dünn, sondern unterernährt war. Die hohen Wangenknochen ragten aus einem völlig eingefallenen Gesicht und seine hellblauen Augen lagen tief in den Höhlen und sahen wässerig aus. Sein Blick wanderte unruhig hin und her, und wenn Simons Blick dem seinen begegnete, wandte er ihn ängstlich ab.

»Wie heißt du?«, fragte Simon und wunderte sich selbst, wie harsch seine Stimme klang.

»Weaver, Sir.«

»Und woher kommst du?«

»Aus Tolpuddle, Sir.«

Simon schaute zu Black hinüber, der ihn nur gelangweilt ansah. Er wandte sich wieder an den Gefangenen.

»Wie lange bist du bei dieser Bande?«

Weaver starrte auf den Boden und wagte es nicht, den Kopf zu heben. »Einen Monat.«

»Und wie viele Menschen hast du in diesem Monat getötet?«

Jetzt schaute er auf, und in seinen Augen blitzte so etwas wie Trotz auf. »Nur einen, und auch nur, weil er sonst mich getötet hätte!«

»Was ist mit den Kaufleuten? Willst du behaupten, du hättest mit ihrer Ermordung nichts zu tun?«

Weaver starrte wieder auf den Boden, als habe der plötzliche Anflug von Trotz ihn seine ganze Energie gekostet. »Ich habe auf die Pferde aufgepasst.«

»Glaubst du, das macht es besser? Du bist Mitglied der Bande, die sie alle getötet hat, oder?« Er winkte angeekelt ab. »Wie viele habt ihr umgebracht?«

»Ich weiß nicht«, antwortete Weaver gleichgültig. »Ich weiß nicht, zehn oder auch zwölf.«

»Woher ...« Simon fuhr sich mit der Hand über die Stirn. Er verstand diesen Mann nicht. »Woher seid ihr gekommen?«, fragte er resigniert.

»Von Ashwater«, lautete die düstere Antwort.

Simon schaute wieder den Jäger an, aber Ashwater schien ihm genauso wenig zu sagen wie Tolpuddle. »Wann seid ihr dort aufgebrochen?«

»Eine Woche mag es her sein.«

»Und wann wart ihr in Copplestone?«

»Wo?«

»Copplestone, dort wo ihr den Abt ermordet habt.«

»Welchen Abt? Davon weiß ich nichts.«

»Noch einmal, wann habt ihr Ashwater verlassen?«

»Wie ich sagte, vor einer Woche.«

»Wo liegt Ashwater?«

Noch während er die Frage stellte, war Simon plötzlich völlig davon überzeugt, dass der Mann die Wahrheit sagte. Er log nicht, weil er wusste, dass er ohnehin sterben musste. Er wollte nur noch zu seinesgleichen, wollte in Ruhe gelassen werden, bis der Galgen auf ihn wartete.

»Im Westen, nördlich von Launceton«, hörte er den Mann sagen. Black schnaubte wütend und ging auf den Gefangenen zu, aber Simon legte dem Jäger die Hand auf den Arm, und der blieb stehen und starrte Weaver nur finster an.

»Du lügst uns an, Junge. Von dort hättet ihr es gar nicht rechtzeitig nach Copplestone geschafft«, stieß er hervor.

»Ich weiß überhaupt nichts über dieses Copplestone«, beharrte Weaver. Dann sah er Simon an. »Ich werde bald am Galgen baumeln, Sir. Warum sollte ich lügen? Es ist mir egal, was Ihr denkt, aber mit einem Abt hatte ich nichts zu tun.«

Simon überlegte. Also waren diese Männer nicht die Mörder des Abtes. Aber wer hatte ihn dann getötet? Er versuchte sich zu konzentrieren. Die Mönche hatten von zwei Männern gesprochen.

»Wann seid ihr dem Ritter begegnet?«, fragte er.

»Dem?« entgegnete Weaver verächtlich. »Rodney von Hungerford? Erst vor ein paar Tagen. Er ist uns regelrecht in die Arme gelaufen. Als wir ihn überwältigen wollten, hat er sich gewehrt und hat sogar unseren Anführer getötet. Er hatte Geld dabei, aber wir kamen nicht ran. Irgendwann hätten wir ihn sicher überwältigt, aber dabei wären zu viele von uns draufgegangen. Deshalb schlugen wir ihm einen Handel vor. Wenn er sich uns anschließen würde, würden wir ihn am Leben lassen.«

»Wo war sein Freund?«, fragte Simon.

»Was für ein Freund?«

»Er wurde von einem zweiten Mann begleitet.«

»Als er uns begegnete, war er allein.«

»Wo? Wo ist das gewesen?«

»Keine Ahnung, irgendwo bei Oakhampton. Er sagte, er wolle nach Cornwall.«

Jetzt schien auch Blacks Interesse geweckt, er sah den Gefangenen eindringlich an.

»Hat er gesagt, woher er kam?«

»Hungerford, wie ich schon sagte. Ich glaube, das liegt … irgendwo östlich.«

»Hatte er ein Schlachtross?«

»Schlachtross?« Weaver lachte auf. »Nein, er ritt auf einer Stute, einer kleinen Stute.«

»Einer Stute?«

»Ja, auf einer grauen Stute. Er sagte, er habe sie unterwegs gefunden, gesattelt und gezäumt. Er meinte, sie habe ihren Reiter wohl abgeworfen.«

»Hat er gesagt, wann das war?«

»Ich weiß nicht, vor ein paar Tagen, vielleicht zwei Tage, bevor er uns begegnet ist. Er sagte, in den Satteltaschen sei Geld, aber er wollte nicht mit uns teilen.«

»Hat er gesagt, wo er das Pferd gefunden hat?«

»Ich weiß nicht –«

»Denk nach!«

»Vielleicht hat er es erwähnt, es könnte östlich von Oakhampton gewesen sein, aber ich –«

»Und er hat gesagt, dass Geld sei bereits in den Taschen gewesen?«

»Ja«, antwortete Weaver gedehnt, als würden ihn die Fragen langweilen.

»Und –«, begann Simon, doch der Junge zuckte nur gleichgültig mit den Schultern.

»Das alles ist mir egal, und ich sehe auch nicht ein, warum ich Euch helfen soll«, sagte er. »Was immer er getan hat, ich habe nichts damit zu tun.« Er trat einen Schritt zurück, als wolle er damit anzeigen, dass sie ihn nicht zwingen konnten. »Mir reicht es. Ich habe Euch alles gesagt, was ich weiß.«

Simon zuckte seinerseits mit den Schultern. Spielte es eigentlich noch eine Rolle, was der Mann sagte? Weaver starrte Simon und Black eine Weile wortlos an, dann drehte er sich abrupt um und ging zu seinen Kumpanen zurück. Diese Frechheit trieb dem Jäger die Zornesröte ins Gesicht. Er schien den Gefangenen für seine Unverschämtheit bestrafen zu wollen, aber Simon hielt ihn zurück. »Nicht«, sagte er. »Reg dich nicht auf. Er hat uns genug erzählt.«

Black sah Weaver hinterher und beruhigte sich schnell wieder. »Ja, ja, das hat er in der Tat. Der Ritter kam also aus dem Osten. Er muss durch Exeter gekommen sein und ist auf der Straße nach Crediton den Mönchen begegnet.«

»Aber die Mönche sprachen von zwei Reitern.«

»Vielleicht waren es zwei. Vielleicht haben sie Streit bekommen und sich getrennt. Wer weiß? Jedenfalls fällt mir ein Stein vom Herzen, dass wir den Mörder des Abtes erwischt haben. Und vielleicht hat er ja auch noch Brewer ermordet.«

»Was?«, entfuhr es Simon.

»Nun, er kam aus dem Osten. Er hat Brewer getötet, das Geld an sich genommen und ist weitergeritten. Nachdem er den Abt getötet hatte, ist er auf diesen Haufen hier gestoßen und hat sich ihnen angeschlossen.« Zufrieden steckte er die Daumen unter den Gürtel. »Ja, ich glaube, nun wird das Morden aufhören.«

»Wir sollten uns mal ihre Pferde ansehen.«

Sie gingen zu den Tieren, eine bunte Mischung aus kleinen, drahtigen Ponys und schweren, großen Pferden.

»Black?«

»Ja?«

»Als du die Spuren der Mörder des Abtes verfolgt hast, sagtest du, dass eines der Pferde ein sehr großes sein müsse und dass an einem Huf ein Nagel fehlte.«

»Ja, das stimmt.«

»Und das Pferd des Abtes war eine graue Stute mit einer Narbe auf dem Widerrist.«

»Ja.«

»Dann schau dir bitte diese Tiere an. Sieh nach, ob einem ein Nagel im Huf fehlt und ob eine graue Stute mit einer Narbe dabei ist.« Simon drehte sich um und ging aus dem Lager hinaus. Jetzt merkte er, wie sehr ihn die Verhöre angestrengt hatten und er ließ sich im Gras nieder. Sein Blick wanderte über die grünen Hügel und kurz darauf wurde er schläfrig und döste im warmen Sonnenlicht vor sich hin.

Kapitel 19

Eine Stunde später machten sie sich auf den Rückweg. Die Gefangenen, denen man ihre Furcht ansah, durften auf ihren Pferden reiten, weil die Männer so schnell wie möglich nach Hause kommen wollten.

Simon und Hugh ritten ein Stück des Weges gemeinsam mit ihren Gefährten, aber nach zwei Meilen trennten sie sich von ihnen. Simon wollte nicht mit den anderen und ihren Gefangenen zurück nach Oakhampton. Er hatte beschlossen, den kurzeren Weg durch das Moor über Moretonhampstead und Tedburn zu nehmen.

Die Männer freuten sich schon darauf, in der Stadt begrüßt und gefeiert zu werden, weil sie die Wegelagerer gefangen hatten, aber Hugh hatte vom Reiten für Jahre genug, und Simon wollte so schnell wie möglich zu seiner Frau und seiner Tochter. Da die Räuber nun gefasst waren, konnte man die Straßen wieder sicher bereisen, und es schien nicht nötig, dem Vogt und seinem Mann noch jemanden zum Schutz mitzugeben.

Sie verabschiedeten sich an der Straße, die direkt nach Moretonhampstead zurückführte, einem breiten Weg, der durch die Moore bis hinunter zur Küste verlief. Hugh und sein Herr sahen den Männern hinterher, die frohgestimmt nach Norden ritten, und winkten ihnen nach, bis sie hinter dem nächsten Hügel verschwanden.

Im Gegensatz zu seinen Gefährten war Simon keineswegs fröhlich. Er brütete vor sich hin, das Kinn auf die Brust gelegt, und er ritt so langsam, dass Hugh das Reiten zum ersten Mal seit ihrem Aufbruch als nicht völlig unangenehm empfand.

Hugh wusste nicht recht, was er von Simons Schweigsamkeit halten sollte. Er hatte sich stets bemüht, den Puttocks, die er liebte wie seine eigene Familie, ein guter Knecht zu sein, auch wenn er nach außen hin stets mürrisch wirkte.

Die Melancholie hatte er sich in seiner Jugend erworben, als er oben auf den Hügeln das harte Leben eines Schäfers geführt hatte. Alle Männer, die auf den Hügeln bei den Mooren die Schafe hüteten, hatten etwas Mürrisches an sich; das kam von der Einsamkeit, die zum Grübeln veranlasste. Außerdem waren sie abgebrüht, denn jeder von ihnen hatte immer wieder mit gefährlichen, wilden Tieren zu tun, die Schafe reißen wollten oder auch Menschen angriffen. Hinter dieser rauen Schale steckte jedoch in Hughs Fall ein Mann, der seinem Herrn treu ergeben war, und Simons Düsterkeit betrübte ihn.

Hugh fühlte sich selbst schon von dieser gedrückten Stimmung angesteckt, als Simon sich an seinen Knecht wandte: »Hugh, erinnerst du dich an das Gespräch mit Black und Tanner von vorgestern, vor dem Feuer?«

Erleichtert darüber, dass sein Herr offenbar wieder reden wollte, sagte Hugh: »Als wir über den Abt und Brewer sprachen? Als ich sagte, die Wegelagerer hätten den Bauern nicht ermordet?«

Simon nickte. »Ja. Glaubst du das noch immer?«

»Nun«, entgegnete Hugh zögernd. »Jetzt nicht mehr.«

»Warum?«

»John Black hat gesagt, dass der Ritter sich der Bande erst spät angeschlossen hat. Er sagte, er müsse ungefähr zur fraglichen Zeit auf dem Weg nach Oakhampton durch Crediton gekommen sein. Er war noch kein Bandenmitglied, aber offensichtlich hatte er keinerlei Skrupel. Er muss es gewesen sein.«

»Hm, das meint John Black.«

»Nun, es macht doch Sinn, oder?«

»Was wurde aus seinem Schlachtross? Wo ist sein Begleiter geblieben?«

»Vielleicht hatte der Begleiter das andere Pferd, ich weiß es nicht. Vielleicht hat es sein Freund gestohlen. Tatsache ist, dass er die Stute besaß. Er muss den Abt getötet haben, und man kann ihm auch zutrauen, dass er Brewer überfallen hat.«

»Hm …«

Simon verfiel wieder in Schweigen, bis Hugh es schließlich nicht mehr aushielt. »Master?«, sagte er, aber Simon reagierte erst, als Hugh sich bereits damit abgefunden hatte, keine Antwort zu bekommen. »Was?« Er sah Hugh an.

»Warum habt Ihr mich das eben gefragt?«, sagte der Knecht.

»Warum? Nun, ich denke die ganze Zeit darüber nach … ich glaube einfach nicht, dass der Ritter Brewer getötet haben soll, auch wenn es so aussieht, als sei er der Mörder de Pennes.« Er zögerte kurz, bevor er langsam fortfuhr, als müsse er sich jedes Wort gut überlegen. »Wenn es Rodney war, der den Abt entführt hat, dann war es entweder ein zufälliges Aufeinandertreffen, oder es war geplant und so beabsichtigt – vielleicht um sich für irgendetwas zu rächen. Ob es die Rache für irgendeine Missetat des Abtes war, werden wir wahrscheinlich nie erfahren. Aber nehmen wir an, es war Zufall. Was würde sich daraus ergeben?«

Er sprach immer leiser, ohne Hugh dabei anzusehen. »Der Ritter und der andere Mann sind den Mönchen auf der Straße begegnet. Sie entführten den Abt und schleppten ihn in den Wald. Dann banden sie ihn an einen Baum und verbrannten ihn. Wenn sie ihn schon töten mussten, warum haben sie ihn nicht einfach erstochen? Nein, die Art und Weise, wie er getötet wurde, deutet nicht darauf hin, dass es ein Zufall war.« Jetzt schaute er zu Hugh hinüber. »Stimmst du mir zu?«, fragte er seinen Knecht.

Hugh legte die Stirn in Falten. »Ja«, sagte er schließlich. »Ihr habt Recht.«

»Schön. Aber denken wir mal weiter. Also, der Abt ist tot. Warum trennen sie sich danach? Warum hat der eine das Geld und die graue Stute, der andere das Schlachtross? Die Mönche sagten, beide Angreifer seien Reiter gewesen, wo also ist das zweite Pferd?«

»Vielleicht hat der andere Mann beide Pferde mitgenommen?«

»Warum sollte er das getan haben? Ein Mann mit zwei Pferden fällt schnell auf, und die Leute werden misstrauisch.«

»Ich weiß es auch nicht, aber John Black hat bestimmt Recht. Das muss der gleiche Mann sein, der auch Brewer umgebracht hat.«

»Was? Der Ritter soll Brewer umgebracht haben?« Simon wurde langsam ungeduldig. »Woher hätte denn ein fahrender Ritter davon wissen sollen, dass Brewer als reicher Mann galt? Er kam doch gar nicht aus der Gegend. Aber reden wir noch mal über den Abt. Wir müssen davon ausgehen, dass es kein Zufall war. Es gab einen Plan. Dann wussten sie auch, dass sie auf dieser Straße auf den Abt treffen würden. Vielleicht hatten die beiden die Mönche schon eine ganze Weile verfolgt. Aber selbst dann ...«

»Was, Herr?«

»Warum um alles in der Welt haben sie sich nach dem Mord getrennt? Wenn sie gemeinsam Jagd auf den Abt gemacht hatten, warum sollten sie sich unmittelbar danach trennen? Man könnte doch denken, dass ein solch barbarisches Verbrechen die beiden noch fester verbunden hätte.«

Hugh schien völlig verwirrt. »Was wollt Ihr damit sagen?«

»Ich glaube einfach nicht, dass der Ritter den Abt getötet hat. Egal, was nun dahintersteckt, der Täter hätte auf jeden Fall sein Pferd behalten. Ein Ritter würde sich niemals von seinem Schlachtross trennen, es ist über hundert Pfund wert.«

»Nun, sicherlich, aber ...«

»Kann es sein, dass Rodney uns die Wahrheit erzählt hat? Kann es sein, dass er die Stute wirklich gefunden hat? Dass er überhaupt kein eigenes Pferd besaß, als er die Stute fand?«

»Vielleicht –«

»Hör zu.« Simon unterbrach ihn bestimmt. »Ich bin sicher, dass jemand anderes den Abt getötet hat. Und das bedeutet, dass Black sich irrt. Black glaubt, dass Rodney in der Gegend war und das Zeug zum Mörder hatte. Aber

Rodney hat de Penne nicht getötet. Ich habe sein Gesicht gesehen, als ich ihn danach fragte, und der Vorwurf, einen Geistlichen getötet zu haben, traf ihn zutiefst in seiner Ritterehre, das habe ich deutlich gespürt. Und ich bin sicher, dass er den Bauern auch nicht auf dem Gewissen hat. So verhasst wie Brewer war, halte ich eher einen der Dörfler für den Mörder. Nein, der Ritter war es nicht.« Er gab seinem Pferd die Sporen und ließ es angaloppieren. Seufzend versuchte Hugh, ihm zu folgen.

Nun, da sie keinen Spuren mehr folgen mussten und auf den Straßen und Wegen ritten, kamen sie schnell voran und erreichten Drewsteignton gegen Mittag. Sie legten kurz Rast ein, um die Pferde zu tränken und ritten in mäßigem Tempo weiter, um ihre Tiere nicht zu überfordern. Als die Abenddämmerung hereinbrach, erreichten sie Crediton. Hugh hätte erwartet, dass sein Herr ohne Unterbrechung weiterreiten würde, aber zu seiner Überraschung erwähnte Simon plötzlich seinen schmerzenden Rücken und sagte, sie würden heute bei Peter Clifford, dem Pfarrer von Crediton, übernachten. Hugh hatte nichts dagegen, aber er hegte den leisen Verdacht, dass Simon mit diesem Besuch irgendeine Absicht verfolgte – seine Begründung war etwas zu beiläufig ausgefallen.

Der Pfarrer war hocherfreut, sie zu sehen. Er kam ihnen mit ausgebreiteten Armen und einem strahlenden Lächeln entgegen. Nachdem er sie ins Haus geleitet hatte und sie vor dem Kamin saßen, schenkte er ihnen erwärmten Wein ein.

»Schön euch zu sehen, Freunde. Ich habe gehört, dass Wegelagerer einen Abt getötet hatten und ihr euch auf die Verfolgung gemacht hattet – habt ihr Erfolg gehabt?«

Simon schaute nachdenklich in seinen Krug. »Ja, Peter, wir haben sie alle erwischt, tief im Moor. Aber davor hatten sie noch einmal gemordet.«

»O nein.«

Simon beugte sich vor und sah seinen Freund durchdringend an. »Peter, weißt du, ob ein Ritter durch Crediton gekommen ist, etwa zur gleichen Zeit wie die Mönche? Hast du irgendetwas über einen Fremden gehört? Ein großer, breitschultriger Mann auf einem gewaltigen Pferd. Er hatte vielleicht einen Begleiter dabei.«

»Nein. Nein, bestimmt nicht. Warum, wer ist dieser Mann?«

»Er heißt Rodney von Hungerford. Er hatte sich den Wegelagerern angeschlossen – ein verarmter Ritter, der keinen Ausweg mehr sah. Nun ist er tot. John Black und die anderen glauben, er hätte den Abt getötet.«

»Nein, ich wüsste bestimmt, wenn ich von ihm gehört hätte.«

»Nun, es hätte ja sein können.«

»Was war mit diesem Überfall, gab es Opfer?«

»In der Tat«, sagte Simon und berichtete von dem Gemetzel, von der Suche in den Mooren und vom Kampf gegen die Gesetzlosen. Der Priester hörte aufmerksam zu, den Weinkrug in der Hand und nickte dann und wann bedächtig.

»Wie furchtbar«, sagte er, als Simon fertig war. »Herr, erbarme dich ihrer. Und alles nur aus Geldgier und Fleischeslust. O Herr, nimm dich dieser armen Seelen an und schenke ihnen Frieden.« Er schwieg eine Weile, doch dann wandte er sich wieder an Simon und fragte: »Aber du bist dir nicht sicher, dass diese Männer Brewer und den Abt ermordet haben?«

»Nun, da du es gerade erwähnst ...«

Der Priester lehnte sich lächelnd zurück. »Komm schon, Simon. Du wirst es mir früher oder später doch erzählen, das weißt du.«

Der Vogt lachte. »Na schön, Peter. Eines wissen wir sicher. Die Kaufleute haben sie ermordet, so viel steht fest.«

»Aber?«

»Ich bin davon überzeugt, dass dieser Ritter nichts mit dem Tod des Bauern und des Abtes zu tun hat. Ich kann mir nicht vorstellen, dass der Abt durch eine Laune des Schicksals umkam – der Mord an ihm muss geplant worden sein. Das heißt auch, dass ich nicht an einen Raubüberfall glaube. Die Wegelagerer haben ihre Opfer auch verbrannt, aber nur weil sie die Wagen in Brand gesetzt haben und die Armen dort eingeschlossen waren. Aber der Abt ist hingerichtet worden.«

»Hingerichtet? Das hört sich eher nach der Tat von Wahnsinnigen an.«

»Peter, ich bitte dich. Sie haben sich viel Zeit gelassen, sie haben zugesehen, wie der Mann starb. Und es sieht auch nicht so aus, als hätten sie besonders eilig aufbrechen müssen, denn offenbar hat sie niemand bemerkt.«

»Ich bin verwirrt. Was ist der Grund für all das?«

»Es könnte sein, dass der Abt aus Rache getötet wurde. Das würde einiges erklären. Vielleicht wollte jemand auf etwas Bestimmtes hinweisen, indem er den Abt verbrannte wie einen Ketzer. Vielleicht hatte er seinem Mörder irgendwann auch etwas angetan. Ich weiß es nicht, aber ich weiß, dass es nicht Rodney von Hungerford war.«

»Hast du denn eine Ahnung, wer es gewesen sein könnte?«

»Nein, das leider auch nicht.«

Sie schwiegen und schauten in die Flammen, Clifford mit einem nachdenklichen Lächeln, Simon mit tief herabgezogenen Brauen. Er suchte nach einem roten Faden in seiner Geschichte, fand ihn jedoch nicht. Hugh schaute scheinbar unbeteiligt drein. Er hatte die Arme verschränkt und die Beine ausgestreckt. Plötzlich sagte er: »Wenn wir nur mehr über den Abt wüssten.«

Simon sah ihn an. »Was willst du damit sagen?«

»Nun, vielleicht würden wir dann den Grund für den Mord kennen.«

Simon schaute Clifford von der Seite an. »Peter, hast du etwas Näheres über diese Mönche erfahren?«

Der Pfarrer sah ihn zunächst erstaunt an, bevor er laut auflachte. »Ach, mein Freund, ich wusste es doch. Deshalb bist du also hierher gekommen. Du wolltest dich also nicht nur an meinem Wein gütlich tun, sondern auch mein Wissen anzapfen.«

»Wenn das geht«, entgegnete Simon grinsend. Hugh

seufzte und starrte in die Flammen. Es wurmte ihn, dass sein Herr seinen Beitrag so scheinbar ungerührt entgegengenommen hatte. Nun beschloss er, das Gespräch der beiden zu ignorieren und nur noch die wohlige Wärme des Feuers und des Weins zu genießen.

»Ich kannte keinen von ihnen, auch die Namen waren mir nicht bekannt, bevor sie zu mir kamen«, begann Clifford. »Der Abt besaß ein Empfehlungsschreiben, und ich sah keinen Grund, ihnen zu misstrauen. Sie waren Reisende auf dem Weg nach Buckland, mehr weiß ich nicht über sie.«

»Und der Name des Abtes war Oliver de Penne?«

»In der Tat.«

»Und die anderen? Hast du mit Bruder Matthew gesprochen?«

»Matthew«, sagte der Priester nachdenklich, als wäre ihm etwas eingefallen. »Matthew, ja natürlich. Nein, habe ich nicht. Er hatte zufälligerweise einen Freund hier in der Nähe, deshalb blieben die Brüder auch länger.«

»Was? Was sagst du da?«

»Nun, Matthew traf in Crediton einen Freund, an dem Tag, als er hier ankam, und er überredete den Abt, ein oder zwei Tage länger zu bleiben, damit er den Freund in dessen Haus besuchen könne. Der Abt machte die ganze Zeit einen seltsamen Eindruck. Er schien Angst vor etwas zu haben. Fast unheimlich im Nachhinein, nicht wahr, als hätte er sein Ende vorausgeahnt.«

Simon umschloss den Krug in seiner Hand fester und beugte sich vor. »Mit wem hat er sich getroffen, Peter?«

Als Clifford antwortete, schaute auch Hugh entgeistert auf. »Den neuen Herren von Furnshill – wie heißt er noch? Ach natürlich, Baldwin, Sir Baldwin Furnshill, den hat er besucht.«

Kapitel 20

Als Simon am nächsten Morgen aufwachte, trieben die Regenwolken, angetrieben vom Wind aus den Mooren, niedrig an einem grauen Himmel dahin. Simon setzte sich mit seinem Knecht vor den Kamin, und sie warteten darauf, dass der Regen aufhörte oder zumindest nachließ, damit sie ihre Reise fortsetzen konnten.

Simon hatte mit widersprüchlichen Gefühlen zu kämpfen. Er war mittlerweile überzeugt davon, dass Baldwin irgendwie in den Tod des Abtes verwickelt war. Aber was sollte er tun? Als Vogt ergriff man Schafdiebe oder Wilderer, keinen Ritter. Zwar hatte er als Vertreter des Lehnsherrn das Recht dazu, aber beweisen konnte er Baldwin das Verbrechen noch lange nicht. Simon hatte nur ein paar vage Anhaltspunkte, nicht einmal ein Motiv. Er wusste, dass Baldwin und Matthew einander kannten, und dass der Mönch die Reise des Abtes verzögert hatte, aber das war noch kein Grund, den Ritter zu verhaften. Der Abt war von einem Mann verschleppt worden, der wie ein Ritter aussah und auf einem großen Pferd saß, aber es dürften sich um Crediton herum viele Männer finden lassen, die man für Ritter halten konnte. Die Tatsache, das Baldwin Matthew kannte, war noch kein Beweis dafür, dass er auch den Abt kannte, geschweige denn dessen Tod wollte.

Und doch, er war sich sicher. Baldwin kam von Gott weiß woher – aber er hatte nie darüber sprechen wollen, was er erlebt hatte. Es musste etwas geschehen sein während seiner Zeit im Ausland. Dort musste er irgendetwas mit Oliver de Penne zu tun gehabt haben. Als er davon hörte, dass de Penne sich in der Gegend aufhielt, beschloss er, ihn zu töten – oder war er den Mönchen hierher gefolgt?

Clifford kam herein und setzte sich schweigend zu ihm. Als Simon ihn ansah, fiel ihm auf, dass der Priester heute Morgen sehr besorgt aussah. Abwesend fuhr er mit der Hand über den Saum seines Talars. Das übliche Lächeln war verschwunden.

»Simon«, sagte er schließlich bedächtig. »Ich habe darüber nachgedacht, was du mir gestern Abend über Furnshill erzählt hast. Mein Freund, bevor du dich auf den Weg nach Hause machst, solltest du dir genau überlegen, was du unternehmen willst.«

»Das Problem besteht darin, dass ich nicht weiß, was ich überhaupt unternehmen kann, Peter.«

»Wie sieht die Lage denn nüchtern betrachtet aus? Du weißt, dass der Mönch Matthew den Ritter kennt. Wenn der Ritter vorhatte, den Abt zu töten, hätte Matthew uns doch sicher davon unterrichtet, oder?«

»Vorausgesetzt, er wusste überhaupt davon.«

»Ja, das stimmt wohl. Also hängt alles von dem Motiv ab, das Baldwin gehabt haben könnte«, sagte der Priester und stützte das Kinn auf die Hand.

Simon nickte. Das war das Wichtigste – den Grund für den Mord herausfinden.

»Peter«, sagte er. »Könnte es ein Mord aus Rache gewesen sein?«

»Du meinst, jemand hat den Abt verbrannt, weil dieser ihm irgendwann etwas angetan hat? Das muss aber ein sehr schwerer Affront gewesen sein.«

»Bedenke Folgendes: Wenn der Ritter Rodney die Wahrheit gesagt hat, und das glaube ich, dann hat er das Pferd mit dem Geld gefunden. Es ging bei dem Mord also nicht um Geld. Sonst hätte der Mörder die Satteltaschen an sich genommen. Welchen anderen Grund könnte es sonst geben? Außer Rache will mir nichts einfallen.«

Der Priester blickte nachdenklich vor sich hin. »Möglich ist es«, räumte er ein. »Aber der Abt war ein Mann Gottes. Was sollte er dem Ritter angetan haben?«

»Er ist nicht immer ein Mann Gottes gewesen«, sagte Simon und dachte daran, was Matthew in Clanton Barton zu ihm gesagt hatte. »Er ist zur Strafe hierher geschickt worden, weil er beim Papst in Ungnade gefallen war.«

Clifford lachte leise. »Eine schöne Strafe, wenn man in ein reiches Kloster wie Buckland geschickt wird.«

»Vielleicht wollte man ihn auf diese Weise loswerden. Was, wenn er Papst Clemens Dienste erwiesen hat, die Papst Johannes ein Dorn im Auge waren?«

»Nun ...« Clifford dachte nach. Papst Clemens war vor zwei Jahren gestorben, dreizehnhundertundvierzehn. Der Stuhl des Papstes war danach ein Jahr leer geblieben, bis Papst Johannes gewählt worden war. Konnte es sein, dass der neue Papst de Penne in der Tat kaltstellen wollte? Während der Sedisvakanz hatte de Penne seinen Posten am päpstlichen Hof ja offenbar behalten. Erst mit der Ernennung des neuen Papstes begannen seine Probleme. War er nach Buckland abgeschoben worden?

»Matthew schien überzeugt davon, dass es einen solchen Mord nicht noch einmal geben würde, er sprach davon, dass der Täter während der Tat geistig umnachtet gewesen sein müsse«, sagte Simon. »Er muss es schon damals gewusst haben.«

»Dann wäre der Mönch nach dem Verbrechen sicherlich noch einmal zu Furnshill gegangen. Er hätte ihn auffordern müssen, zu beichten, das wäre seine Pflicht gewesen. Er hätte die Seele des Sünders retten müssen.«

»Er war auch an dem Tag, als ich aufbrach, um die Gesetzlosen zu suchen, auf der Burg!«, fiel Simon plötzlich ein. »Schließlich hat er mir ja die Botschaft von Tanner gebracht.« Nach einer Weile des Überlegens meinte er: »Könnte das, was den Papst so abgestoßen hat, das Gleiche sein, weswegen Baldwin ihn getötet hat?«

Nun schüttelte Clifford den Kopf. »Ich gebe dir Recht, zeitlich scheint es zu passen, aber das ist doch alles sehr weit hergeholt. Was für ein Zufall! Baldwins Bruder stirbt, Baldwin kehrt zurück und schon wenige Tage später läuft ihm ein alter Feind über den Weg? Wäre es nicht leichter für Baldwin gewesen, ihn irgendwo in Frankreich zu töten statt hier, direkt vor seiner Haustüre?«

»Aber das ist es ja«, entgegnete Simon. »Es war vielleicht wirklich ein großer Zufall, aber warum nicht? Sieh mich doch an: Ich werde zum Vogt ernannt und schon kurz danach stehe ich mit einem Mordfall da. Auch ein Zufall.«

»Mein Freund«, sagte Clifford und lächelte ihn väterlich an wie ein Lehrer, der einen allzu wirr denkenden Schüler zügeln muss, »das sind der Zufälle ein bisschen viel, nicht wahr? Zufällig stirbt der Bruder dieses Mannes, sonst wäre er gar nicht hier. Zufällig wird der beim Papst in Ungnade Gefallene ausgerechnet in diese Gegend geschickt. Zufällig begegnet der Ritter ihm. Nein, das sind mir zu viele Zufälle.«

Simon starrte düster ins Feuer. »Nun, wenn man das alles aufzählt …«, murmelte er.

»Da ist noch etwas.«

»Und das wäre?«

»Du gehst die ganze Zeit davon aus, dass es sich bei dem Mörder um einen Ritter handelt. Was, wenn dem gar nicht so ist?«

»Aber nur ein Ritter trägt Rüstung!«, wand Simon fast schon verzweifelt ein. Er hatte das Gefühl, als würde der Priester seine sorgsam geschmiedete Beweiskette einfach Glied für Glied auftrennen. Langsam glaubte er selbst nicht mehr an seine Vermutung.

»Jeder Mann kann sich eine Rüstung anziehen«, entgegnete Peter unbeirrt. »Sie ist doch nur eine Hülle, die man an- und ablegt. Sie kann einem Ritter gestohlen worden sein. Darüber solltest du nachdenken, Simon.« Er erhob sich. »Jetzt werde ich dir einen Schluck Wein bringen. Du siehst aus, als könntest du einen vertragen.«

Simon stand ebenfalls auf und schüttelte den Kopf. »Danke, ich möchte lieber nicht. Danke für deine Gastfreundschaft, aber wir müssen uns jetzt auf den Weg machen.«

»Ganz wie du meinst«, sagte Clifford und sah Simon bekümmert an. »Mein Freund, ich hoffe, dass Gott dich auf deiner Reise schützt und dir hilft, die richtige Entscheidung zu treffen.«

»Ich danke dir«, entgegnete Simon und fügte mit einem knappen Lächeln hinzu: »Ich hoffe, dass ich bald klarer sehe.«

Hugh und Simon ritten langsam die Straße entlang, die von Crediton nach Sandford führte. Die Gedanken des Vogts kreisten immer wieder um den Mord, aber egal, von welcher Seite er die Angelegenheit betrachtete, er glaubte einfach nicht, dass Rodney von Hungerford der Mörder des Abtes war. In seiner Eigenschaft als Pfarrer hörte Peter Clifford von jedem Fremden, der in der Gegend auftauchte, schon deshalb, weil es in diesem Teil des Landes immer noch wenig Reisende gab. Ein Ritter wäre den Leuten aufgefallen, besonders, wenn er ärmlich ausgesehen hätte.

Und dann gab es noch das Problem mit dem zweiten Mann. Wer immer es war, er hatte Rodney nicht mehr begleitet. Konnte es sein, dass sich der Ritter nach dem Mord bei Copplestone von ihm getrennt hatte? Möglich war es, aber nicht sehr wahrscheinlich. Zwei Männer, die ein solches Verbrechen begangen hatte, hatte das Schicksal aneinandergefesselt.

Das Wetter war etwas besser geworden. Der Regen hatte nachgelassen, und der Wind wehte weniger kräftig und blies ihnen die Regentropfen nicht mehr ins Gesicht. Schließlich schob sich sogar die Sonne zwischen den Wolken hindurch, als hätten die Elemente fürs Erste beschlossen, sich zu vertragen.

Plötzlich kam Simon ein Gedanke. Wenn es zwei Männer gewesen waren, dann hatten sie auch ihren Hass auf den Abt geteilt. Wenn nur einer ein wirkliches Motiv gehabt hätte, hätte der andere doch sicherlich das Geld an sich genommen. »Was kann man daraus ableiten?«, fragte er sich laut. »Dass beide den Abt hassten.«

»Wie bitte?« Hugh ritt wie immer ein Stück hinter ihm. Simon winkte nur unwirsch ab, als habe Hugh ihn beim Denken gestört, und der Knecht senkte beleidigt den Kopf.

»Also«, überlegte Simon laut weiter. »Es waren zwei Männer. Beide von dem gleichen Rachedurst getrieben. Der eine war ein Ritter oder trug zumindest eine Rüstung, und der andere war wie ein Soldat gekleidet – vielleicht ein Knappe. Ritter nehmen das Eigentum des Besiegten als Beute. Dieser tat es nicht. Hatte es etwas mit Ehre zu tun? Ging es um eine Frau?« Er zuckte mit den Schultern.

Er wusste, dass in Kriegszeiten oft die Frauen zur Beute der Sieger wurden. Hatte sich der Abt die Frau des Ritters genommen, und hatte der Ritter dann zusammen mit einem Freund beschlossen, den Vergewaltiger zu töten? Er drehte sich zu Hugh um.

»Hugh?«

Der Knecht schaute missmutig auf.

»Hugh«, begann Simon zögernd. »Wenn jemand Margret etwas antäte und ich würde mich aufmachen, den Mann zu jagen und zu töten, würdest du mir dabei helfen?«

Der Knecht sah ihn zunächst entgeistert an. Dann stieß er hervor: »Aber natürlich würde ich das!«

»Hm.« Simon drehte sich um und ritt schweigend weiter. Sie ritten am Creedy entlang, der sich durch das Tal schlängelte, das nach Sandford führte.

Hugh saß heute etwas entspannter im Sattel. Der gestrige Abend hatte ihm ausgesprochen gut getan. Das Kaminfeuer, das warme Essen und der Wein hatten ihn die Tage im Moor vergessen lassen, besonders den letzten, als sie nachts nicht einmal ein Feuer machen konnten. Er freute sich darauf, endlich wieder auf seiner Strohmatte schlafen zu dürfen.

Trotzdem machte es ihm Sorgen zu sehen, wie Simon sich mit jedem Tag mehr in den Mord an dem Abt hineinsteigerte. Auch Hugh beschäftigte das Verbrechen, aber Simon übertrieb es seiner Meinung nach, und das tat ihm nicht gut. Immer wieder versuchte der Knecht seinen Herren auf andere Gedanken zu bringen, aber nachdem Simon jedes Mal nur abwesend oder unverständlich geantwortet hatte, gab er es schließlich auf.

Als sie den letzten Hügel vor Sandford erreicht hatten, besserte sich Hughs Stimmung wieder. Er wollte Simon gerade erzählen, wie sehr er sich auf den Anblick des flackernden Kaminfeuers freute, als er sah, dass Simon an der Straße zum Dorf stehen blieb.

Er starrte auf die Straße, die nach Furnshill führte. »Bald werde ich alles wissen. Ich werde es herausfinden«, murmelte er, bevor den Weg nach Hause einschlug.

Warum hatte Baldwin den Abt getötet? Diese Frage ging ihm nicht mehr aus dem Kopf, denn er war mittlerweile sicher, dass sein Freund der Mörder war. Als sie durch das Dorf kamen und die Straße entlang ritten, die zum Haus führte, fasste er einen Entschluss. Er wusste, wer für den einen Mord verantwortlich war, aber die Konfrontation konnte warten. Jetzt galt es, das andere Verbrechen aufzuklären.

Er musste herausfinden, wer Brewer getötet hatte.

Als er seine Frau wiedersah, schlug sein Herz höher. Sie stand an der Tür und lächelte ihnen zu.

Er war schon oft länger fortgeblieben als bei diesem Unternehmen, wenn er beispielweise die de Courtenays in Bristol oder Taunton besucht hatte, aber dieses Mal war es ihr wie eine Ewigkeit erschienen.

Er sprang vom Pferd, ging auf sie zu, ergriff ihre Hände und schaute ihr in die Augen. Margret erkannte sofort, wie sehr ihn die letzten Tage verändert hatten. Fast schien es, als könne sie die Schrecken noch in seinem Gesicht erkennen, an den tiefen Falten um Augen und Mund herum. Dazu kamen einige Kratzer.

»Liebste –«, begann er, doch in diesem Augenblick kam plötzlich Roger Ulton mit weinerlicher Miene aus dem Haus. Simon sah seine Frau resigniert an. »Nun, dann muss es also noch etwas warten«, sagte er.

»Also, wohin bist du gegangen, nachdem du Emmas Haus verlassen hattest?«

Sie saßen vor dem Kamin. Hugh kümmerte sich um die Pferde und Margret half ihm dabei, nachdem sie ihrem Mann einen Krug mit Cider und zwei Becher gebracht hatte.

Der Vogt bemerkte, dass der junge Mann Angst hatte. Er

saß auf der Kante der Bank und hielt seinen Becher mit beiden Händen fest, als fürchtete er, ihn sonst fallen zu lassen. Er wagte es kaum, Simon anzuschauen.

»Ich bin einfach herumgelaufen. Es war ein schöner Abend und wenn ich gleich nach Hause gegangen wäre, hätten meine Eltern gewusst, dass irgendwas passiert war. Ich wollte nicht, dass sie mir irgendwelche Fragen über Emma stellten.«

»Und wo warst du?«

»Ach, überall. Ich bin am Dorf vorbei die Hügel hinaufgegangen. Ich wollte einfach weiterlaufen, am besten weit fort, nach Exeter. Aber ich bin nur ein Bauer. Man hätte mich gefangen und wieder hierher gebracht.«

»Wann bist du zurückgekommen?«

»Ich weiß nicht, aber es muss nach zehn gewesen sein. Ich kam von Norden und ging die Straße entlang. Ich wollte niemanden sehen, aber um diese Zeit schliefen ja schon fast alle.«

»Ah, dann warst du es, der Brewer nach Hause geholfen hat?«

»Ja.« Er schaute zu Simon hoch, aber als er dessen ernste Miene sah, blickte er wieder auf den Boden. »Ja, das war ich. Der Wirt warf Brewer gerade aus der Schänke, als ich vorbeikam. Stephen bat mich, Brewer nach Hause zu bringen. Er hatte wieder einen Streit angezettelt.«

»Brewer?«

»Ja, das machte er häufig.«

»Weißt du, mit wem er sich an diesem Abend gestritten hat?«, fragte Simon und beugte sich vor.

»Nein, aber Stephen weiß es bestimmt.«

Der Vogt richtete sich auf und sah den jungen Mann ernst an. »Warum hast du mir das nicht längst erzählt? Warum hast du uns angelogen?«

»Ich wollte nicht, dass alle Leute erfahren würden, dass Emma mich fortgeschickt hatte. Ich wollte mich wieder mit ihr vertragen. Aber dann hörte ich ...« Er zögerte.

»Was? Was hast du gehört, und von wem hast du es gehört?«

Zum ersten Mal schaute der Jüngling Simon in die Augen. »Von Stephen, in der Schänke. Er hat mir erzählt, er wisse, dass ich lügen würde. Die Carter-Söhne hätten gesehen, wie ich mit Brewer zu dessen Haus ging. Sie sind uns gefolgt. Sie müssen ihn getötet haben, und jetzt wollen sie mir die Schuld in die Schuhe schieben. Ihr Wort steht gegen meins, sagte Stephen. Er sagte, ich solle besser verschwinden – fliehen.«

Kapitel 21

Als Sir Baldwin Furnshill am nächsten Morgen den Weg entlangritt, der ihn nach Blackway führte, war er gespannt, was ihn dort erwarten würde. Die Nachricht des Vogts war ebenso kurz wie vielversprechend gewesen – es gäbe neue Aussagen, und ob er, Baldwin, nicht kommen und ihm helfen wolle. Der Ritter hatte sich sofort auf den Weg gemacht. Er fand Hugh und Simon vor der Schänke, wo sie auf einer Bank saßen. Sein Freund wirkte ausgebrannt, und von seinem Gesicht konnte man ablesen, unter welchem Druck er in den letzten Tagen gestanden hatte. Trotzdem überraschte es ihn, wie reserviert Simons Begrüßung ausfiel. Sein Blick schien auf Edgar hängen zu bleiben, der den Ritter begleitete. Baldwins Morgengruß beantwortete er kaum, und auch Hugh schaute nur missmutig zu den beiden Reitern auf.

»Nun, Vogt?«, begann Baldwin. Es schien ihm angebracht, Simon heute mit seinem Titel anzusprechen. »Wie geht es dir? Wie ich höre, hast du die Mörder der Kaufleute gefasst.«

»Ja«, sagte Simon nur. Er rief nach dem Wirt, während Baldwin absaß.

»Wir müssen ihm einige Fragen stellen«, sagte Simon und informierte den Ritter von seinem Gespräch. Er blickte ihn mit einem merkwürdigen Gesichtsausdruck an und sagte: »Ich bin fest entschlossen, die Wahrheit ans Licht zu bringen. Selbst wenn es nur ein armer Bauer war, sein Tod darf nicht ungesühnt bleiben. Und danach kümmere ich mich um den Abt. Wirst du mir helfen?« Seine Stimme klang nahezu herausfordernd.

Baldwin sah ihn kühl an. »Natürlich. Es ist meine Pflicht meinem Lehnsherren gegenüber, seinem Vogt zu helfen.

Aber ich dachte, die Gesetzlosen hätten auch den Abt getötet. So erzählt man es sich jedenfalls in Crediton.«

»Vielleicht«, sagte Simon kurz angebunden. In diesem Augenblick kam der Wirt aus der Schänke. Sein Blick ging unruhig zwischen dem Vogt und dem Ritter hin und her.

»Was kann ich für euch tun?«, fragte er.

»Hol uns Ale, Edgar«, sagte Baldwin kurz angebunden. Er setzte sich neben Simon, und der Wirt spürte deutlich, dass es gleich sehr unangenehm für ihn werden könnte. Er nahm die Hände aus dem Gürtel.

Simon seufzte. Nun, da der Ritter neben ihm saß, litt er noch mehr unter der Schwere seines Verdachts. Saß er neben dem Mörder des Abtes? Einiges deutete darauf hin, und auch Baldwin wirkte angespannt, als spüre er, dass Simon ihn verdächtigte.

Simon wandte sich an den Wirt und sah ihn mit strenger Miene an.

»Stephen«, sagte er leise. »Wir möchten noch einmal mit dir über den Abend sprechen, an dem Brewer starb. Und dieses Mal möchten wir, dass du die Wahrheit sagst.«

»O Sir, aber ich habe doch nie –«

»Du hast uns belogen«, sagte Simon.

»Aber –«

»Du hast gesagt, du hättest den Mann, der Brewer half, nicht erkannt, aber das stimmt nicht. Wer war es?«

Der Wirt wurde aschfahl, und seine Hände begannen zu zittern. Nun bekam er es wirklich mit der Angst zu tun.

»Es war ja so dunkel –«

»Es war Ulton, nicht wahr?«

Es folgte ein längeres Schweigen. Der Wirt sah Simon wie hypnotisiert an, während sich auf seiner Stirn kleine Schweißperlen bildeten.

»Nun?«, fragte Simon.

»Ja«, murmelte Stephen schließlich. »Er war's.«

»Warum hast du uns angelogen?«

»Ich habe nicht gelogen! Ich konnte ihn wirklich kaum erkennen. Außerdem hatte mir Roger ja einen Gefallen getan, indem er sich um Brewer kümmerte. Warum sollte ich ihn belasten? Er hat den Alten nicht umgebracht, obwohl der selbst den Gutmütigsten bis aufs Blut reizen konnte. Ich wollte nicht, dass ihr ihn verdächtigt.«

»Du glaubst also nicht, dass Ulton Brewer getötet hat.«

»Nein, niemals.«

Offenbar meinte der Wirt es ehrlich. »Hast du hier in der Gegend irgendwelche Fremde gesehen?«, fragte Simon weiter. »Ist dir in den Tagen vor Brewers Tod ein Ritter begegnet?«

Der Wirt schüttelte energisch den Kopf. »Nein.«

»Und wer war an jenem Abend noch in deiner Schänke?«

»Wer noch? Nun ... Simon Barrow, Edric, John, die Carters –«

»Was? Die Carter-Brüder waren an diesem Abend auch dort?«, fragte Baldwin und sah den Mann stirnrunzelnd an.

»Ja, wieso ...« Der Wirt fürchtete, schon wieder einen Fehler gemacht zu haben.

»Haben sie mit Brewer gesprochen?«

»Nun ...«

»Hatte Brewer an diesem Abend mit ihnen Streit?«

»Ja.«

»Worum ging es?«

»Brewer hatte übelste Laune. Er sagte, die Jungen wären Nichtsnutze, nicht viel besser als Bettler.« Jetzt sprudelten die Worte nur so aus dem Mund des stämmigen Mannes. »Er sagte, er könne alles, was sie besäßen, dreifach aufkaufen, alles, ihren Hof, sie selbst. Und dann hätte er immer noch Geld übrig. Edward versuchte ihn zu beruhigen, aber Brewer giftete immer weiter. Dann versuchte er sogar, Edward zu schlagen, aber Alfred ging dazwischen, und Brewer erwischte ihn. Da hab' ich ihn rausgeworfen. Ich dulde keine Schlägereien in meinem Wirtshaus. Draußen kam Roger vorbei, und er meinte, er würde den verrückten alten Hund nach Hause bringen. Roger hat ihn bestimmt nicht umgebracht, er ist ein sanfter, freundlicher Mensch, kein Mörder.«

»Und trotzdem hast du ihm geraten, woanders hinzugehen, zu flüchten?«, fragte Simon.

Der Wirt antwortete stotternd: »Ich ... wie ich schon sagte, Roger kann es nicht gewesen sein ... aber die Carters, die haben gesagt, er sei dagewesen. Ich dachte, Ihr würdet ihn bestimmt für den Mörder halten, deshalb riet ich ihm zu verschwinden ... ich weiß, es war nicht richtig von mir, Sir, aber ich wollte ihm nur helfen ...«

»Und wann sind die Carters an diesem Abend gegangen?«, schaltete Baldwin sich ein.

»Die Carters?« Der Wirt sah ihn begriffsstutzig an. »Die Carter-Brüder? Aber die –«

»Beantworte meine Frage«, sagte Baldwin barsch.

»Nicht viel später, würde ich sagen.« Er sprach so leise, dass man ihn kaum verstehen konnte. »Nicht viel später.«

Sie ließen die Pferde bei der Schänke stehen und gingen zum Haus der Carters. Hugh hatte inzwischen John Black hinzugeholt. Simon klopfte energisch an die Tür. Nach einer Weile ging sie auf und ihnen trat eine müde aussehende junge Frau entgegen, die ein dunkles Kleid und eine Schürze trug. Anscheinend hatte sie gerade gebacken, denn sie roch nach frischem Brot. Lächelnd fragte Simon: »Sind Alfred und Edgar zu Hause?«

Sie sah ihn misstrauisch an. Ein paar hellbraune Haarsträhnen hingen ihr ins Gesicht, sie wischte sich die Hände an der Schürze ab und strich sie zur Seite. »Ja«, sagte sie. »Sie sind hier. Was wollt Ihr?«

»Sag ihnen Bescheid, dass wir mit ihnen reden wollen.«

Sie schien ihnen noch immer nicht zu trauen, aber dann tauchte Edward hinter ihr auf, schob sie beiseite und bat die drei Männer ins Haus. Simon und Baldwin folgten ihm in einen großen, übel riechenden und lauten Raum. Bei schlechtem Wetter lebten Mensch und Vieh gemeinsam in dem Haus. Die beiden Hälften waren zwar durch einen Zaun voneinander getrennt, aber das änderte nicht viel. Im Bereich der Familie stieg der Rauch der Feuerstelle ins Dach auf. Nur eins schien in diesem Haushalt verbessert worden zu sein – es gab ein primitives Hochbett, vor dem eine Leiter stand. Offenbar wollte man wenigstes beim Schlafen nicht den Geruch des Viehs in der Nase haben.

Der Rauch und der Gestank reizten die Sinne. Fast musste man sich die Nase zuhalten und der bittere Qualm brannte in der Kehle. Durch die schmalen Fenster drang kaum Licht herein und das bisschen Helligkeit, das sich seinen Weg durch den Rauch kämpfte, erhellte nur dreckige Stellen auf dem Fußboden.

Hustend bat Simon Edward und Alfred, doch lieber vors Haus zu gehen, und als er aus der Tür ins Freie und an die frische Luft trat, atmete er erleichtert auf.

»Es geht um die Nacht, in der Brewer starb«, begann Simon. »Wir wollen euch noch ein paar Fragen stellen. Ihr habt gesagt, ihr hättet euch um eure Herden gekümmert.«

Edward schien förmlich zu erstarren, während sein Bruder Simon scheinbar gleichgültig anblickte.

»Und?«, meinte er mit einem abschätzigen Lächeln. »Ist daran irgendwas nicht in Ordnung?«

Simon konnte seine Abneigung gegen den jungen Mann kaum verbergen. Keiner im Dorf hatte sehr über Brewers Tod getrauert, aber auch keiner hatte so offen gesagt, dass es ihm vollkommen egal war. Plötzlich entluden sich die aufgestauten Ängste der letzten Tage und die Müdigkeit, und es packte ihn die blanke Wut auf diesen Bauernburschen.

Die Arroganz des Jünglings sein Grinsen beleidigten nicht nur Simon, sondern alle, die in den letzten Tagen gestorben waren. Der Vogt hatte in dieser kurzen Zeit mehr Tod und Schrecken gesehen als zuvor in seinem ganzen Leben und die Erlebnisse hatte ihn gezeichnet. Ein Zorn stieg in ihm auf, dessen Intensität ihm fast die Kehle zuschnürte.

Er packte den jungen Mann beim Kragen seines Wamses und zog ihn zu sich heran, so rasch, dass Carter wie eine Puppe an seiner Hand hing.

Selbst Baldwin war verblüfft. Er sah seinen Freund mit Respekt, wenn auch etwas amüsiert an. So impulsiv hatte er den Vogt noch nicht erlebt und außerdem schien er auch wesentlich kräftiger zu sein, als er ihn eingeschätzt hatte.

»Wir wissen, dass ihr uns angelogen habt«, zischte Simon zwischen den Zähnen hervor. »Und ich bin nicht in der Stimmung für deine Mätzchen. Was habt ihr getan, nachdem ihr die Schänke verlassen habt? Seid ihr sofort zu Brewers Haus gegangen? Habt ihr ihn umgebracht, nachdem Ulton gegangen war? Was ist passiert?«

»Wir haben nichts getan!« Der Junge wandte sein Gesicht ab. »Wir sind nach Hause gegangen.«

»Warum habt ihr uns belogen?«

Seine Stimme war nicht mehr als ein Winseln. »Wir haben gedacht, es wäre egal. Wenn unser Vater herausgefunden hätte, dass wir nicht bei den Schafen waren, hätte es Prügel gesetzt.«

»Wann seid ihr denn nach Hause gekommen?«

»Das sagten wir doch schon. Gegen elf.«

»Du lügst!«, stieß Simon hervor. »Du lügst. Ihr habt die Schänke kurz nach Brewer verlassen, nachdem ihr gesehen hattet, dass Brewer von Ulton nach Hause gebracht wurde. Ihr seid ihnen gefolgt, weil ihr es Brewer heimzahlen wolltet, ihr habt ihn gehasst, weil er Geld hatte und auf euch herabsah und euch beleidigte.«

»Nein, nein –«

»Ihr habt gesehen, wie er mit Ulton ins Haus gegangen ist. Als er fort war, seid ihr hineingegangenen. Ihr habt ihn getötet und sein Haus angezündet, um den Mord zu vertuschen. War es nicht so?« Die letzten Worte hatte er fast gebrüllt. Carter starrte ihn verängstigt an.

»Simon, Simon«, murmelte Baldwin und legte die Hand auf den Arm des Vogts, der den verdatterten Mann noch immer gepackt hielt. »Beruhige dich, Simon. Zu viel Galle ist schlecht für die Gesundheit.« Simon ließ den zitternden Carter tatsächlich los und wandte sich zornig ab. Carter rieb sich den Hals. Der Ritter beschloss, es mit einem kleinen Bluff zu versuchen. Mit ruhiger Stimme sagte er: »Alfred, wir wollen nur die Wahrheit wissen. Mehr nicht. Wisst ihr, dass Cenred euch in jener Nacht gesehen hat?«

Der Junge riss die Augen auf. »Nein!«, stieß er hervor. »Das kann nicht sein!«

»Oh, ich weiß, du bist schnell ins Dunkel der Bäume getreten. Aber er hat dich trotzdem gesehen. Ihr erzählt uns also besser die Wahrheit.«

Jetzt erst zeigte Edward eine Reaktion. Er bedachte seinen Bruder mit einem Blick, den Baldwin nicht ganz zu deuten vermochte. War es Zorn oder Verachtung? Jedenfalls schien er mit dem Verhalten seines Bruders nicht einverstanden. Er sprach mit leiser Stimme, als wolle er sich die Geschichte ganz persönlich ins Gedächtnis zurückrufen, als sei sie gar nicht für fremde Ohren bestimmt. Als er begann, sah Simon, dass Hugh und Black sich näherten, und er gab ihnen ein Zeichen, stehen zu bleiben. Er wollte Edward reden lassen.

»Ja, wir sind ihnen hinterher gegangen. Das stimmt.« Seine Stimme klang leer, und Baldwin sah, wie sehr die Sache den Jungen belastet hatte. »Alfred war wütend auf ihn, weil Brewer ihn geschlagen hatte. Es war kein fester Schlag, wenn unser Vater erfahren hätte, dass wir uns nicht um die Schafe gekümmert hatten, hatte er uns härter angefasst, aber trotzdem.« Er schaute zu Baldwin auf. »Aber wir haben es nicht getan. Er war schon tot, als wir ins Haus kamen. Roger muss ihn getötet haben.«

Baldwin war sicher, dass der Junge die Wahrheit sagte. So wie er da stand und sprach und dem Ritter ins Gesicht sah, wirkte er sehr überzeugend. Baldwin sah, dass er nicht um Gnade bettelte oder sich reinwaschen wollte, er schien einfach erkannt zu haben, dass die Wahrheit ihm jetzt am meisten nützte.

»Wir haben hinter den Bäumen gewartet, bis Roger wieder auftauchte. Wir sahen, wie er aus der Tür stürzte und die Straße hinunterlief. Wir gingen zum Haus und klopften an die Tür, wie gesagt, Alfred wollte es ihm heimzahlen, aber dann hörten wir jemanden kommen. Ich duckte mich und Alfred lief zu den Bäumen zurück. Es war Cenred, aber er schien uns nicht bemerkt zu haben. Jedenfalls ging er weiter. Wir klopften wieder, aber alles blieb still.«

»Und dann?« Baldwin warf Simon einen raschen Blick zu. Der Vogt hielt den Blick auf den Boden gesenkt, als sei ihm sein plötzlicher Wutausbruch noch peinlich.

»Wir merkten, dass die Tür nicht verschlossen war und gingen hinein. Brewer lag auf dem Boden, vor seiner Matratze. Das Feuer war niedrig, und es war dunkel, aber als Alfred Brewer mit dem Fuß anstieß, rührte er sich nicht. Uns wurde mulmig zu Mute, weil wir merkten, dass hier etwas nicht stimmte. Ich zündete eine Kerze an und dann sahen wir es. Brewer war tot, erstochen. Er hatte vier, fünf Messerstiche in der Brust.«

»Erzähl weiter.«

»Ich wollte nur schnell raus, aber Alfred wollte wissen, ob das mit dem Geld stimmte. Also hat er gesucht, während ich Brewer auf seine Matratze gerollt habe. Ich hatte das Gefühl, er sollte nicht auf dem Boden liegen. In der Zwischenzeit hatte Alfred Brewers Geldbörse und eine kleine Holzkiste gefunden. Als wir uns davonmachen wollten, sagte Alfred, wenn herauskäme, dass Brewer ermordet worden sei, würden sie uns als Erste verdächtigen. Die Leute würden von dem Streit erfahren, der Schlägerei. Am besten sei es, den Mord zu vertuschen. Das täte auch niemandem weh, Brewer schon gar nicht. Ohne Mord keine Verdächtigen. Als zündeten wir Stroh an und machten uns davon.«

Natürlich, dachte Simon, die viele Asche auf dem Boden, dort hatte das Stroh gelegen. »Und dann seid ihr nach Hause gegangen. Ihr habt das Haus brennen lassen und seid weggegangen?«

»Ja. Aber als wir hörten, dass Ihr vermutet, dass man Brewer ermordet hatte, mussten wir etwas unternehmen. Also haben wir dafür gesorgt, dass Roger erfuhr, dass wir gesehen hatten, wie er Brewer nach Hause gebracht hatte. Wir hofften, dass er dann vielleicht fliehen würde.«

Baldwin nickte nachdenklich und wandte sich noch einmal an Alfred. »Was war in der Kiste?«

»Nichts! Nur ein paar Pennies, wie in seiner Börse.«

»Bringt mir die Sachen!« Dann wandte er sich an Edgar:

»Du wartest hier. Wenn sie die Kiste und die Börse bringen, passt du drauf auf. Am besten behältst du die beiden Carters auch gleich im Blick. Ist das recht so, Simon?«

»Aber ja. Und nun werden wir uns noch einmal mit Roger Ulton unterhalten.«

Kapitel 22

Geradezu elend sah das heruntergekommene Gebäude aus, auf das die vier Männer zugingen. In Baldwins Augen glich es einer Ruine, einer zerstörten Burg, die die Belagerer bereits verlassen hatten. Die Bilder der Schlachten, an denen Baldwin teilgenommen hatte, hatten sich so fest in sein Gedächtnis gebrannt, dass er bei dieser ärmlichen Behausung Ultons an einen Schutzturm dachte, der durch eine Attacke mit dem Katapult beschädigt worden war. Fast erwartete er, Leichen auf dem Boden liegen zu sehen.

Simon trat mit Baldwin an die Tür und klopfte. Hugh und Black hielten sich im Hintergrund. Roger Ulton öffnete selbst.

»Vogt, ich –«, platzte er heraus, verstummte jedoch, als er den Ritter und die anderen beiden Männer sah, und blickte Simon nur mit verzweifelter Miene an.

»Wir wissen, was du getan hast, Roger«, sagte Baldwin fast sachte. »Wir wollen aber auch wissen, warum. Womit hat er dich so beleidigt, dass du ihn getötet hast?«

Wortlos drehte sich Roger um und sie folgten ihm ins Haus. Der blasse, dünne Mann schwankte, seine wächsernen Zügen schienen sich im grauen Zwielicht fast aufzulösen. Vor dem Feuer standen drei Bänke. Ulton ließ sich auf eine davon fallen und starrte zu ihnen hinauf.

»Ich weiß es nicht«, begann Ulton und in seinen weit aufgerissenen Augen spiegelte sich nicht nur Angst, sondern wirkliches Erstaunen. »Ich war bei Emma gewesen. Sie sagte, sie wolle nichts mehr von mir wissen. Ich bin in der Gegend herumgelaufen, ich wollte den Fragen meiner Eltern ausweichen. Als es dann spät genug war, habe ich mich auf den Heimweg gemacht. Aber als ich an der

Schänke vorbeikam, hat mir Stephen Brewer praktisch in die Arme gedrückt. Ich musste ihn nach Hause bringen.

Aber er fing an zu reden, vom Geld und all diesen Dingen. Er sagte, ich sei ein Habenichts, genau wie die Carters, und prahlte mit seinem Sohn, dem Kaufmann. Er sagte immer wieder, meine Eltern würden auch nichts taugen, sie könnten nicht einmal ihr Haus wiederaufbauen. Und jeder andere als ich würde auch eine bessere Frau als Emma kriegen. Er hörte einfach nicht mehr auf, auch als ich ihn schon ins Haus gebracht hatte. Dann fing er an, er könne Emma kaufen, wenn er wolle, er könne auch das Haus meiner Eltern kaufen. Er sagte, er könne alles kaufen ... und ich wollte einfach nur, dass er aufhört zu reden. Ich weiß nicht einmal, wie es geschehen ist. Eben noch grinste er mich hämisch an, dann lag er auf dem Boden ...«

»Was hast du dann getan?«, fragte Baldwin leise.

»Ich bin weggelaufen. Und dann habe ich das Messer in meiner Hand gesehen ...«

Sie verließen das Haus zusammen mit Roger und gingen zu Hugh und Black.

»Baldwin, würdest du Roger und die Carters ins Gefängnis bringen? Danach möchte ich dir einen Besuch abstatten.«

Simon sah die Überraschung in Baldwins Augen. »Ja, natürlich, wenn du es –«

»Ich muss zuerst nach Hause. Ich komme dann später zu dir.«

Baldwin sah ihm nach, während Simon mit Hugh zur Schänke ging, wo sie ihre Pferde gelassen hatten. Baldwin begab sich mit den Männern zum Haus der Carters. Black packte den Gefangenen beim Arm, bereit, ihn ins Gefängnis von Crediton zu bringen, wo er auf seine Verhandlung warten würde.

»Ich weiß nicht, was ich machen soll. Ich weiß nicht, ob es richtig ist, ihn festzunehmen.«

Margret sah ihren Mann kopfschüttelnd an; seit seiner Heimkehr war er nervös hin und her gelaufen.

Sie atmete tief durch und sagte: »Vielleicht erklärst du mir alles ein bisschen genauer.« Sie saß auf einer Bank, die Hände in den Schoß gelegt. So hatte sie ihren Mann noch nie erlebt. Er schien völlig verwirrt. Irgendetwas war geschehen, aber er schien zu aufgeregt, um es vernünftig schildern zu können.

Schließlich setzte er sich zu ihr.

Sein Blick wanderte noch einmal ziellos umher, bevor er sie ansah, und sie hatte den Eindruck, dass ein wenig von ihrer Ruhe auf ihn überging.

»Heute Morgen haben wir Roger Ulton verhaftet. Er hat Brewer getötet.«

»Oh, das ist also geklärt.«

»O ja, das ist geklärt. Aber ich habe noch einmal über den Abt nachgedacht. Du meintest ja, die beiden Morde könnten etwas miteinander zu tun haben, weil in beiden Fällen Feuer im Spiel war. Aber dass Ulton auch den Abt ermordet haben soll, ist völlig absurd. Black und Tanner sind der Meinung, dass Rodney von Hungerford, der Ritter, der sich den Wegelagerern angeschlossen hatte, der Mörder des Abtes ist. Aber wo hat er dann seinen Komplizen gelassen? Kurz bevor er starb, hat er uns noch erzählt, dass er das Pferd mit dem Geld unterwegs gefunden hatte. Das bedeutet, dass es dem Mörder nicht um Geld ging – es war kein Raubmord.«

»Ja, das sehe ich auch so. Aber was war dann der Grund?«

»Rache. Ich weiß es nicht genau, aber es war die Rache für irgendein Verbrechen oder Vergehen des Abtes. Wenn man es so betrachtet, wird es verständlich. Rodney findet das Pferd; er hat keinen Begleiter. Ich glaube ihm. Die Mönche haben gesagt, dass der Abt vorher noch nie in England gewesen sei, also muss es jemand getan haben, der dort gelebt hat, wo auch der Abt lebte. Es muss jemand getan haben, der einen Knappen hat, jemand, der mit ihm im Ausland gewesen ist.«

»Wieso? Es könnte auch ein Mann gewesen sein, den der Täter hier gedungen hat.«

»Das ist möglich, aber würde man sich bei einer solchen Tat auf die Hilfe eines Fremden verlassen? Aber wenn es jemand wäre, der den Täter gut kennt, der ihm treu ergeben ist, ja vielleicht sogar seine Rachegefühle teilt?«

»Und du glaubst, du weißt, wer er ist?« Sie presste die Hände zusammen und sah ihn beunruhigt an.

»Es kommt nur einer infrage«, antwortete er betrübt.

Kapitel 23

Als Simon und Hugh den Weg zum Manor hinaufritten, machte das Anwesen den Eindruck, als sei es verlassen. Niemand war zu sehen, selbst die Stallknechte nicht, die sonst stets dort herumliefen. Sie nahmen ihre Pferde an den Zügeln und gingen zum Haupteingang. Simon klopfte an die Tür.

Nach kurzer Zeit hörten sie schwere, feste Schritte durch den Flur kommen, und die Tür ging auf. Es war Edgar.

»Ah, Ihr seid es, Vogt.«

»Wo ist dein Herr?«

Edgar sah ihn mit einer Überheblichkeit und Arroganz an, die ihm wohl sagen sollte, dass er, der Knappe, Simons Interesse an seinem Herrn unangebracht fand. »Sir Baldwin ist ausgeritten. Er kommt bald wieder.«

»Gut, dann werde ich drinnen auf ihn warten«, sagte Simon und wollte schon die Tür aufstoßen, als er plötzlich inne hielt. »Wir werden nur zuerst unsere Pferde unterstellen.«

Sie gingen zu den Ställen. Immer noch war niemand hier zu sehen. Simon bückte sich und untersuchte den Boden, der aus festgetrampeltem Lehm bestand, auf den Stroh gestreut war. Er erhob sich und schob das Stroh mit dem Fuß zur Seite. Nachdem er auf diese Weise den ganzen Boden untersucht hatte, stemmte er die Hände in die Hüften und ging mit nachdenklicher Miene auf den Hof.

Hugh hatte seinen Herren beobachtet und machte sich immer größere Sorgen ob dessen zunehmend seltsamen Verhaltens.

Simon stand an die Hauswand gelehnt und starrte in die Ferne, ein trauriges Lächeln im Gesicht. Hugh ging zögernd auf ihn zu.

»Master?«, fragte er leise. »Master? Geht es Euch gut? Wollt Ihr nicht lieber hineingehen und Euch am Kamin ausruhen?«

Er hatte von Krankheiten wie dieser gehört, seine Mutter hatte ihm davon erzählt. Manchmal ergriff sie Hirten, die zu viel Zeit allein oben auf den Hügeln verbracht hatten, und verwirrte ihre Gedanken. Das kam von der Kälte. Das nächste Symptom würde ein heftiger Schüttelfrost sein, gefolgt von einem Fieber. Vielleicht hatten die Tage im Moor Simon so zugesetzt. Er wollte gerade die Hand auf den Arm seines Herren legen, als dieser aufschreckte und ihn ungehalten ansah.

»Was gibt es, Hugh? Wovon redest du?«

»Ich dachte nur … geht es Euch gut?«

»Ja.« Das Wort glich einem Seufzer. »Ja, es geht mir gut. Schau.«

Hughs Blick folgte der Richtung, in die Simon zeigte. Irgendetwas auf dem Boden schien der Grund für seine Stimmung zu sein, aber er sah nicht, was.

Er sah nur den Stallboden, der mit Stroh und Schmutz bedeckt war und auf dem die Fußabdrücke der Stalljungen und die Spuren der Pferdehufe zu sehen waren. Simon schien auf eine Stelle zu deuten, die dicht an der Stallmauer lag, dort wo der Regen der letzten beiden Tage nicht hatte eindringen können. Er betrachtete die Hufspuren. Simon deutete auf einen tiefen Abdruck, den eines großen Pferdes, an dessen Huf ein Nagel fehlte.

»Wir haben Glück, dass er hier ist, so nah an der Mauer, sonst wäre er wie die anderen vom Regen verwischt worden. Aber das ist der Beweis dafür, dass ich –«

»Was ist? Was macht ihr da?« Als sie sich umdrehten, stand Edgar vor ihnen.

»Sieh dir das an, Edgar«, sagte Simon leise, aber Hugh hörte den bitteren Unterton deutlich heraus. »Wir haben etwas Interessantes gefunden.«

»Was?«, fragte der Knappe misstrauisch, als er näher kam. Simon deutete mit der linken Hand auf den Boden. Edgar bückte sich, schüttelte den Kopf und richtete er sich wieder auf, nur um Simons Schwert auf sich gedeutet zu sehen. Er blickte den Vogt verblüfft an.

»Was soll das?«, fragte er perplex.

»Das hier«, sagte Simon. »Ist der Abdruck eines großen Pferdes, dem ein Hufnagel fehlt. Es ist der gleiche Abdruck, den wir bei der Leiche des Abtes gefunden haben«, fügte er leise hinzu.

»Nein, das ist völlig unmöglich«, entgegnete Edgar und schien einen Augenblick unschlüssig. Doch dann schlug er mit einer plötzlichen Bewegung Simons Schwert zur Seite und stürzte sich auf den Vogt, der das Gleichgewicht verlor und zusammen mit Edgar zu Boden fiel.

Hugh sah sich die ganze bizarre Szene seufzend an, bevor er seine Geldbörse hervorholte, sie in die Hand nahm und schließlich mit einem dumpfen, satten Geräusch auf Edgars Schädel niedersausen ließ. Der Mann brach über Simon zusammen, der einige Mühe hatte, sich unter dem schweren Körper hervorzuwinden.

»Ich … vielleicht fesselst du ihn besser, Hugh«, sagte Simon verlegen und strich sich das Wams glatt. Hugh nickte säuerlich und ging in den Stall, wo er einige Lederriemen hatte hängen sehen. Einen von ihnen band er fest um Edgars Hände, und gemeinsam trugen sie den Bewusstlosen ins Haus und legten ihn vor den Kamin.

Es dauerte eine Weile, bevor er wieder zu sich kam. Stöhnend schüttelte er den Kopf und starrte die beiden Männer, die vor ihm saßen, düster an.

»Du wirst uns jetzt erklären, warum du den Abt getötet hast«, sagte Simon und beugte sich vor, das Kinn auf die Hand gestützt.

»Ich habe ihn nicht getötet, ich –«

»Wir wissen es. Der Hufabdruck beweist es. Wir wissen, dass der Mönch Matthew Baldwin kannte, und dass die anderen warten mussten, während er deinen Herren besucht hat. Wir wissen, dass du und dein Herr den Mönchen gefolgt seid, sie bei Copplestone angegriffen und den Abt in die Wälder verschleppt und umgebracht habt. Nachdem er tot war, seid ihr nach Norden geritten und dann hierher zurückgekehrt. Ich will nur noch wissen, warum.«

Einen Augenblick lang schien es fast, als würde Edgar erneut ohnmächtig werden, doch dann rappelte er sich hoch und lehnte sich mit dem Rücken an eine Bank. Schweigend starrte er Simon an.

»Warum habt ihr ihn auf diese Weise umgebracht? Hat er deinem Herren etwas angetan?«

Simons Frage schien den Knappen aufgeschreckt zu haben.

»Es ging um eine Frau«, begann er langsam, als sage er etwas auf, das er nicht mehr genau im Gedächtnis hatte. »Meine Frau. De Penne hat sie entführt und vergewaltigt, und ich schwor Rache. Ich hatte schon versucht, ihn in Frankreich zu erwischen. Dann traf ich Matthew in der Stadt und er erzählte mir, in wessen Begleitung er reise. Matthew wusste nichts von meinen Plänen. Nachdem sie aufgebrochen waren, folgte ich ihnen mit einem Freund. Ich verschleppte den Abt … und tötete ihn.«

Simon beugte sich stirnrunzelnd vor.

»Du willst mir erzählen, dass du ihn wegen einer Frau auf diese Weise umgebracht hast? Deiner Frau? Du willst mir weismachen, dass du verheiratet warst, wahrend du im Dienst eines Ritters standest und mit ihm durch die Welt gereist bist?«

»Ja, mein Herr erteilte mir die Erlaubnis.«

»Und dein Herr war bei dem Mord nicht dabei?«

»Nein.«

»Aber der Abdruck stammt von seinem Pferd.«

»Das stimmt, ich habe sein Pferd genommen.«

»Und seine Rüstung?«

»Ich … besitze eine Rüstung.«

Simon sah ihn einen Augenblick lang schweigend an. Dann sagte er: »Du behauptest also, er hätte mit der ganzen Geschichte nichts zu tun. Wer war dann bei dir? Wer war dein Freund?«

»Ich werde ihn nicht verraten«, entgegnete Edgar so zornig, als sei die Frage eine Beleidigung.

Der Vogt blickte ihn noch immer an, so lange bis Edgar die Augen niederschlug.

»Nein«, sagte Simon nach einer Weile. »Ich glaube dir nicht. Ich bin sicher, dass Baldwin mit der Sache zu tun hat. Du willst ihn nur schützen.«

»Es ist so, wie ich gesagt habe. Ich habe es getan. Sir Baldwin war nicht dabei.«

»Das werden wir sehen.« Simon erhob sich und ging zur Tür. »Pass auf ihn auf, Hugh, ich muss nachdenken.«

Er ging hinaus, blieb vor dem Gebäude stehen und wartete.

Es war eine schwierige Sache. Simon kannte Baldwin erst seit kurzem, und doch hatte er das Gefühl, als sei er bereits seit Jahren mit dem Ritter vertraut. Er mochte die ruhige, verlässliche Art des Mannes, aber auch die Neugier, die er bei allem, was er tat, an den Tag legte, wie ein junger Mann, der ständig neue Erfahrungen machen will. Und nun musste er diesen Mann, seinen Freund, eines abscheulichen Mordes beschuldigen. Noch bevor er ihn wirklich kennen lernen konnte, musste er ihn verhaften.

Während er weiter über die Konsequenzen nachdachte, beschlich ihn ein ungutes Gefühl. Wie würde Baldwin reagieren? Würde er zum Schwert greifen? Er war Ritter und es war durchaus möglich, dass er seine Unschuld in einem Duell mit seinem Beschuldiger beweisen wollte. Simon war sich bewusst, dass er eine ganze Menge himmlischen Beistands brauchen würde, wenn er einen solch starken Gegner besiegen wollte. Er ging um das Haus herum und setzte sich auf den Baumstamm, auf dem er noch vor wenigen Tagen seinen Kater auskuriert hatte. Es schien so lange her, dass er den Abend mit diesem Mann genossen hatte, und er hörte das Lachen seiner Frau, die sich mit diesem ernsten, aber ebenso schlagfertigen wie gebildeten Ritter so gut verstanden hatte.

Simon ließ den Blick über die Landschaft schweifen.

Baldwin kam eine Stunde später, schlammbespritzt und durchnässt. Er rief Simon schon von weitem einen Gruß zu und winkte. Simon erwiderte den Gruß knapp und ging zu den Ställen, wo der Ritter von seinem Pferd stieg.

»Simon, du hast dich beeilt. So schnell hatte ich dich nicht erwartet.« Er ergriff Simons Hand. »Hast du Margret mitgebracht?«

»Nein, Baldwin, ich hielt es für besser, heute allein zu kommen«, erwiderte Simon ernst. Er versuchte ein Lächeln, während er die Hand des Ritter schüttelte, aber es wollte ihm nicht richtig gelingen.

»Du schaust so ernst drein. Ist etwas geschehen?«, fragte Baldwin und führte sein Pferd in den Stall. Simon folgte ihm und starrte auf den Boden, auf dem sich nun die Abdrücke zeigten, die er mittlerweile so gut kannte. Es gab keinen Zweifel mehr. Der Ritter nahm seinem Pferd den Sattel ab.

»Was ist denn, Simon? Kann ich dir helfen?« Als Simon die Freundschaft in seinem Blick sah, fühlte er sich unsagbar traurig.

»Der Abt«, sagte er mit flacher Stimme. Der Ritter hielt inne.

»Ja?«

»Warum hast du ihn umgebracht?«

In Baldwins Augen flackerte etwas auf, das Simon für einen winzigen Augenblick für Zorn hielt, aber dann erstarb es, und der Ritter seufzte leise. »Wie hast du es herausgefunden?« Es klang, als sei die Frage eine Formalität, die man in solch einem Fall hinter sich bringen musste.

»Ich habe nie geglaubt, dass die Wegelagerer etwas damit zu tun hatten«, antwortete Simon. »Irgendwann kam ich auf dich, aber die Hufspuren waren der eigentliche Beweis.«

Der Ritter sah ihn fragend an.

»An einem Hinterhuf deines Pferdes fehlt ein Nagel. Solche Abrücke fanden wir am Tatort. Mehr hatten wir nicht.«

Baldwin strich abwesend über den Hals seines Pferdes. »Nun, wir gehen besser hinein und sprechen darüber«, sagte er und ging langsam voran.

Als sie den Raum betraten, sah Baldwin, dass Edgar gefesselt auf dem Boden saß und Hugh ihn mit grimmiger Miene bewachte, ein Schwert in der Hand. »Was macht ihr da mit dem Mann!«, zürnte Baldwin. »Reicht es nicht, dass ich –«

»Sir Baldwin, Sir Baldwin! Ich habe schon alles zugegeben!«, unterbrach Edgar ihn. Er sprach fast flehentlich.

»Du hast es zugegeben? Du?«, fragte Baldwin sanft. Er hockte sich neben Edgar und legte ihm die Hand auf die Schulter. »Was soll uns das nützen, Edgar? Wir haben nichts zu fürchten. Wenn ich sterben muss, sterbe ich wenigstens zufrieden. Aber ich werde nicht zulassen, dass du für etwas büßen musst, das ich zu verantworten habe.« Er sah zu Simon hinauf. »Ich bürge für den Gehorsam dieses Mannes. Er soll nicht wie ein Stück Vieh gefesselt auf dem Boden liegen müssen!«

Simon hörte, wie Hugh seinen Namen rief, aber sein Blick ruhte auf Baldwin, der ihm gelassen in die Augen sah. In seinem Blick lag Trauer, so als täte es ihm Leid, dass er seinen Knappen in diese missliche Lage gebracht hatte und seinem Freund dem Vogt solchen Ärger bereitete. Doch abgesehen davon sah Simon keine Reue, kein Schuldbewusstsein. Baldwin schien sich vollkommen im Klaren zu sein, was er getan hatte, aber er zeigte keinerlei Bedauern. Simon nickte dem Ritter zu, der mit seinem Dolch die Fesseln durchschnitt.

»Geh und hol Wein«, sagte Baldwin, nachdem Edgar sich erhoben hatte. »Es soll uns nicht dürsten, wenn ich mein Geständnis ablege.« Er klopfte seinem Knappen auf die Schulter und setzte sich auf eine Bank. Simon nahm ihm gegenüber Platz.

Der Ritter seufzte. Das Kaminlicht warf rote Schatten auf sein Gesicht und spiegelte sich in seinen Augen. Er sah Simon eindringlich an.

»Ich habe ihn getötet, weil er ein Ketzer war und ein Teufel, und weil er dafür verantwortlich war, dass hunderte meiner Gefährten sterben mussten.«

Kapitel 24

»Ich sollte damit beginnen, warum ich dieses Land verlassen habe, und was dann geschah. Ich muss weit ausholen, weil du verstehen sollst, warum ich de Penne getötet habe. Es scheint alles so lange zurückzuliegen«, sagte er versonnen. »Ich habe dir bereits erzählt, dass ich meine Heimat in jungen Jahren verließ. Du bist nicht alt genug, um dich zu erinnern, aber als ich ein Jüngling war, schien die ganze Welt in Aufruhr. Die Sarazenen hatten das Königreich von Jerusalem erobert, Tripolis war ein Jahr zuvor gefallen, und König Hugh bat die Könige Europas um Hilfe, bei der Verteidigung der Städte, die noch übrig geblieben waren.

Ich beschloss, mich den Hilfstruppen anzuschließen. Es gab wenig, was mich hier hielt, denn durch das Erstgeburtsrecht war ich meinem älteren Bruder nur ein Klotz am Bein. Als unser Vater starb, erbte er die Ländereien, und ich fasste den Entschluss, nach Outremer zu gehen, wie so viele, um dort mein Erbe anzutreten. Zu jener Zeit ging die Nachricht um, dass die Sarazenen eine Armee nach Acre geschickt hatten, und ich machte mich auf den Weg, um den Verteidigern beizustehen. Es gelang mir, in Venedig auf ein Schiff zu kommen, und im April des Jahres zwölfhunderteinundneunzig traf ich in Acre ein.

Die Stadt wurde bereits von den Sarazenen belagert, die gewillt schienen, die Stadt einzunehmen, und sie hatten die Mittel dazu.« Er starrte einen kurzen Augenblick in die Flammen, bevor er fortfuhr. »Es müssen wohl hunderttausend Männer gewesen sein. Und wie viele waren wir? Fünfzehntausend Ritter und Soldaten, alles in allem.

Der Krieg begann. Ich diente unter Otto de Grandison, einem Schweizer, der mit einer kleinen Gruppe von Engländern gekommen war. Zunächst griffen die Sarazenen mit den Katapulten an. Riesige Steine flogen auf uns herab, gefolgt von Tontöpfen mit griechischem Feuer. Wenn ein solcher Topf den Boden oder ein Gebäude traf, war es fast unmöglich, das Feuer zu löschen.«

Edgar brachte einen Krug Wein samt Becher und schenkte ihnen ein, während sein Herr weitersprach.

»Danke, Edgar. Nun, in den ersten Tagen dachte ich, wir könnten es überstehen. Wir hatten den Zugang zum Hafen, und die Sarazenen besaßen keine Schiffe, sodass wir Nachschub bekommen und die Verwundeten evakuieren konnten. Ich war jung und glaubte uns sicher. Stadtmauern wie die von Acre hatte ich noch nie gesehen. Es waren Doppelmauern, deren äußerer Teil mit zehn Türmen bestückt war. Das Bollwerk umschloss die Stadt im Norden und im Osten. Südlich und westlich lag das Meer, und wenn die Sarazenen die Stadt erobern wollten, mussten sie die Mauern zerstören.« Er seufzte. »Aber ich ahnte nicht, was sie vermochten.

Wir litten unter den ständigen Angriffen der Katapulte, unter dem Steinhagel, dem Feuer und den Pfeilen. Es schien, als würde es ewig so weitergehen, als nach einem Monat König Hugh von Zypern mit seinen Soldaten zu uns stieß. Aber da war es bereits zu spät.

Weniger als zwei Wochen nach seinem Eintreffen begannen die Türme einzustürzen. Wir hatten es nicht bemerkt, aber die Sarazenen hatten Tunnel unter die Mauern gegraben und diese mit ölgetränkten Holzstämmen aufgefüllt. Sie setzten das Holz in Brand und als die Tunnel einstürzten, stürzten auch die Türme und Teile der Mauer darüber ein. Später habe ich so etwas oft gesehen, aber damals war es ein Schock für uns.

Und dann kamen sie aus allen Richtungen. Wir hatten nicht genügend Leute, um alle Stellen zu verteidigen, und schließlich gelang es ihnen, den Mittelturm einzunehmen – er hieß der Turm der Verdammnis, und der Name war gut gewählt.« Er zögerte kurz, bevor er weitersprach.

»Die feindlichen Horden erklommen die Mauern, und

als es ihnen gelang, zur Mitte vorzustoßen, öffneten sie die Tore und die Massen strömten hinein. Wir kämpften in den Straßen, in den engen Gassen und versuchten uns ihrer so gut es ging zu erwehren, aber es war sinnlos. Wir mussten aufgeben.

De Grandison flüchtete mit den Engländern auf venezianische Galeeren. Jeder der konnte, floh, aber als ich zum Hafen lief, sah ich, wie Edgar von einem Pfeil getroffen wurde. Ich half ihm und schleppte ihn zum Hafen, aber wir kamen zu spät, die Schiffe hatten schon abgelegt. Schließlich blieb uns nur noch die Flucht in den Tempel übrig, die Festung der Tempelritter, und auch dort hatten sie fast schon die Tore geschlossen, als wir eintrafen.

Es herrschte das blanke Chaos. Überall waren Menschen, alle, die es nicht auf ein Schiff geschafft hatten, waren dort; viele Frauen und Kinder, deren Männer während der Schlacht gefallen waren. Aber auch die Tempelritter konnten nichts ausrichten, es waren nur etwa zweihundert. Die Muslime rannten durch die Straßen, sie töteten alle Männer und verschleppten die Frauen in die Sklaverei. Wer zu alt oder zu jung war, den töteten sie ebenfalls. Wir hörten ihre Schreie, und es war furchtbar, aber wir konnten nichts tun.

Der Führer der Templer hieß Peter de Severy, Gott segne ihn! Ich verdanke ihm mein Leben. Er verfügte noch über Schiffe und Boote und schickte einige Verwundete zurück, darunter auch Edgar und mich. Ich hatte mir bei der Verteidigung des Tempels das Bein gebrochen, als ich zwischen Geröllhaufen gestolpert war, und so konnte ich zusammen mit Edgar auf ein Schiff. Wenige Tage später fiel auch die Festung der Templer und alle, die noch dort waren, wurden von den Sarazenen getötet.

Edgar und ich wurden nach Zypern gebracht, wo sich die Templer um uns kümmerten und uns gesund pflegten. Wir hatten Glück gehabt, viele andere waren gefallen. Edgar und ich überdachten unser ganzes Leben, und es schien uns, als seien wir Teil eines göttlichen Plans, als habe uns das Schicksal zu diesen Templern geführt. Ich trat ihrem Orden bei, um ihnen ihre Güte zu danken.«

»Du warst ein Templer!« Simon richtete sich auf und sah ihn fassungslos an.

»Es war eine Ehre, ein Templer zu sein«, entgegnete Baldwin ruhig. »Du musst nicht glauben, was man sich erzählt. Wir waren weder Ketzer noch Antichristen. Meine Gefährten und ich haben für das Heilige Land gekämpft, um Jerusalem und Bethlehem, und viele von uns haben dafür ihr Leben gegeben. Hätten sie das getan, wenn sie Ketzer gewesen wären? Hätten sie lieber den Tod gewählt als Christus zu leugnen? Hast du von Safed gehört? Nein? Als die Burg Safed von Sarazenen eingenommen wurde, nahmen sie zweihundert Templer gefangen. Sie boten ihnen das Leben, wenn sie ihren Glauben leugneten. Zweihundert Templer, und jeder Einzelne von ihnen wählte den Tod. Sie wurden nacheinander hingerichtet, vor den Augen der anderen. Glaubst du, dass solche Männer Ketzer sind?

Nein, ich war stolz darauf, Templer zu sein, ein Krieger Gottes. Ich bedaure nur –«, seine Stimme senkte sich ein wenig – »dass ich erleben musste, wie der Orden vernichtet wurde.«

Simon kannte die Geschichten, die über die Templer kursierten, diese verkommenen Ritter, die mit ihren abscheulichen Verbrechen die ganze Christenheit verraten hatten. Aber hier saß ein Mann vor ihm, den er achtete, und sprach in den höchsten Tönen von ihnen. Hatte er sich auch von ihnen täuschen lassen? Oder gar die gleichen Verbrechen begangen?

Baldwin fuhr fort. Ihm war der skeptische Ausdruck auf Simons Gesicht nicht entgangen und er klang nun fast trotzig. »Wir waren Kriegermönche, verstehst du das? Wir haben das gleiche Gelübde abgelegt, wir gelobten Armut, Keuschheit und Gehorsam. Wir waren der älteste Ritterorden, älter als die Deutschritter, ja selbst älter als die Johanniter. Unser Orden wurde nach dem ersten Kreuzzug gegründet, um die Pilger zu schützen, die ins Heilige Land reisten, und von diesem Tag an kämpften wir in jeder Schlacht bis zum Fall von Acre – das sind zweihundert Jahre.

Ich wurde nach Frankreich geschickt. Dort lernte ich das Kriegshandwerk und diente dem Orden auf die bestmögliche Weise. Ich lebte mehrere Jahre in Paris.« Er sah zu seinem Knappen hinüber. »Edgar war bei mir. Ich hatte ihm das Leben gerettet, und als ich dem Orden beitrat, fragte er mich, ob er mein Knappe werden dürfe. Er war kein Ritter, aber ich brachte ihm bei, wie man kämpft.

Es war ein herrliches Gefühl, zur Armee Gottes zu gehören, den irdischen Vergnügungen entsagt zu haben und sein Leben der Ehre Christi zu widmen. Das war es, was ich wollte.

Aber dann, eines Tages – ich werde das Datum nie vergessen, es war ein Mittwoch, der vierte Oktober im Jahre dreizehnhundertsieben – wurde ich zur Küste gesandt, um eine Botschaft zu einem Schiff zu bringen, das nach Kreta segelte. Ich weiß nicht mehr, wie die Botschaft lautete, aber es schien dringend. Der neue Großmeister Jacques de Molay hatte mich beauftragt, weil er auch Engländer war, glaube ich. Deshalb waren Edgar und ich nicht in Paris, als es geschah.

Am Freitag, den dreizehnten Oktober wurden der Tempel in Paris und alle anderen Tempel im Land von Männern des französischen Königs gestürmt. Dieser Tag wird für immer der schwärzeste in der Geschichte sein – nur Christi Hinrichtung war verabscheuungswürdiger!« Die letzten Worte spie er fast hervor, aber er sammelte sich rasch wieder.

»Wir waren auf dem Rückweg, als man uns vor den Ereignissen in Paris warnte. Es schien unglaublich, ja unmöglich, dass man die Ordensbrüder verhaftet haben sollte; aber dem war so.« Er sprach fast tonlos, so als sei mit dem Ende des Ordens sein Leben zerstört worden. Er schien zu frösteln und schaute in die Flammen.

»Edgar ließ nicht zu, dass ich in die Stadt ging, um mich davon zu überzeugen, was vor sich ging. Er bestand darauf, selbst zu gehen. Wir trennten uns in einem Wald bei Paris und wollten uns zwei Tage später wieder treffen. Als wir zusammenkamen, bestätigte Edgar die Gerüchte. Der

Tempel sei solch niederträchtiger Verbrechen beschuldigt worden, dass der König selbst die Sache in die Hand genommen habe. Und er zeigte großen Enthusiasmus dabei!

Er befahl, dass alle Templer umgehend verhaftet werden sollten, selbst der Großmeister Jacques de Molay. Alle wurden ergriffen und in Ketten gelegt. Es gab nicht genug Gefängnisse für die armen Soldaten Christi, sodass die meisten in ihren eigenen Tempeln in Ketten gehalten wurden.

Edgar und ich reisten durch das Land, und in den Wäldern bei Lyon trafen wir durch Zufall einige Freunde. Das war dreizehnhundertzehn. Damals hatten wir alle schon von den Geständnissen gehört. Weißt du, auf welche Weise die Templer verhört wurden? Nein? Nun, du kannst Gott danken, dass du wohl nie von der Inquisition befragt werden wirst. Und uns haben sie vorgeworfen, wir seien des Teufels. In Lyon erfuhren wir auch von dem Konzil, das der Papst in Vienne abhielt.«

Er lachte kurz auf, ein freudloses Lachen. »Du hättest ihn sehen sollen. Er hielt ein Konzil ab, bei dem er uns verdammte, uns, die Templer! Er wollte uns verleumden. Die anderen, die Kardinäle, die Erzbischöfe und die Bischöfe wollten hören, wie wir uns verteidigten. Dazu muss man jedoch wissen, dass der Erzbischof von Sens fünfzig unserer Männer auf dem Scheiterhaufen verbrennen ließ, nachdem sie zur Verteidigung des Ordens aufgerufen hatten. Alle hat er sie an einem einzigen Morgen hinrichten lassen. Und als der Papst nun bei diesem Konzil Männer zur Verteidigung des Ordens aufriet, tat er das sicherlich in dem Glauben, dass sich niemand einfinden würde. Aber einige der gottesfürchtigen Männer erklärten sich bereit, denjenigen freies Geleit zu garantieren, die erscheinen würden. Also machte ich mich zusammen mit sechs anderen Gefährten auf den Weg.

Er wäre fast in Ohnmacht gefallen, als wir die Stufen zum Saal hinaufkamen. Clemens saß auf seinem Thron, und als wir ihm in unserer Ordenstracht entgegenkamen, wurde er krebsrot, und ich schwöre, er wäre von seinem

Thron gefallen, wenn die Lehnen nicht so hoch gewesen wären.

Die Mitglieder des Klerus waren uns dankbar, weil sie die ehrliche Absicht hatten, unsere Argumente zu prüfen und sie hörten uns aufmerksam zu. Doch als wir sagten, dass in der Nähe Lyons etwa zweitausend Tempelritter auf den Ausgang der Verhandlung warteten, bekam der Papst einen Wutanfall und stürzte hinaus. Ich glaube, die Tatsache, zweitausend Tempelritter in seiner Nähe zu wissen, ließ ihn um sein Leben fürchten, und wir erfuhren, dass wir verhaftet werden sollten. Doch die anderen geistlichen Herren, die uns freies Geleit gewährt hatten, bestanden auf ihrem Wort, und so musste der Papst uns ziehen lassen. Wir verließen Vienne mitten in der Nacht und kehrten zu unseren Freunden zurück.

Danach war klar, dass es für uns keinen sicheren Hafen mehr geben würde. Es war deutlich geworden, dass der Papst den Orden vernichten wollte. Viele von uns kehrten in ihre Heimat zurück, manche schlossen sich anderen Orden wie den Deutschrittern an. Andere wurden Mönche. Aber es gab auch einige, die herausfinden wollten, was wirklich geschehen war und Rache für das Unrecht wollten.« Er trank einen Schluck Wein. »Es hat zwei Jahre gedauert, aber schließlich fanden wir die Wahrheit heraus.«

Kapitel 25

Simon sah den Ritter mit einer Mischung aus Skepsis und Erstaunen an. Die Geschichte seines Freundes klang unglaublich, aber Baldwin wirkte so durch und durch ehrlich, dass Simon ihm glauben wollte. Baldwin machte einen vollkommen entspannten Eindruck, als habe er mit allem abgeschlossen und als fürchte er auch den möglichen Tod nicht. Dass er hier in seiner Heimat den Frieden, den er gesucht hatte, nicht gefunden hatte, schien vergessen.

Er sah müde aus, aber seine Augen funkelten, als er Simon ansah, und der Vogt spürte etwas von der ungeheuren Wut, die den Ritter vorangetrieben hatte, der Wut, mit der er de Penne getötet hatte.

Der Ritter fuhr fort. »Es war klar, dass wir nicht in Frankreich bleiben konnten. Der französische König und der Papst hatten sich gegen uns verschworen. Die Strafen waren unterschiedlich, aber jeder Mann, der unter der Folter gestanden hatte und später widerrief, wurde auf dem Scheiterhaufen verbrannt.

Der Orden hatte einen Mann, der ihn noch verteidigte, und das war Peter de Bologna, der frühere Vorsteher des Tempels in Rom, ein sehr gebildeter Mann, der sich im Kirchenrecht auskannte. Als er die Zeugenaussagen gegen den Orden prüfte, kam sehr schnell zum Vorschein, dass es gar keine wirklichen Beweise gab. Die Zeugen gaben wieder, was andere ihnen erzählt hatten, oder sie entpuppten sich als dreiste Lügner. De Bologna zeigte die Widersprüchlichkeiten ganz deutlich auf.

Etwa um diese Zeit starb der alte Erzbischof von Sens, und ein neuer Mann musste gefunden werden. Der neue Erzbischof war ein Freund des französischen Königs Philip de Marigny. Sobald er im Amt war, handelte er rasch. Er sprach Urteile über die inhaftierten Templer – noch während die Verhandlungen gegen sie liefen! An einem Morgen ließ er vierundfünfzig Ritter auf dem Scheiterhaufen verbrennen.«

Baldwin senkte den Kopf, und Simon verspürte einen Stich im Herzen, als er die Tränen auf dem Gesicht des Ritters sah. Das einzige Geräusch im Raum war das Knacken der Holzscheite.

Der Ritter wischte sich die Tränen aus dem Gesicht und sagte: »Verzeih mir, aber ich hatte Freunde unter jenen vierundfünfzig Männern. Auch Peter de Bologna ließ der Erzbischof ergreifen. Er wurde zu lebenslanger Haft verurteilt, damit er die Verteidigung des Ordens nicht mehr weiterführen konnte. Aber Peter schaffte es, aus dem Gefängnis zu entkommen. Es gelang ihm, nach Spanien zu fliehen, wo ich ihm begegnete.

Er war ein Soldat, aber keinem Orden beigetreten. Ich war nach Spanien gekommen, um mich den Johannitern anzuschließen. Die Spanier hatten sich von der Schuld der Tempelritter nie überzeugen lassen, genauso wenig wie unser eigener König Edward. Sie hatten ja in den Schlachten gegen die maurischen Horden Seite an Seite mit den Tempelrittern gekämpft, und sie wussten, dass die Templer ehrenhafte Männer waren. Spanien schien also ein gutes Land für mich zu sein. Ich wollte meinen Frieden finden.

Aber Peter de Bologna fand keinen Frieden. Während seiner Verhandlung hatte er Einblick in bestimmte Dokumente gehabt, die ihn so verbittert hatten, dass er keinem anderen Orden mehr beitreten wollte. Er blieb ein Ritter, ein Kämpfer für das, woran er glaubte. Er kämpfte, um das Christentum zu schützen.

Ich sollte das näher erklären, weil du sicherlich nicht weißt, wie die Templer organisiert waren. Die einzige Instanz, der sie Gehorsam schuldeten, war der Papst, Gottes Stellvertreter auf Erden. Sie waren der heiligste aller Orden, gegründet, um die Pilger zu beschützen. Und dieses Papier, das Peter in die Hände fiel, enthielt eine Liste mit den Namen der Männer, die falsches Zeugnis gegen den Orden abgelegt hatten. Jemand, der wollte, dass wir eine faire Gerichtsverhandlung bekamen, gewährte ihm mehr Einblick, als er bekommen sollte.

Zunächst konnte Peter kaum glauben, was er las, weil es unmöglich schien. Die Papiere belegten, dass sich der Papst und der König Frankreichs zusammengetan hatten, um den Orden zu vernichten, aber nicht wegen der angeblichen Verbrechen. Nein, es gab nur einen Grund – sie wollten unser Geld! Das war alles.« Er hielt inne und sah Simon an, als wolle er ihn allein mit diesem Blick überzeugen.

Langsam verstand Simon, was in dem Ritter vorging, und er dachte an den Schmerz, den er bei ihrer ersten Begegnung auf seinem Gesicht gesehen hatte. Nun begriff er, dass es die Narben von Verzweiflung und Verlust waren.

»Der König wollte unser Geld, weil er uns Geld schuldete. Wir hatten ihm Geld für die Mitgift seiner Tochter geliehen, nachdem er eine Heirat zwischen ihr und König Edward von England arrangiert hatte. Er beschloss die Vernichtung des Tempels, um auf diese Weise an unsere Reichtümer zu gelangen. Der Papst konnte sich ihm nicht widersetzen, weil er nicht in Rom, sondern in Avignon residierte, und auch er wollte unser Geld. Und zwar nicht für die Kirche, sondern für sich!« Baldwin lachte bitter auf. »Und sie haben es in die Tat umgesetzt! Wir sind niemals auf den Gedanken gekommen, dass uns der Papst betrügen würde, und wir glaubten, der König von Frankreich sei uns für unsere Dienste ewig dankbar. Aber gerade weil wir ihm geholfen hatten, weil wir ihm Geld geliehen hatten, beschloss er unseren Untergang.

Nachdem Peter das erfahren hatte, schwor er sich, niemals mehr einem König oder einem Papst zu dienen. Er kämpfte bis zu seinem Tod vor einem Jahr gegen die Mauren, und bevor er starb, teilte er sein Wissen mit mir.

Der französische König hatte einen Helfer namens Guillaume de Nogaret, der Teufel in Person. Er war sehr intelligent, war nach dem Tod seiner Eltern im Kloster erzogen worden und schien dennoch einen enormen Hass auf die

Kirche zu haben. Er kam auf die Idee, dass man die Templer am schnellsten vernichten könnte, wenn man sie der Ketzerei bezichtigte, und er machte sich mit Eifer an sein Werk. Er bestach Zeugen. Wann immer er einen Templer fand, der aus dem Orden ausgeschlossen worden war, gab er ihm Geld für falsche Aussagen gegen seine einstigen Brüder.

Ein Mann half ihm mehr als jeder andere. Er sorgte für falsche Mordanklagen, setzte Gerüchte über Ketzerei und Götzenanbetungen in die Welt. Er veranlasste einige Diener der Templer auszusagen, ihre Herren würden Götzen anbeten und bei ihren Ritualen auf das Kreuz spucken.«

Hier unterbrach Simon ihn. »Willst du wirklich sagen, all diese Anschuldigen seien falsch gewesen, das alles sei erfunden worden? Es gab so viele, selbst ich weiß das. Können denn alle falsch gewesen sein?«

Der Ritter lächelte ihm traurig zu. »Denk doch einmal nach, Simon. Alle Templer waren edle Ritter. Sie schlossen sich einem Orden an, der von ihnen verlangte, ein Mönchsgelübde abzulegen, sich ehrenvoll und gottesfürchtig zu verhalten, gehorsam und in Armut zu leben. Würde jemand, der einem solchen Orden beitritt, am ersten Tag auf das Kreuz spucken? Wohl kaum. Wenn du geschworen hättest, dein Leben Jesu Christi zu weihen, wenn du gewillt wärst, im Heiligen Land für die Christenheit zu kämpfen, würde dein erster Schritt dann sein, das Symbol all dessen zu entehren? Glaubst du, ein Mönch würde das tun? Und gar ein Templer? Das ist ganz unvorstellbar!« Er sah Simon so ernst an, dass dieser unwillkürlich nickte.

»Dieser Mann hat all das erfunden. Dabei ging es ihm nur um Geld und Macht. Und er bekam, was er wollte. Wir kannten weder seinen Namen, noch wussten wir sonst etwas über ihn, er ließ niemanden an sich heran. Wir wussten nur, dass er selbst Templer gewesen war, ein Ritter mit einer vergifteten Seele. Ein gemeiner, gieriger Mann, der niemals in unsere Reihen hätte aufgenommen werden dürfen. Peter ist es nicht mehr gelungen, seinen Namen zu erfahren, aber mir, mir ist es gelungen.

Vor zwei Jahren sollte unser Orden öffentlich Buße tun. Es hieß, der Großmeister werde die Sünden gestehen, und selbst wir, die wir die Wahrheit kannten, gerieten ins Grübeln, aus dem gleichen Grund wie du gerade. So viele Vorwürfe, waren nicht einige begründet?

Ich wurde durch das Los dazu bestimmt, nach Paris zu gehen, um zu hören, was Jacques de Molay vor der Kathedrale von Notre Dame sagen würde.«

Seine Stimme klang, als würde ein alter Mann sich an lang vergangene Zeiten erinnerten und nicht an Ereignisse, die vor zwei Jahren geschehen waren. Es schien, als habe er völlig vergessen, dass er Zuhörer hatte.

»Ich stand vor der Tribüne, als sie hinaufgeführt wurden, in Ketten, wie gewöhnliche Diebe. Aber sie ergaben sich nicht ihrem Schicksal, sie stritten die Anschuldigungen ab. Wenig später wurden Jacques de Molay und die anderen vor der Kathedrale verbrannt. Eine große Menge wollte das Schauspiel sehen, aber ich war nicht dabei. Wie hätte ich zusehen können, wie Jacques in den Flammen starb!« Er sah Simon fast flehentlich an, als erbitte er seinen Beistand. »Als die Soldaten am nächsten Morgen die Asche abtransportieren sollten, fanden sie keine Knochen mehr vor. Die Pariser hatten sie aufgesammelt und mitgenommen. Nach allem, was geschehen war, glaubten auch sie nicht an die Anschuldigungen. Sie betrachteten die Gebeine der toten Männer als heilige Reliquien; selbst den kleinsten Fingerknochen.« Sein Blick blieb auf Simon gerichtet, als er sich an den Hals griff und ein schmales Lederetui unter seinem Wams hervorzog. Er betrachtete es eine Weile und schob es dann wieder zurück.

»Ich ging zu meinen Freunden zurück und berichtete ihnen vom Ende des Ordens und vom Ende der Brüder, die als Märtyrer gestorben waren. Aber ich musste herausfinden, wer uns verraten hatte.« Plötzlich huschte ein sardonisches Grinsen über sein Gesicht. »Und es war der Papst persönlich, der mir verriet, wer es war.«

Simon sah ihn entgeistert an. »Der Papst? Wie …«

Baldwin schenkte sich Wein nach. »Nein, er hat es nicht

mit Absicht getan. Es trug sich folgendermaßen zu: Nach dem Spektakel vor Notre Dame zog ich mit Edgar durch das ganze Land. Wir befragten jeden, von dem wir wussten, dass er dem Orden angehört hatte, und ganz langsam tat sich ein Bild auf, in dem einige bestimmte Personen immer wieder vorkamen. Niemand, mit dem ich sprach, hatte in irgendeiner Weise Nutzen aus dem Untergang der Templer ziehen können. Keiner war reich – die meisten waren einfache Mönche, die ihr neues Leben Gott gewidmet hatten. Viele waren ebenso verbittert wie ich. In den Gesprächen tauchte immer wieder ein Name auf, der Name eines Mannes, der in seltsam vielen Gefängnissen gesehen worden war. Es handelte sich um einen Gefangenen, der sehr oft verlegt worden sein musste, und wo immer er auftauchte, legten seine Mithäftlinge plötzlich Geständnisse ab.

Ich unternahm noch nichts. Er war in Paris aufgetaucht, in der Normandie, selbst in Rom. Warum, so fragte ich mich, wird ein Mann, der als Ketzer verdächtigt wird, ständig in andere Kerker verlegt? In den Gefängnissen trug er stets Ketten wie die anderen, aber niemand konnte sich erinnern, ihn unter der Folter gesehen zu haben. Aber er sprach sehr viel von der Folter, beschrieb die grausamen Torturen, die unschuldige Opfer über sich ergehen lassen mussten, wenn sie nicht gestanden. Und so gelang es diesem Mann, diesem Tempelritter«, – das letzte Wort spie er fast heraus – »vielen Brüdern Worte in den Mund zu legen, mit denen sie glaubten, der Folter entgehen zu können.

Dann erzählte mir ein Mann aus Rom, dieser Templer habe im Gefängnis verbreitet, der Großmeister selbst habe gestanden, aber das war unmöglich, weil der Großmeister zu diesem Zeitpunkt weder gestanden noch widerrufen hatte. Langsam wurde mir klar, dass dieser Mann, der die Gefängnisse aufsuchte, ein Agent des Königs und des Papstes sein musste. Es dauerte jedoch noch Monate, bis ich die Beweise dafür bekam.

Ich hörte vom Tod eines Freundes und reiste zu seiner Beerdigung nach Chartres. Dort lernte ich einen Abt kennen, bei dem ich bleiben konnte. Ich war an Leib und Seele verwundet, meine Suche hatte mich all meine Kraft gekostet, und der Abt hatte von mir gehört und nahm sich meiner an.

Eines Tages zeigte er mir eine päpstliche Bulle, die meine Energie wieder aufleben ließ.

Es war eine Liste der Namen von Männern, die der Papst persönlich strafen wollte. Der Name des Großmeisters stand darauf, die Namen einiger Tempelherren, doch einer fiel mir besonders auf. Es war der Name, den ich in ganz Europa gehört hatte – Oliver de Penne. Er war ein einfacher Ordensbruder, kein bedeutender Mann wie Jacques de Molay, nur ein Kriegermönch. Und hier stand sein Name, weil er sich, gemeinsam mit den Führern des Ordens, den besonderen Unmut des Papstes zugezogen haben sollte. Wie konnte das angehen? Jetzt war ich sicher, den richtigen Mann zu haben.

Natürlich musste ich wissen, was aus ihm geworden war. Ich reiste wochenlang umher, sprach mit Überlebenden und mit Männern, deren Namen ich nie zuvor gehört hatte. Zwei Mal wurde ich verraten und musste fliehen. Einmal geriet ich in einen Kampf. Aber zu guter Letzt bekam ich meine Informationen. Ich fand heraus, worin seine Strafe bestanden hatte – er war zum Erzbischof von Südfrankreich ernannt worden –, und nicht nur das, der König hatte ihn zusätzlich ›gestraft‹, indem er ihm Geld und Ländereien geschenkt hatte. Jetzt gab es keinen Zweifel mehr.

Aber als ich versuchte, an ihn heranzukommen – etwa ein Jahr später – wurde mir schnell klar, dass es ein aussichtsloses Unterfangen war. Er verließ niemals seinen Palast, der so gut bewacht war, dass es unmöglich schien, dort einzudringen. Edgar und ich warteten wochenlang, aber wir fanden einfach keinen Weg hinein. Mit jedem Tag wurde ich kränker, die Anstrengungen der langen Jahre, in denen ich gekämpft und viele Tage und Nächte im Freien verbracht hatte, forderten ihren Tribut. Schließlich entschloss ich mich, den Rachegedanken zu begraben und nach England zurückzukehren, zumal Edgar sich große

Sorgen um mich machte. Er fürchtete in der Tat meinen baldigen Tod.

Es schien, als hätte Gott mich verlassen. Ich hatte nur den einen Wunsch gehabt, die Vernichtung des Tempels zu rächen, aber nun hatte er ausgerechnet den Schurken, der so großen Anteil daran gehabt hatte, meinem Zugriff entzogen. Das viele Reisen hatte mich erschöpft und die Enttäuschungen der letzten Jahre lagen wie eine Last auf meiner Seele. Bei meiner Rückkehr wurde ich von einem Fieber befallen, das mich fast dahingerafft hätte. Edgar pflegte mich, und dann erfuhr ich, dass mein Bruder gestorben war und ich nach Furnshill zurückkehren könne. Wir beschlossen, hierher zu kommen und alles zu vergessen. Ich gestehe, dass ich mich fragte, ob Gott mich vergessen hatte.

Doch kaum waren wir ein paar Tage hier, als Edgar in Crediton Bruder Matthew begegnete. Matthew war ebenfalls Templer gewesen, hatte jedoch nie die Qualen der Folter erleiden müssen. Er hatte in Spanien gegen die Mauren gekämpft, als die Templer inhaftiert wurden. Als er vom Schicksal des Ordens hörte, wurde er ein Mönch. Edgar lud ihn ein, uns auf Furnshill zu besuchen.

Matthew bat seinen Abt, die Reise zu unterbrechen – er erzählte ihm sogar, dass ich Templer gewesen sei. Matthew wusste, dass auch de Penne dem Orden angehört hatte und glaubte, der Abt könne seinen Wunsch, mich zu besuchen, sicher gut verstehen. Stattdessen reagierte der Abt völlig unerwartet. Er hatte nur barsche Worte für die Templer, aber Matthew machte sich keine weiteren Gedanken. Er glaubte lediglich, dass der Abt nicht mehr an die Vergangenheit erinnert werden wollte.

Also kam mein alter Freund Matthew zu Besuch und irgendwann erwähnte er im Gespräch den Namen des Abtes. Ich war wie vom Donner gerührt. Es musste sich um eine göttliche Fügung handeln, dass de Penne ausgerechnet hier auftauchen würde, dass er praktisch zu mir gesandt worden war. Ich glaube das wirklich. Warum hätte Gott ihn mir über den Weg laufen lassen sollen, wenn er nicht gewollt hätte, dass ich in seinem Namen Gerechtigkeit übe? Ich fühlte mich erfüllt vom Heiligen Geist. Ich war entzückt, dass Gott mich auserwählt hatte, seinen Willen geschehen zu lassen.

Matthew blieb über Nacht. Es muss etwas geahnt haben, obwohl ich mir alle Mühe gab, ihn nicht merken zu lassen, dass ich wusste, wer de Penne war. Ich wusste, dass Matthew es nicht hätte zulassen können, dass Blut vergossen wird. Er hätte verlangt, de Penne nach Buckland ziehen zu lassen. Aber in meiner Aufregung trank ich an jenem Abend zu viel, und ich weiß nur, dass er am nächsten Morgen sehr besorgt schien. Ich schickte Edgar mit dem Mönch in die Stadt, damit er mir sofort Bescheid geben konnte, wenn die Gruppe wieder aufbrach.

Ich fand keine Ruhe. Der Tag der Rache war gekommen, und der Gedanke daran brannte in meiner Seele wie ein heiliges Feuer.

Doch als mir Edgar am nächsten Tag mitteilte, dass sie sich auf den Weg gemacht hatten, kamen mir Zweifel. Was, wenn es doch der falsche Mann war? Ich überlegte hin und her, und letzten Endes beschloss ich, ihn zu entführen und zunächst zu befragen.

Am frühen Vormittag ritt ich los, allein. Ich wusste noch, wo die Straße nach Oakhampton war und Edgar hatte mir gesagt, dass sie diesen Weg nehmen würden. Als er bemerkte, dass ich verschwunden war, ritt er mir nach und versuchte mich zu überreden, mein Vorhaben aufzugeben. Als er sah, dass es keinen Sinn hatte, kam er mit mir. Ich konnte ihn nicht abhalten. Auch Edgar hat viele Freunde auf dem Scheiterhaufen verloren.

Wir holten die Gruppe bei Copplestone ein, wie du weißt. Wir packten de Penne und schleppten ihn tief in den Wald. Den anderen wollten wir nichts antun, aber wir jagten ihnen so viel Angst ein, dass sie es nicht wagten, uns zu folgen. Matthew hat uns jedoch erkannt, auch wenn ich ein Wams ohne Wappen trug. Wir banden de Penne im Wald an einen Baum. Wieder kamen mir Zweifel. Es waren schon so viele gestorben, was konnte da der Tod eines Einzelnen ändern?

Aber ich musste wissen, ob es der richtige Mann war. Ich musste wissen, ob er seine Hand bei der Vernichtung des Ordens im Spiel gehabt hatte.«

Baldwin strich sich mit der Hand über die Stirn, als wolle er die Erinnerungen auslöschen.

»Ich fragte ihn nach den Templern. Da ich ihn als feige und hinterhältig einschätzte, hielt ich ihm keines seiner Vergehen vor, sondern beschuldigte ihn, ein Templer und somit ein Ketzer gewesen zu sein. Er glaubte mir, glaubte, dass ich ihn deswegen töten wollte. Er gestand alles, es sprudelte nur so aus ihm heraus, weil er so seine vermeintliche Unschuld zu beweisen glaubte: wie er sich mit de Nogaret verschworen hatte, um Beweise gegen den Orden zu fälschen, wie er Verbrechen erfunden hatte, die nie geschehen waren und selbst, wie er in die Gefängnisse gegangen war und dort die Templer zu Geständnissen überredet hatte. Dafür sei er vom Papst mit einem Erzbistum belohnt worden! Das beweise doch seine Unschuld. Und nun müsse ich ihn freilassen.

Er breitete alles vor mir aus, all seine Missetaten, und ich wusste natürlich, dass er die Wahrheit sagte, weil es die Dinge waren, von denen ich bei meinen langen Nachforschungen erfahren hatte. Ich spürte den alten Hass.

Ich trat vor ihn, nahm meinen Helm ab, damit er mein Gesicht sehen konnte und sprach zu ihm. Ich verriet ihm, wer ich wirklich war. Er starrte mich nur an, schien es zunächst gar nicht begreifen zu können und schüttelte mit weit aufgerissenem Mund den Kopf. Und dann sprach ich sein Urteil und sagte, dass er auf die gleiche Weise sterben werde, auf die seine Opfer gestorben waren.«

Baldwin erschauderte, als verspüre er einen plötzlichen Schmerz. »Er fing an, mich anzuflehen, winselte um Gnade. Gnade! Wann hatte er jemals Gnade gewährt? Er hatte um des Geldes willen getötet, um seinen Reichtum und seine Macht zu mehren. Er hatte all seine Gelübde gebrochen, seine Freunde verraten und einen ehrenvollen Orden zugrunde gerichtet. Und nun flehte er um Gnade, weil ihn der gleiche Tod erwartete, den er über andere gebracht hatte. Ich hoffe nur, dass seine Seele in der Hölle schmort.

Was soll ich sagen? Wir hätten ihn auch einfach verhungern lassen können, aber vielleicht wäre jemand vorbeigekommen und hätte ihn gerettet. Wir hätten ihn auch erstechen können, aber es schien nur einen Tod zu geben, der ihm gerecht wurde – der Tod des Ketzers. Edgar stimmte mir zu. De Pennes Leiche sollte Zeugnis ablegen, sie sollte darauf hinweisen, dass er ein Mann ohne Ehre war. Wir wollten ein Zeichen setzen. Wir sammelten Zweige und Äste und entfachten das Feuer. Er brüllte und schrie die ganze Zeit, aber ich glaube, er hatte bereits den Verstand verloren, als die Flammen an ihm zu nagen begonnen. Ich sah zu, wie er verbrannte, aber glaube mir, mein Freund, ich habe kein Vergnügen dabei empfunden. Ich habe lediglich einem Verbrecher die gerechte Strafe zukommen lassen. Als der Gestank des verbrannten Fleisches unerträglich wurde, ließen wir die brennende Leiche zurück und ritten heim.«

»Ihr habt euch nicht viel Mühe gegeben, eure Spuren zu verwischen«, sagte Simon leise.

Der Ritter sah ihn an. »Nein, wir haben uns einfach nach Norden begeben, bis wir auf eine Straße trafen. Dann ritten wir nach Crediton zurück, bis wir den Weg erreichten, der nach Hause führt. Ich habe mich nicht um meinen eigenen Schutz gekümmert, nachdem ich ihn getötet hatte, aber ich fühlte auch keine Schuld – er hat es verdient. Und es war Gottes Wille, dass er hierher kam und ich davon erfuhr. Es war Gott selbst, der zuließ, dass er meinen Weg kreuzte. Gott hat ihm das Leben genommen, nicht ich. Ich war nur sein Werkzeug.

Vielleicht glaubst du mir nicht; ich weiß nicht, wie es wäre, wenn wir mit vertauschten Rollen hier säßen, aber ich schwöre dir, dass ich es getan habe, um ihn für seine Verbrechen an den Templern zu bestrafen.«

Simon sah ihn an und versuchte, diese erstaunliche Geschichte zu begreifen. Baldwin schaute ins Feuer. Er wirkte keineswegs bedrückt, im Gegenteil, das Geständnis schien ihm eine Last von den Schultern genommen zu haben. Wie lange hatte er seine Geschichte mit sich herumgetragen. Wie lange hatte er nach dem Mann gesucht. Und wie lange hatte es gedauert, bis er die Einzelheiten herausgefunden hatte. Zwei lange Jahre verbrachte er nach dem Tode de Molays damit, bis er ihn schließlich fand. Und das alles nur, um feststellen zu müssen, dass er seiner nicht habhaft werden konnte.

Was hätte ich gemacht, dachte Simon, wenn ich all das durchgemacht und alle Hoffnung begraben hätte, und plötzlich feststellte, dass meine Beute mir gefolgt ist, wie ein Lamm, das in einen Wolfsbau läuft?

Simon trank einen Schluck. »Was ist mit dem Mönch?«, fragte er. »Was ist mit Matthew? Was wusste er?«

»Matthew?« Baldwin wandte sich um und sah Simon verblüfft an. »Ich sagte doch schon, nichts. Erst als wir den Abt entführten und er meine Stimme hörte – da hat er mich erkannt. Als er erfuhr, was de Penne widerfahren war, kam er sofort zu mir. Du warst ja hier. Kaum warst du fort, wollte er von mir wissen, warum wir es getan hatten.«

»Deshalb war er so sicher, dass sich ein solcher Mord nicht wiederholen könne. Deshalb hat er von einem kurzzeitigen Wahn gesprochen. Er wusste, dass du es gewesen sein musstest.« Er schaute auf und sah den Ritter nachdenklich an. »Und du hast ihm alles erzählt? Hast du gebeichtet?«

»O ja. Ich habe es ihm erzählt. Er hat mir nicht vergeben, aber ich glaube, er hat es verstanden.«

»Wird er jemandem davon erzählen?«

»Nein, er ist ein guter Mann, der niemals das Beichtgeheimnis brechen wird.« Entschlossen trank er seinen Becher leer und erhob sich. »So, mein Freund, ich bin bereit. Ich begebe mich in deine Obhut. Tu mit mir, was du für richtig hältst.«

Kapitel 26

Eine Woche später ritt Simon zu seinem Freund Peter Clifford, um ihm einen letzten Besuch abzustatten, bevor er seinen neuen Posten in Lydford antrat.

»Komm und setz dich, mein Lieber«, sagte der Priester, als er das Haus betrat, und reichte dem Diener an der Tür Simons Umhang. Als sie saßen, lehnte sich der Priester mit einem Becher Wein in der Hand zurück und betrachtete Simon aufmerksam.

Man sah ihm an, dass er eine schwere Prüfung durchgemacht und sie gut bestanden hatte. Clifford spürte, dass er die schrecklichen Dinge, die er dabei erlebt hatte, nie mehr vergessen würde, aber es schien, als betrachte er sie bereits aus der Distanz.

Der Priester nickte zufrieden. Es freute ihn, dass sein junger Freund den Anforderungen seiner neuen Stellung offenbar mehr als gewachsen war. Er war ein guter ehrlicher Mann, und er würde seine neue Stellung auch nicht zu seinem Vorteil ausnutzen. Clifford wusste nur zu gut, wie sehr die Korruption in anderen Shires verbreitet war, und es beruhigte ihn, dass zumindest in Lydford die einfachen Leute unter Simons Schutz stehen würden.

»Wann werdet ihr umziehen, Simon?«, fragte er.

»Morgen. Bei dem, was Margret alles mitnehmen will, wird es wohl eine Weile dauern. Wir haben uns zwei Ochsenkarren geliehen.«

»Dann seid ihr in etwa einer Woche dort?«

»Ja, hoffentlich. Wir werden einen Tag in Oakhampton bleiben und uns dem dortigen Vogt vorstellen, und dann geht es weiter.«

Clifford goss sich noch einen Schluck Wein ein und sah Simon fragend an, doch der schüttelte den Kopf. »Eine traurige Geschichte, die Sache mit Roger Ulton. Natürlich kann man in niemanden hineinsehen, aber ich hätte ihn niemals für einen Mörder gehalten«, meinte Peter.

»Nein, er machte nicht den Eindruck. Die Carters werden glimpflich davonkommen, ihr Hauptverbrechen ist Dummheit, ihre Vergehen wirken gegen das von Roger eher harmlos.«

»Ja, oder verglichen mit denen der Gesetzlosen. Es ist gut, dass diese Männer hinter Schloss und Riegel sitzen, Gott sei Dank! Ein Schrecken weniger für die Menschen hier in der Gegend, besonders nach dem Mord an dem Abt.«

»Ja«, sagte Simon und wich dem Blick des Priesters aus.

»Man wird sie schuldig sprechen und genau wie Roger Ulton werden auch sie am Strick enden.«

»Ja.«

Der Priester lächelte amüsiert über die Einsilbigkeit Simons. Er stellte seinen Becher ab und sagte: »Simon, du hältst doch mit etwas hinter dem Berg.«

Der Vogt sah ihn mit unschuldiger Miene an. »Ich, dir etwas verbergen?«

»Simon!«, ermahnte der Priester seinen jungen Freund mit gespielter Strenge.

»Also gut, Peter, aber was ich dir sage, muss so geheim bleiben, als säße ich im Beichtstuhl.«

Der Priester runzelte die Stirn, doch dann nickte er. »Ich gebe dir mein Wort.«

Der Vogt wirkte erleichtert, dass er endlich mit jemandem über etwas sprechen konnte, das ihn zu bedrücken schien.

»Nehmen wir an«, begann Simon, »ein Mord ist geschehen, oder irgendein anderes Verbrechen. Nehmen wir an, dass Männer wegen dieses Verbrechens verhaftet worden sind, die dessen nicht schuldig sind. Es war jemand anderes. Es gibt Beweise, die auf diesen Mann deuten, aber es handelt sich um einen guten, ehrenvollen Mann, der für diese Gegend sehr nützlich sein könnte. Die verhafteten Männer haben schlimmere Verbrechen begangen, um sie ist es nicht schade. Wenn die Beweise präsentiert werden, wird ein guter Mann ruiniert. Täte ich Recht, wenn ich diese Beweise zurückhielte, was sagst du?«

Der Priester atmete tief aus. »Du müsstest dir sehr sicher sein«, sagte er schließlich. »Was, wenn du dich irrst und den Schuldigen laufen lässt, weil er dich verwirrt und dir Sand in die Augen gestreut hat? Warum solltest du ihm glauben?«

Der Vogt rutschte hin und her, als fühle er sich nicht wohl in seiner Haut. Er schien sich seine Antwort genau zu überlegen. »Nein, ich bin sicher, dass ich mich nicht irre. Ich weiß, wer es getan hat und ich kenne seine Gründe. Nein, ich frage mich nur, ob ich das Recht habe, die Beweise zurückzuhalten.«

»Nun, wenn dieser Mann, wie du sagst, noch Gutes tun kann, dann hast du dieses Recht. Es gibt so viele Verbrechen. Warum einen Mann bestrafen, der den Menschen hier noch von Nutzen sein kann. Und wenn die anderen bereits andere Missetaten begangen haben und sowieso sterben müssen, was nützt es denen? Nein, wenn du etwas zurückhalten musst, damit dieser Mann in Freiheit bleiben kann, dann tue es.«

»Gut. Das wollte ich hören. Danke, mein Freund.«

»Dann kann man dir nur noch zu deinen Erfolgen gratulieren?«

»Was meinst du?«

»Nun, du hast die Mörder des Abtes, die der Kaufleute und den Mörder Bewers gefasst. Mit besseren Referenzen kannst du deinen neuen Posten in Lydford kaum antreten, oder?«

Am späten Nachmittag kehrte Simon nach Hause zurück. Er warf Hugh die Zügel seines Pferdes zu, der sie gleichgültig entgegennahm und ging ins Haus.

Ein seltsamer Anblick, dachte er, als er den Raum sah, in dem die gepackten Kisten standen, in denen ihre Sachen morgen nach Lydford gebracht werden sollten. Als er auf seine Frau zuging, hallten seine Schritte auf dem leeren Boden. Er würde sich an dieses Geräusch gewöhnen müssen, denn die Räume auf Lydford Castle würden viel größer sein und in der Abwesenheit seines Lehnsherren, Lord de Courtenay, auch sehr still.

»Wie geht es Peter?«, fragte Margret, nachdem er ihr einen Kuss gegeben hatte.

»Oh, es geht ihm gut. Er wünscht uns alles Gute. Ich werde ihn sehr vermissen.«

»Ich bin sicher, dass er uns oft besuchen wird. Möchtest du Wein?«

Er setzte sich und nahm mit einem dankbaren Lächeln den Becher entgegen, den sie ihm reichte. So viel war während seiner Rückkehr aus Taunton geschehen, dass er noch immer etwas angespannt war. Und bis sie den Umzug geschafft hatten und er seine neuen Pflichten kennen gelernt hatte, würde es auch so bleiben. Zumindest hatte ihn das Gespräch mit Peter Clifford davon überzeugt, dass er das Richtige tat.

Während er noch darüber nachdachte, kam Hugh in den Raum und kündigte einen Gast an.

»Sir Baldwin Furnshill.«

Der Ritter kam mit schweren Schritten herein, gefolgt von Edgar. Er verneigte sich leicht.

»Willkommen. Setzt euch. Wie wäre es mit etwas Wein?«

Nachdem sie ein paar Minuten geplaudert hatten, bat Baldwin Simon vor das Haus, um ihm sein neues Pferd zu zeigen. Lächelnd folgte Simon dem Ritter hinaus.

»Ist sie nicht wunderschön?«, sagte der Ritter und strich seiner reinrassigen, weißen Araberstute über den Hals.

»Ja, das ist sie«, sagte Simon und betrachtete das Tier. Er hatte seinen Wein mit hinausgenommen und trank einen Schluck. Die Stute, die wie geschaffen dafür schien, auf ihr wie der Wind durch das Land zu reiten, tänzelte nervös, während die Männer sie betrachteten, und in ihren Augen glänzte ein wildes Feuer.

Baldwin sah den Vogt nicht an, als er das Wort an ihn richtete, sondern schien noch immer die edlen Formen der Stute zu bewundern. »Ich weiß nicht, wie ich dir danken soll, mein Freund«, sagte er leise.

Simon zuckte nur verlegen mit den Schultern. »Dann lass es. Ich glaube, du bist ein guter Mensch, auch wenn du den Abt getötet hast. Es war ein Akt der Rache, und ich glaube, jeder hätte Verständnis dafür, dass du einem Verbrecher das Leben genommen hast. Außerdem, was wäre mit deinem Tod gewonnen? Wie du schon sagtest, es scheint ein solch bemerkenswerter Zufall, dass der Abt in dem Augenblick hier erschien, in dem du deine Mission gescheitert glaubtest. Ich weiß nicht, auch ich habe darüber nachgedacht, dass es Gottes Wille gewesen sein könnte. Vielleicht habe ich deshalb nichts unternommen, vielleicht aber auch, weil ich mir gesagt habe, dass ich an deiner Stelle das Gleiche getan hätte. Wie auch immer, ich kann gut mit meinem Gewissen leben.«

»Trotzdem könntest du mich der Gerechtigkeit übergeben.«

»Ja, ich weiß. Vielleicht hätte ich es auch tun sollen. Aber würde dadurch irgendetwas besser?«

»Aber ich bin Templer. Allein deswegen sollte ich schon im Gefängnis sitzen.«

»Nun, auch damit habe ich mich beschäftigt. In diesem Land sind nur sehr wenige Templer verhaftet worden, und man hat ihnen allen erlaubt, sich davonzumachen. Warum sollte es bei dir anders sein? Ich glaube, was du über die Templer gesagt hast. Ich kann mich auch daran erinnern, dass mein Vater stets mit Hochachtung von dem Orden gesprochen hat.«

»Wird man den Wegelagerern auch den Mord an dem Abt anlasten?«

»Nein. Godwens Aussage ist eindeutig. Es war nur ein Mann, der mit einer grauen Stute vorbeikam, und das war Rodney, ein paar Tage, bevor er auf die Bande traf. Ich habe dafür gesorgt, dass die Verbrechen, deren die anderen angeklagt werden, in der Hauptsache die von Oakhampton sind, also bevor Rodney sich ihnen anschloss. Und wenn es Leute gibt, die glauben möchten, dass Rodney von Hungerford den Abt getötet hat, kann ich daran auch nichts ändern, oder? Ich habe jedenfalls nichts getan oder gesagt, was die Räuber mit dem Mord an dem Abt in Verbindung bringen könnte.«

Der Ritter sah ihn an. »Du musst froh sein, dass der Wahnsinn der letzten Tage vorüber ist. Nun kannst du dein neues Heim beziehen und dich um deine Familie kümmern.«

»Ja, ich hätte nicht gehen können, ohne vorher hier alles geklärt zu haben. Wusstest du, dass man Brewers Sohn aufgespürt hat?«

»Nein, davon hatte ich nichts gehört.«

»Ja, Morgan Brewer lebt in Exeter. Er ist Kaufmann und offenbar ein wohlhabender. Er war es, der seinem Vater Geld schickte. Er hat es ihm wohl gegeben, damit er ihn in Ruhe ließ.

»Er wollte ihn sich vom Hals halten?«

»Ja, es scheint, dass er seinen Vater genauso wenig mochte wie alle anderen. Er wollte auf keinen Fall, dass sein Vater zu ihm nach Exeter kam.«

»Trotzdem – warum jemanden unterstützen, den man hasst?«

»Oh, Morgan Brewer ist in der Stadt ein bekannter und wohl gelittener Mann. Er legte keinen Wert darauf, dass ein alter Bauer sein Leben störte. Allzu viel Geld hat er ihm gar nicht geschickt, aber es war mehr als die anderen hatten. Das meiste hat Brewer wohl für Ale ausgegeben.«

»Aber warum musste er damit vor Ulton und den Carters prahlen? Wenn es die Almosen seines Sohnes waren, warum hat er sie als eigenes Vermögen ausgegeben?«

»Vielleicht nahm er den Erfolg des Sohnes als seinen eigenen, wer weiß?«, meinte Simon. »Vielleicht hat er ja doch noch eine Kiste Gold unter dem Haus versteckt, man sollte mal graben. Ich weiß es nicht, aber traurig ist es trotzdem. Er ist gestorben und niemand trauert um ihn. Es scheint niemanden zu interessieren, dass er nicht mehr da ist, nicht einmal seinen eigenen Sohn …«

Baldwin ergriff Simons Arm. »Mein Freund, er hat es hinter sich, und dass er auf so elende Weise sterben musste, ist auch seine eigene Schuld. Es gefiel ihm, andere schlecht zu machen, deshalb wurde er getötet, deshalb wollte sein Sohn nichts mehr von ihm wissen und deshalb trauert niemand um ihn. Vergiss ihn. Du brauchst ihn nicht zu betrauern, du hast genug für andere getan. Lass mich dir noch einmal danken. Wenn einmal deine Stunde kommt, dann kannst du ruhigen Gewissens einschlafen, weil du mir ein neues Leben geschenkt hast.«

Simon klopfte ihm lachend auf die Schultern, und die düsteren Gedanken verflogen. »Das wirst du vielleicht schon bald bedauern. Ich habe mir bereits ausgedacht, wie du dich nützlich machen kannst.«

Der Ritter sah ihn mit skeptisch zusammengezogenen Augenbrauen an. »Ich? Wie?«

»Sieh mich nicht so an. So schlimm wird es schon nicht werden, das schwöre ich!«, entgegnete Simon lachend. »Seit dem Tod deines Bruders gibt es in dieser Gegend keinen Richter mehr. Ich weiß, du willst helfen, wo immer du kannst, und deshalb habe ich dich vorgeschlagen. Es sieht so aus, als würdest du der neue Friedensrichter von Crediton.«

Baldwin sah ihn verdutzt an. »Was, ich soll als Richter ... aber dann muss ich ...«

»Nun ja, den ganzen Tag auf die Jagd gehen kannst du dann nicht mehr, du musst auf dem Richterstuhl sitzen und arbeiten.«

»Aber Simon, so etwas habe ich noch nie getan, wie ...«

»Du wirst schnell lernen. Also, genug fürs Erste. Lass uns hineingehen und schauen, was Margret auf dem Herd hat.«

Sie gingen zum Haus zurück. An der Tür blieb Baldwin noch einmal stehen und schaute sich um. »Simon«, begann er leise, doch der Vogt schüttelte nur den Kopf.

»Sag nichts mehr, mein Freund, du bist ein Mann von Rang. Das ist alles, was zählt und was man wissen muss. Und nun lass uns essen.«

Sie gingen ins Haus und schlossen die Tür.